だれでもデザイン
未来をつくる教室

山中俊治

朝日出版社

はじめに

この本は2017年に高校生に対して行った4日間の特別授業を書籍化したものです。受講生として、関東の様々な地域から、中高生たちが私の研究室に集まりました。

4日間を通して行ったのは、デザインの根幹の部分を学んでもらう体験型の授業です。デザイナーとして様々なものづくりにかかわってきた私が自ら実践してきたやり方の伝授であり、最近の12年間では大学の教員として学生たちに伝えつづけてきたことでもあります。

1冊の本として授業全体を眺めてみると、あの時集まった中高生たちは、一体なんの授業として受けとめたのだろうと、あらためて聞いてみたくなりました。物理や化学の授業のようであり、もちろん美術の時間もありますが、歴史的な話や企業の事例も少なくないので社会科の時間でもあります。少なくとも彼らがここで学んだことが、大学入試の問題として提示される可能性はほとんどないでしょう。でも実は、人間にとって普遍的なこと、誰もが少しばかり生きていくのが楽しくなる、そんな知恵のひとつを身につけてくれたはずだと私は思うのです。

30年ほど前、たまたま一緒に食事をした大臣秘書の方が、まだフリーのデザイナーになったばかりの私にこんなことを言いました。

「私の先生（大臣）は日頃から私に、自分が知らない分野の専門家に出会ったら、その未来について一言だけ言葉をもらってこいと言います。デザインの未来について、山中さん、一言ください」

急にそう聞かれて少々面食らいながら、私はとっさにこう答えました。

「どこにでもデザイナーがいる世界になればいいと思います」

それはその時の私の、とても正直な気持ちでした。

デザインとはなにか。授業はこの問いからはじまりますが、私は、デザインとは、まだよくわかっていない私たち「人間」のことを考えながら、人間と人工物との出会いや関係をより良いものにしていくことだと考えています。その対象となる人工物は、私たちの日常生活の中にも、プロフェッショナルな仕事場にも、旅行先の素敵なリゾート施設の中にも、世界中どこにでも、誰のためにでも存在します。

デザインは、産業の片隅だけで生きる知恵ではありません。私たちの生活をちょっと効率よく、少し豊かな気持ちになるよう組み立て直す知恵でもあります。デザインはデザインの専門学校で学ぶもの、その当たり前は未来には変わっているべきだと、30年前の私は思ったのです。

実は、私自身は一度も正規の「デザイン教育」を受けたことがありません。東京大学で機械工学を学びながら漫画ばかり描いていた学生が、ほとんど偶然に日産自動車のカーデザイナーになりました。当時は「変わり種」として扱われ、入社早々「なんで東大まで出てデザイナーなんかになったの？」などと言われたこともよく覚えています。なので、私のデザインは日産で仕事をしながら、フリーで活動しながら、そして大学で教えながら学んだものです。それゆえ私の知識には知っておくべき基礎が欠けている可能性も大いにありますが、だからこそ、才能や技術の鍛錬に寄りかからない、ものづくりの道筋のひとつを伝えられるのではないかとも思っています。

授業は、まず、身のまわりのものをよく見ることからはじめました。絵を描くことも観察の方法のひとつです。そして、今回、いちばん体感してほしかったことは、アイデアが生まれる瞬間に触れるということでした。実際に手を動かし、仲間と話し合いながら。既存のフレームに囚われず、好奇心のままに探索を進め、想像の羽を広げているうちに、ふとその瞬間は訪れました。

日常の些細な問題の発見からアイデアを得る。そこに新しい価値を見出し、形に落とし込み、人に伝え、一緒に完成させていく。この授業ではそういったデザイナーの営みの根幹を伝えようとしています。それは、人間がなにかを生み出す時の普遍的な方法だと考えているからです。

将来、彼女たちや彼らの中から、今の私のように商品開発にかかわるプロのデザイナーが生まれるかもしれませんし、ひとりもその道を選ばないかもしれません（ちょっと残念ではありますが）。それはどちらでもいいのです。この授業の目的は、人間がなにかを作ることの意味を、実際に作りながら考えること、その喜びを心と体で存分に味わうということでした。その喜びを動機として、30年前に私が思い描いた「未来の、どこにでもいるデザイナー」のひとりとして活躍してくれることを心から願ってやみません。

本書を読むにあたっては、A3サイズなどの大きめの紙とメモ用紙、そして鉛筆を用意していただきたいと思います。ぜひあなたも、私や中高生たちと一緒に手を動かしながら、空想の羽を広げてみてください。

目次

はじめに …… 003

1章・デザインって、なに？ …… 013

才能とは無関係に身につけられる考え方 …… 014
出発点は、漫画と機械工学 …… 018
描き溜めた漫画を抱えて面接へ …… 024
人が新しい技術と出会った時 …… 029
大量生産のためのひな型を作る職業 …… 034
「設計」と「デザイン」、両方学べばいい …… 038
自分の作ったものが
人類の行く末にかかわるかもしれない …… 040
ささやかでも、誰かを確実にハッピーに …… 043
アートとサイエンスの両方に首を突っ込む …… 048
作る自分もハッピーで …… 051

2章・言葉としてのスケッチ　053

言語としてのスケッチは、確実に上達する……054
目の位置は、紙の中心の真上に……056
実習　水平の線を引いてみよう……057
実習　きれいに引きやすい角度の線、引きにくいタテの線……059
実習　真ん丸を描いてみよう……060
実習　楕円を描いてみよう……063
知っているはずのもの、本当に知ってる？……067
実習　ニワトリを描いてみよう……067
3分間見ていたもの、どこまで覚えてる？……068
実習　観察しながら人を描く……069
見たとおりに描くのは難しい……071
実習　見たとおりに左手を描く……072
理解が形を見ることを妨げている……074
実習　左手でつくられた余白を描く……075
深く理解することで描く方法……079
実習　骨の構造から左手を描く……079
他の人がどう描いたか、自分の経験と比較する……082
仕組みを理解し、そのエッセンスを描く……085
実習　骨線からニワトリを描く……087

3章・「っぽい」リアルさを描く　093

「面白そう」と思ったら容赦なく学ぶ……094
実習　お茶の入ったコップを描いてみよう……111

「平行」に敏感な理由 096
「っぽく」見える絵を描くには 099
実習 丸と線で顔と体を描く 099
実習 球と楕円を使って目を描く 102
科学と漫画の共通点 108
回転体を描こう 110
実習 倒れたコップを描いてみよう 113
実習 コップの影を描く 117
実習 ペットボトルのラベルを描く 118
実習 車も円筒から描く 120
楕円が使えると人工物も自然物も描ける 122
自由課題 **木で「石っぽい!」を作る** 126

4章・分解と観察スケッチで「作り方」をたどる 129

分解して「中身」もスケッチする 130
実習 工業製品を分解する 133
ネジのすごいところと「標準化」 134
ミニ講習 **分解しながら見てみよう** 136
デザインが決まる3つの要素 137
裏面もきれいなコンピュータ 140
ものの形の作り方 144
大体のプラスチックが台形の理由 150
ガラスのようなプラスチック 156
ミニ講習 **きれいにするために、ここまでやる** 158
ものを作るために作り方を発明する 161
実習 工業製品を分解して、印象に残ったところをスケッチする 163
分解実習 **マウスの分解・観察スケッチ** 164
分解実習 **メトロノームの分解・観察スケッチ** 166
分解実習 **鍵盤ハーモニカの分解・観察スケッチ** 168
分解実習 **部品の形、一つひとつに理由がある** 170
スケッチして覚えた仕組みと知恵が新しいアイデアの素に 172

5章・アイデアのヒントは観察の中に、他人の頭の中に 175

面白いアイデアを思いつく人の共通点 …… 176
ロボット×3Dプリンター …… 179
「誰も見たことがないもの」を描く …… 184
いちばん難しいのは、いいアイデアに「出会う」こと …… 185
情報を「入れ」て「つなぎ替える」 …… 187
実習 情報を入れる …… 192
鍵盤が長さ1メートルだったら? トイレについていたら? …… 193
ビジュアルも一緒に、次から次へと …… 197
実習 分解したものから、どんな日用品を作れるか描いてみよう …… 198
実習 アイデアを人に伝え、人の話を聞いてスケッチを増やす …… 200
実習 アイデアに投票する …… 202
実習 アイデアの地図を作る …… 203
場所を変えるカード …… 206
ミニ講習 **鍵盤ハーモニカでなにを作る?** …… 208
思い思いの方向に走って違いを楽しむ …… 210
賢そうなロボットって、どんなもの? …… 213
車がロボットだったら …… 216
生物っぽさをデザインする …… 221

6章・使いやすいものを作る 223

「ともかく実験してみましょう」 224
「うまくいかなさ」をいくつも発見する 228
同じ道具でも「どう握るか」が違う 235
本で、作り方のアイデアと出会う 242
ミニ講習 **使いやすい大根おろしを作るには** 249
体の中に残ったわずかな放射性物質を測る 250
小さな子どもに4分間、鉄の箱の中にいてもらうには 255
アイデアを思いつく瞬間を大事に 262

7章・なにを、どうして作るのか 265

自分がいいと思うものにまっしぐらに 266
チームの再編成 269
実習 アイデアの街に名前をつける 270
合理的な予測と「なぜか気になる」 272
知らない人に説明して反応を見る 274
実習 **ショートプレゼンテーションと外部からの投票** 275
ひとつのアイデアを選ぶ時 278
「問題」を自分で作る 280
過去から学び、作りながら考える 286
「製品」であれば安心して使える 288
21世紀にも、誰もが気軽に使える義手がない 292
雑貨屋で見つけたおもちゃから 296
「ひとりのため」のデザインが未来をひらく気がした 302
第一次世界大戦後に標準化された義足 304
走る姿は低く飛んでいるように見えた 308
義足を見て、人が「かっこいい」って言うの、初めて見ました 312
人と共に育っていく人工物 317
一人ひとりのための義足を効率的に 320
ミニ講習 **3Dプリンターで義足を作る** 325

8章・形にして、共感を集めて、アイデアを育てる　327

アイデアを形にして育てていく　328
作りながら、手で考える　331
ミニ講習　**道具の使い方**　332
実習　プロトタイプを作る　335
プレゼンは、人の顔をちゃんと見て　337
実習　プロトタイプのプレゼンテーション　338
票は偏る　341
ウケなくても、くさっちゃだめ　343
共感を集めて仲間を増やし、アイデアを育てる　346
アイデアで突破する場面を増やす　348

後記　354
参考文献　357
謝辞　358

1章 デザインって、なに？

1日目前半

才能とは無関係に身につけられる考え方

こんにちは。これから4日間、デザインについての話をしていきます。今回の参加者は22名で、高校1年生と2年生、そして数名の中3。それぞれ埼玉、神奈川、東京の男子校と女子校から来てくれています。私がみなさんの歳の頃には「デザイン？　なにそれ？」という感じだったので、中高生のみなさんが関心をもってくれていることをうれしく思います。

一般的にはデザインはアートみたいなものだと捉えられることも多く、センスのある人だけがやることだと思われています。何年か前のことですが、馴染(なじ)みの魚屋のオヤジさんに、大学でなに教えてんの、と聞かれました。デザインと答えたら「デザインなんて教えられんのかね、ありゃあセンスなんじゃないの？」とさくさくヒラメをさばきながら言うんです。「魚さばくのもセンス要りそうじゃない？」と返したら、にやっとして納得してくれました。

私は、デザインは才能とは無関係に身につけられる考え方だと思うし、センスを学ぶことも可能だと信じています。そんなわけで、短い間ですが、お付き合いください。

ところで、みなさんは何年生まれですか？

――**高2が多いんですが、2000年です。中3は、2002年。**

そうか、きみたち、21世紀の人たちか。未来ですねえ。僕は2013年に東京大学に来て、今、きみたちがいる、この建物の中に研究室を持つようになりました。Prototyping & Design Laboratory、これが研究室の名前です。プロトタイピングという言葉には馴染みがないかもしれませんが、「あらかじめ作ってみる」というような意味。デザインして作ってみる、そういう研究室で、デザインを教えたり、デザインのやり方でなにができるか試したりしています。

じゃあ、はじめに、ひとつ質問。デザインって、なんだと思いますか? 思いついたこと、なんでもいいので言ってみてください。

―― デザインは、単にアートとしてだけでなく、人が見たり、使ったりすることを考えて設計することだと思います。

―― 人々の生活を、より便利に、より安全に、より豊かにするもの。それと歴史によって変わったり、時代を象徴するものであったりもすると思います。

そのとおりですね。あまりにもちゃんとした答えなので、少し驚いています。特に「人に使ってもらう」というのは重要な観点です。デザインの本質と言ってもいい。アートとの違いが一番はっきりするところですね。

また、歴史的な役割を考えることも重要です。デザインはほんの160年ほど前に成立した新しい職業です。じゃあ、その前には誰もデザインしなかったのかというと、もちろんそんなことはない。かつてはデザインとものづくりはほとんど同時に行われていて、その間に境界線はありませんでした。19世紀の後半に、職業としてのデザイナー、形と機能の両立、つまり、美しくて役に立つものを専門に考える仕事が成立しました。近年ではソフトウェアも含めて様々なテクノロジーの現場でデザイナーが活躍しています。

一方、デザインって、必ずしもかっこいいものを作ることだけじゃないって、今ではみんなわかってるけど、それが普通に知られるようになったのは、案外最近のことです。きみたちが生まれる頃までは、デザインっていうと、かっこいいかどうかだけの世界とか、色や形の良し悪しと捉えられることも多かった。少し広義には、感性に基づくもの、感覚的なところに作用するものづくりをデザインと呼びますが、これはファッションの世界と強く結びついた伝統で、デザイナーというとファッションデザイナーしか知られていない時代が長かったのです。

最近は、かなり広い意味で使われるようになって、企画、設計とか、プランニングそのもののことをデザインと呼ぶ人もいます。街のグランドデザイン、組織をデザインするとか、そういう使い方を、みなさんも聞いたことがあるでしょう。

――問題を解決するために、仕組みを設計することもデザインだって聞いたりします。

そのとおり。デザインシンキングっていう言葉、聞いたことがありますか。デザイン思考。もともとは、デザイナーっぽく考えてみようと経営にかかわる人たちが言い出したことです。デザインって聞いて思いつくこと、他の観点からなにかあるかな。

――シンプルに人々の心をつかむもの。自分の頭の中をそのまんま出したようなもの。

なるほど。今の答えはデザインのモチベーションを言ってくれていますね。自分が考えたもので、人の心をつかむことができたら最高だよねって。特にアーティストといわれる人たちは、自分がいいと思って作った音楽やイラストのファンが生まれることをいつも願ってる。デザイナーにも確かにそういうところはあります。

——僕は、製品に機能や人の思いを乗せることだと思います。車のデザインでいうと、人々が安全で楽に運転することができるようにという思いを込めて、自動ブレーキ装置などの便利なシステムを載せるとか。形のないものでは旅行サービスなんかも。家族みんなが楽しめたり、安全に移動できたり、その一連の流れにデザインがかかわっていると思います。

いい答えです。デザインはとても幅広くて、ひとつの製品がもつ様々な価値をいろんな観点で考え、全体としていいものにしていくという「統合的な営み」であることを言ってくれているね。なにかデザインの本、読んだことある？

——いや、ないです。

自分で考えたんだ。それは立派。きみは中学3年生で、技術工作部だったよね。ふだん、どんなものを作っているの？

——鉄道班と自動車班、船舶飛行機班に分かれて活動してるんですけど、僕は鉄道班で、デパートの屋上で小っちゃい子が乗るような線路と電車を作ったりしています。

すげえ（笑）、ちゃんとしたもの作ってる。今回は、美術部や技術工作部からの参加者が多いこともあって、ものを作るということに対する意識はとても高い。それがこの授業に参加したモチベーションになっているんだとすると、期待が持てますね。
僕は、子どもの頃から自分のおもちゃを自分で作りました。凧（たこ）、コマ、ブーメラン、弓矢、輪ゴム鉄砲……その経験は今も役に立っています。そういう経験が少ない人も、今からでも遅くはないので、この授業を通して、ものを作るのが好きな人になってほしいと思います。

——僕はラグビー部なんですけど、絵がうまくなりたいと思って、参加しました。

ぜひ、そうなってください。この中には絵を描くのが苦手だと思っている人もいるかもしれないけれど、絵が描けるのは才能のある人だけだと思い込んでいませんか。とりあえず、そういう考えは忘れましょう。才能があるに越したことはないけど、デザインにおいて、絵は道具であって最終成果物ではありません。道具の使い方は習得可能で、絵を道具として使いこなせれば世界が広がります。楽しみにしていてください。

出発点は、漫画と機械工学

自己紹介からはじめますが、これは［左ページの2つ］2012年に僕が描いた漫画です。『宇宙兄弟』（講談社、2007年から『モーニング』で連載）っていう漫画、知っているかな。小山宙哉（こやまちゅうや）さんが描いた、子どもの頃から宇宙飛行士になりたいと思っていた兄弟がその夢をかなえていく話です。夢に向かってまっしぐらに向かってゆく弟と、一度はその夢を諦めながら奮起して弟の

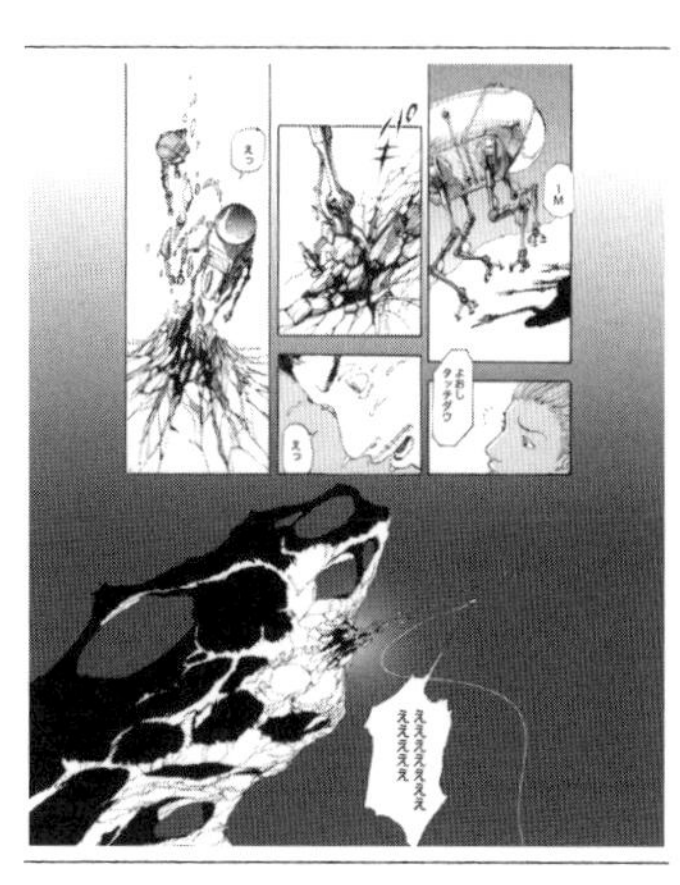

僕が描いた漫画の1ページ

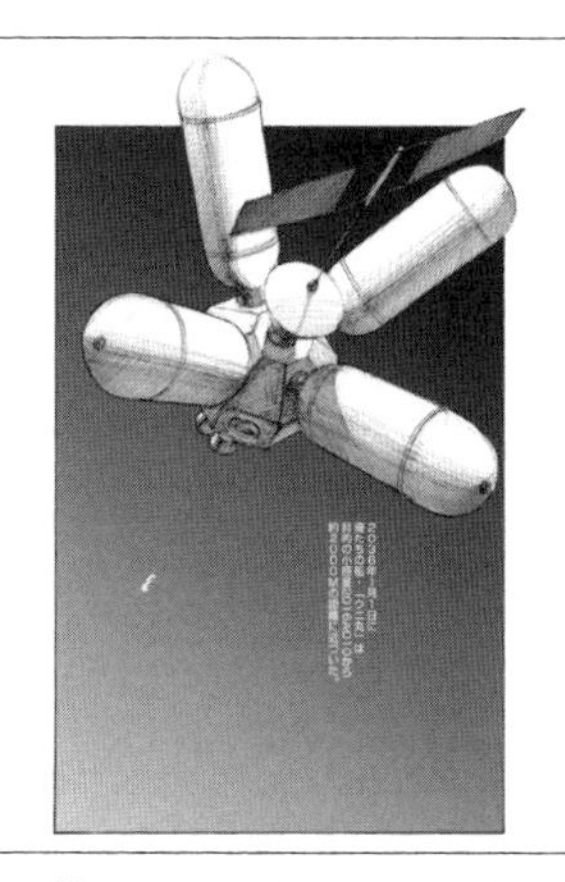

野田篤司さんとデザインした宇宙船

待つところへ行こうとするお兄さん。様々な試練があるけど、やっぱり夢に向かうっていいなあと思わせてくれる作品です。

この漫画が映画化された時、『We are 宇宙兄弟』(vol.1〜6。講談社、2010〜2012年)という記念のムック本が出ました。そのムック本に「宇宙船をデザインする」という連載企画があって、私と宇宙船設計者である野田篤司(のだあつし)さんが共同で、有人小惑星探査船をデザインすることになりました。野田さんは過去に、いくつもの衛星プロジェクトを指揮してきた高名な技術者です。この時にデザインしたのは、人はあまり長く宇宙にいられないから、6ヵ月で小惑星まで行って帰ってくる宇宙船でした。たくさんの燃料タンクを抱え、それを捨てながら航行します。残念ながら実現する動きはまだないのですが、本物の宇宙船設計者と宇宙船をデザインするのはとても楽しい作業でした。

この連載の最終回に、野田さんとデザインした宇宙船が使われているところを題材にして漫画を描いてくださいと、編集者の人に言われました。その人は、僕が学生時代に漫画ばかり描いていたのを知っていたんです。大学生の頃、きみたちよりも4つか5つぐらい年上の僕は、本気でプロの漫画家になろうと思っていました。たった8ページだけど、他の漫画家さんたちも寄稿している雑誌に掲載されて、長年の夢がかなっちゃった。

あらためて振り返ると、僕のデザインって、漫画と機械工学が出発点だったなと思うんですね。

僕は東京大学の理科I類に入学しますが、入学してすぐ、簡単にいうと目標を見失っちゃったんです。

東京から見ると海の向こうの四国という島の、愛媛県の松山市というところに生まれた僕は、木に登ったり虫をとったりしている典型的な田舎のガキでした。その割にスポーツはあまり得意ではなかったんですが、勉強はできちゃったんで、中学、高校と地元の進学校に進んで、きみたちと同じ年の頃には、けっこう頑張って受験勉強していました。

勉強自体は、苦しくもあったけれど、途中から面白さも感じていたんです。『ドラゴン桜』（講談社、2003年〜全21巻）という落ちこぼれの学校の学生が東大合格を目指す漫画がありますけど、その中では効率的に合格点を取る方法が徹底的に研究されています。自分がやったこともまさにあんな感じ。甲子園に出場するためには、計画的に練習することとか戦略を立てることが大切ですよね。高校球児は勝つためのあらゆる戦略が許されるのに、試験で戦略的に点を取りにいくのは「ガリ勉」とか言われちゃうのが、なんか理不尽だとも思っていました。目標はひたすら東大合格だったんです。だけど、あまりそういうことにこだわりすぎちゃダメみたい。入試なんて最高目標にするもんじゃない。

入学してから最初のうちは習慣の延長で勉強していましたが、そのうち、俺、ここになにしに来たんだっけ、と思うようになってしまいました。五月病という言葉は聞いたことあるかな。4月に入った新入生や新入社員が5月頃になるとやる気を失って憂鬱な気分になってしまう現象のことです。僕もその典型だったのでしょう。

実は、高校3年の時に母親を亡くしました。受験を一番応援してくれていた人がいなくなったんです。高校生の時はむしろそのことをバネにして頑張っていたのですが、やっぱりじわじわこたえていたんだと思います。なにも手につかなくて、こんなはずじゃなかったと自分を責めたり、このまま生きてる意味あるんだろうかとさえ思いました。その状態は大学2年生の夏まで、1年以上続きました。

大学には、学期の終わりに試験期間があります。毎日1、2科目ずつ、2週間続きますが、この試験のかなりの割合に合格しないと進学も卒業も危うくなる。

一応、僕も気が乗らないままに試験勉強していたわけですが、ある時、気分転換のつもりで、そばにあった漫画を、ちょっと模写してみたんです。ああ、そういえば、絵を描くの好きだったな、小学生の頃にはよくやってたなとか思い出しながら。

　そのとき描いたのは、水島新司さんという人が描いた野球漫画。知ってるかなあ、『野球狂の詩』（講談社、1972年から『週刊少年マガジン』で連載。全17巻）とか『ドカベン』（秋田書店、1972年から『週刊少年チャンピオン』で連載。全48巻）とか。その漫画に描かれるキャラクターがボールを投げてるところを、ともかく真似して描いてみたんですね。マンガはペンで描くと聞いたことがあったので、合格祝いに親父からもらった万年筆で。気分転換のつもりが、結局2時間以上かけて1枚の絵が出来上がりました。出来上がってみると、思ったより迫力のある絵になって気持ちがよかった。じゃあこのポーズも描いてみたいという気持ちが抑えられなくて2枚目に突入。そのうち夢中になって、気がついたら朝になっていました。焦って大学には行ったのですが、当然、試験はボロボロ。でもやめられなくて、それから2週間、毎日漫画を描いて、試験会場には行くというのを繰り返しました。

『ドカベン』の模写

　試験が終わった時、もうだめだ、自分はおかしくなっちゃったと思いました。でも、こんなに夢中になれるんだから、本気でやってみてもいいんじゃないかとも思ったんです。それから10日もしないうちに、大学の事務室に行って進学不希望届、もう1年この学年のまま置いてくださいという書類を提出します。それから2年ぐらい、ほとんど授業も出ないで、ひたすら漫画を描きつづけました。プロの漫画家になるつもりで。

マンガを描き始めてまもなく、「東大まんがくらぶ」っていうマンガを描くサークルに入部します。こんなこと、本気でやる人たちが他にもいることを知ったのは心強かった。

コミケって知っていますか。今は東京ビッグサイトで開催され、50万人ほどが集まる巨大イベントですが、僕が漫画を描き始めた頃は、5千人ぐらいの小規模の同人誌交換会でした。場所も蒲田の産業文化会館なんかの小さな公共施設。それでも当時の僕にとって、5千人も仲間がいることは驚きでした。今と違って、「大学生にもなって漫画なんか読んで」なんていわれる時代だったし、オタクという言葉も生まれる前で、マンガ愛好家は虐(しいた)げられていたんです。

そんな状況の中で、僕はマンガにのめり込んでいきました。

――どんな漫画を描いていたんですか？

描いていたのはスポーツ漫画です。僕がデザイナーになってから『スラムダンク』（集英社、1990年から『週刊少年ジャンプ』で連載。全31巻）が登場したのですが、あの漫画が出た時、「俺が描きたかったのはこれだあ！」って思いました。

2年もやっているとそれなりに作品数はたまってくるし、サークルの集まりで選定する学生マンガ大賞をいただいたり、充実した時間にはなりました。漫画家を本気で目指してはいたのですが、描いているうちにちょっと違うかもしれない、なんてこともわかってきたんです。

当たり前のことですが、面白い漫画って、ストーリーが面白い。どういう物語を描けるかが決定的に重要なんです。僕は、体が躍動する場面とか、人体を描くことそのものはとても楽しかったのですが、ストーリーを考えるのは、思いのほか苦痛でした。ストーリーがないと漫画にならないから、一応考えるんですけど、なんか、ありきたりな物語にしかならない。

結局、漫画も違うかもしれないと思い始めた頃、機械工学を専門課程として選んで勉強するようになったんです。漫画を描きながら人体の仕組みを考えていたことの延長だったのかもしれません。動く仕組みを考えることや、作ることが楽しいと思えるようになっていたんです。そして、卒業間際、入学してから6年目の年に「工業デザイン」という仕事を知りました。工業デザインという仕事が、どうやら、ものの形をかっこよくする、素敵なものをつくる仕事で、理科系の知識もいるし、絵を描ける必要もあるらしい。だとしたら漫画と機械工学の中間というか、両方いかせる仕事なんじゃないかと思ったのです。

描き溜めた漫画を抱えて面接へ

それから、デザイン事務所でバイトしたり、描き溜めた漫画を抱えて、いろんな人に会ってもらっているうち、あるデザイナーの方がおっしゃったんです。「カーデザインこそが工業デザインの王様だ」と。なにも知らない僕は、じゃあカーデザイナーにならなくちゃと思った。

僕が入っていた研究室は鉄道や乗用車などトランスポーテーション（輸送機関）の研究室だったので、カーデザインの仕事がしたいと教授に話したら、人づてに日産自動車のデザイン部の部長さんを紹介してくれました。その方は、人生相談がてら、会ってくれたんです。

デザイナーになるにはどうしたらいいですか？って聞いたら、デザイン学校をいろいろ紹介してくれた。でも、2回も留年しておいて、そんなところに行ってる暇もお金もありません。「今、デザイナーになることはできませんか？　つまり御社で雇ってもらうことは不可能でしょうか」と聞いてみたら「そういうつもりで会ったんじゃないけど、一度プレゼンテーションしてみますか」と言ってくれた。その方は森典彦（もりのりひこ）さんという人で、日産自動車でたくさんの名車をデザインされた後、千葉大学の教授になられました。僕の最初のデザインの師匠です。

2週間後、日産自動車デザインセンターに、段ボール箱いっぱい、いままで描き溜めた漫画を持ちこみ、自分をプレゼンしました。慌てて車の絵も描いて持っていきましたが、「車は下手だけど漫画はいいじゃないか」と言われて、「じゃあ試験を行います。2週間後までに4ドアセダンを1台デザインして、三面図とスケッチを持ってきてください」と。

実はこの時、車の免許ももっていなかったんです。車を真剣に見たことさえなかった。なので図書館で、乗用車の構造を研究するところからはじめました。1週間後にスケッチと図面を抱えて再びプレゼン。1ヵ月後、教授室に呼ばれ、「きみを採用したいと言ってきたよ」と知らされました。こうしてカーデザイナーとしてのキャリアがスタートします。

左の絵は、日産自動車に入って3年目くらいに描いた絵で、のちにインフィニティQ45という名前で生産されることになる車の、最初の頃のスケッチです。それが実際に発売されたのは1989年のことです。

日産自動車には5年いました。その5年間はとても貴重で、私にとっては日産自動車がデザイン学校でした。あらゆるデザイナーとしての基礎は、ここで学んだように思います。

5年で会社を辞めた理由は、そもそも会社員が向いていなかったからです。仕事は楽しかったし、一緒に仕事した人も素敵な人たちだったのですが、全員が同じバスで一斉に出勤することや、お昼休みに一斉にご飯を食べることが、とてもこわかったんです。集団行動苦手なのね。なんか違

うかも、と思ったらふらりと道を変えてしまうのは悪い癖ですね。でも、この身軽さが今の自分を支えていると感じることもあります。

１９８７年から本格的にフリーランスとしてデザイナーをはじめ、いろんなもののデザインをするようになります。ざっと紹介していくと、次ページ右下の写真のカメラは、１９８８年に作ったオリンパスのO-productというもので、けっこうヒット商品になりました。プラスチックカメラ全盛の時代に金属のカメラを、というコンセプトはコンセプター（商品などの核となる部分の構想を考える人）の坂井直樹さんの仕事。フリーランスとしてデビューしたばかりの僕がスタイリングを担当しました。

それから自分の会社を作り、家具をデザインしたり、腕時計や携帯電話をデザインしたり、大根おろし器もデザインしてる。あとで（6章）丁寧に説明するけど、これはとっても使いやすい大根おろしです。使ったことある人、いる？　いないか、残念（笑）。でも、これ〔写真左下〕は使ったことあるでしょう。Suicaの改札機の原型になったものです。

――へえ、すごい。

1997年に作られたものです。これについては少し丁寧に説明してみますね。デザインとはなにかを考える上でもヒントになると思います。

ウィルコムの携帯電話
（2005年）

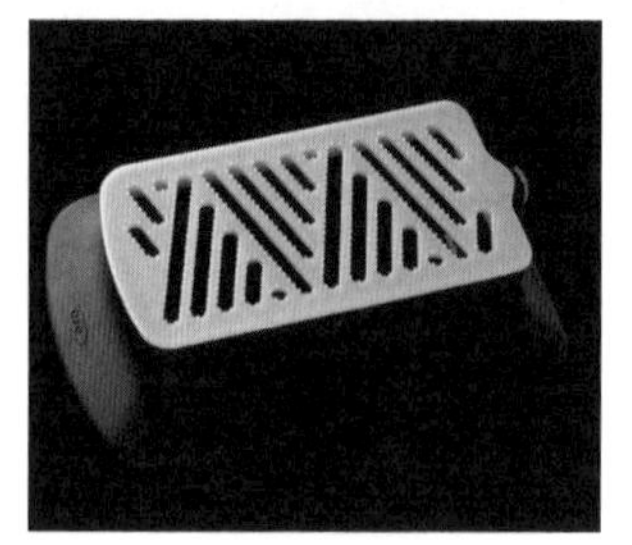

使いやすい大根おろし
（2006年）

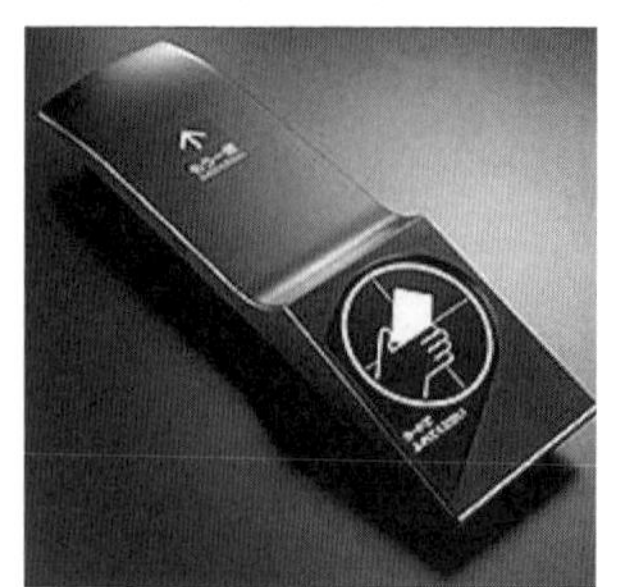

ICカード改札機のモデル
（1997年）

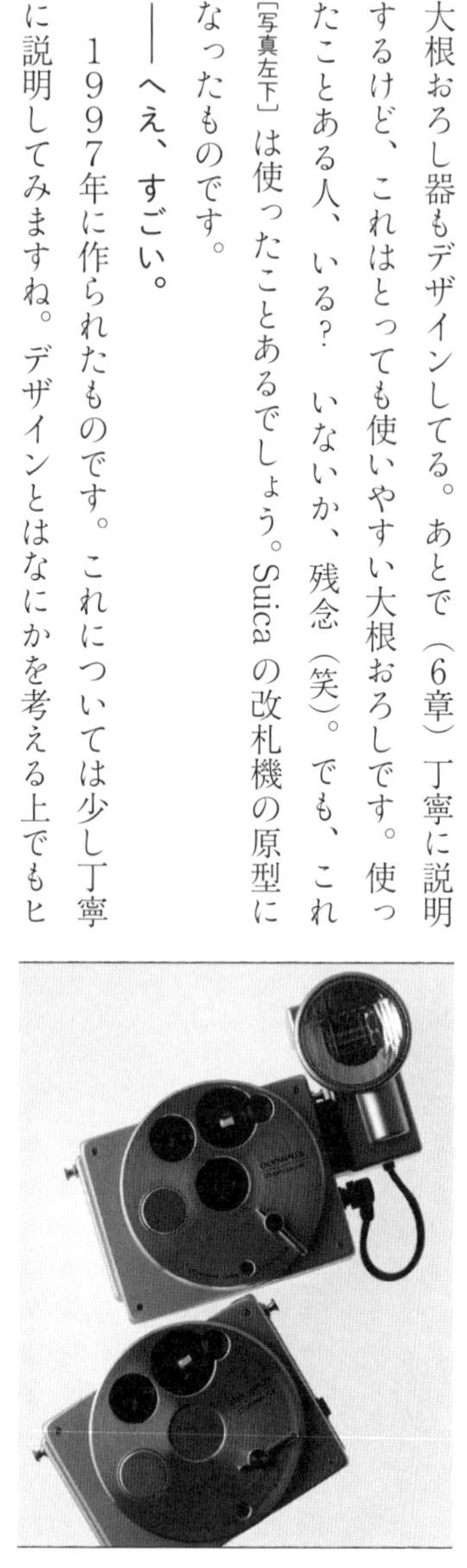

オリンパスのO-product（1988年）

人が新しい技術と出会った時

当時の一般的な自動改札機は、紙の切符をスロットに入れるものでした。切符を投入するところは今もあるね。磁気コーティングされた切符の情報を瞬時に読み取り、情報を書き込んで前方に送り出す。この改札機は精密機械で高価だし、メンテナンスも大変で、なにかつまったりすると分解して洗浄しなきゃいけない。それに、切符という紙媒体を大量に配らなくちゃいけないし、鉄道会社にとって紙の切符を挿入しない自動改札機は夢の技術でした。この頃は、Suica などのＩＣカードという技術そのものが、まだ市場には存在していなくて、研究開発途上のものだったんです。

JR東日本が作った試作機

今、みなさんは、当たり前のようにＩＣカード改札機を使っています。カードを当てるタッチ面から遠いところでは反応してくれないことを知っているし、一瞬待たないと反応しないことも知っている。けれど、これはきみたちが生まれた頃から普及し始めた新しい作法で、それ以前の時代の人に、そんな常識はありません。

ＪＲ東日本さんとメーカーが協力して作った最初の試作機［上の写真］による実地テストは、大失敗でした。「この改札機はカード

田町駅で行った実験の様子

光っているOKランプに当ててしまう

で通れるんですよ」と言われても、どうやったらいいかわからない。カードを渡された半分以上の人たちが改札機を通れなくて、立ち往生してしまいました。私がJR東日本さんの依頼を受けたのは、その最初の実験の直後、1995年のことです。「なんとかデザインで解決できませんか」という依頼でした。

それから、僕が行った実験の様子を、ちょっと見てみましょう（授業で実験動画を見る。自動改札機を通れない人たちの様子が映っている）。改札機にICカードを近づけなければいけないと思う人は多いのですが、まずスピードが速すぎる。歩いている速度でそのままかざすとエラーになってしまう。

そして、左右にカードを動かしてスキャンさせようとする人も何人かいました。当時は動かして読み取らせる磁気カードやバーコードリーダーが多かったからだよね。そもそも当てる場所が違う人もいる。左上の写真ではOKランプが光っているのですが、光っているところがあると、とりあえずそこに当ててしまう。

――（笑）。

この実験の様子は、いま見るとお笑いでしかないのですが、でも、技術と人の関係は、いつもそう。経験をもっていない人は、新しい技術と出会った時、どうすればいいかがわからない。そこで、デザインの登場なんです。改札機をどんな形にすればカードを適切な場所に当ててもらえるか、実験して探り、それで形を決めるんです。

それって、デザインというより技術なんじゃないかって思うかもしれません。人間工学といわれる分野の専門家がいるじゃないかと。でも残念ながら、これまでにない技術に対して人がどう振る舞うかを正確に言い当てられるほど、私たちはまだ人間のことがわかっていない。改札機をこんな形にしたら、人はちゃんと適切な場所に当てるにちがいないということを計算したりシミュレーションしたりして正解を出す技術は、まだ存在しないのです。

だから、とにかく、いろいろ作って実験して観察する。このように実験と観察を重ねて人にとって使いやすいデザインを行う手法には名前がつきました。ユーザビリティ・エンジニアリング、訳すと「使い勝手の工学」ですね。

このことも、また後で（6章）詳しく話すけど、実験の結果、32ページ下の絵のようにカードを当てる面が、やって来る人に向かって斜めになっているだけで、人は一瞬、手を止めてくれることがわかりました。まっすぐフラットだと、するっと通ってしまうのですが、タッチ面がこっちを向いていると、なんとなくそこへあてがってくれる。たったそれだけのことですが、このプロジェクトにとっては劇的な発見でした。

全部で22時間分ぐらいの実験記録動画があって、それを再生しながら観察と議論を重ね、最後に作ったのが、28ページ写真のプロトタイプでした。研究室の名前がPrototyping & Design Laboratoryだと話しましたが、プロトタイプというのは、試しに作ってみる試作品、試作機のことです。大体、今の形に近い。このモデルのタッチ面の傾きは13・5度で、これが今、全国共通の傾きになっています。

——13・5度っていうのは、どんなふうに決まったんですか。

実は13・5度じゃなきゃならないというわけではないんです。通行する時にバッグがあたって邪魔にならない高さの制限の中で、タッチ面に内蔵されているアンテナユニット（ICカードとやり取りするための磁力線を発生させるもの）を最大限に起こすと、たまたまこの角度になった。

でも、一度決めたら全国共通にすることは重要です。行った先によってちょっと違ったり、ある時から微妙に変わったりしたら、あれ？って戸惑っちゃう。誰もが毎

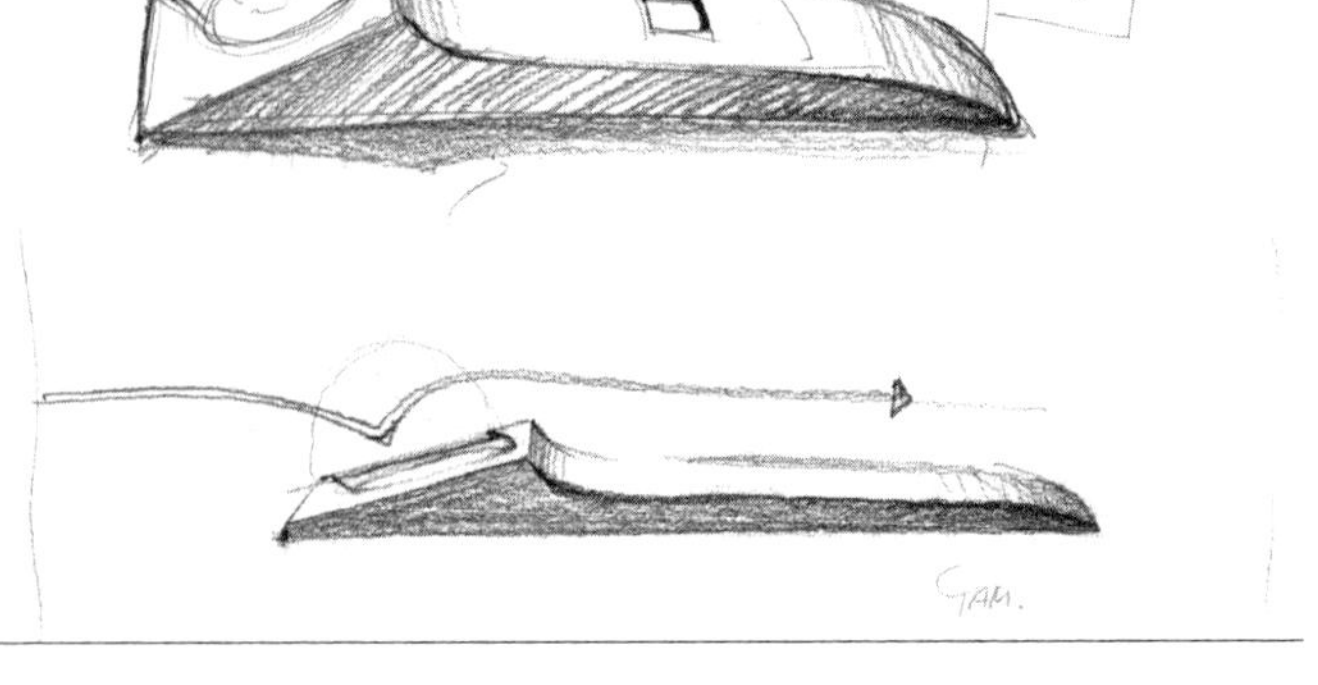

歩いてくる人に向かって少し立ち上がっていると、一瞬、手が止まる

日使うもののデザインは、同じであること、変わらないことにも意味があるんです。

　このプロトタイプで改札機を作ってテストしたら、すごくうまくいきました。それまで、半分ぐらいの人が通れなかったのに、１００人にひとりぐらいしか引っかからなくなったんです。その後、これをベースにした改札機が東京で２００１年に導入されました。ＪＲ東日本で成功すると、他の会社もみな、それに倣（なら）って同じものを導入したので、今、日本全国、カード改札機は同じアングル、同じフォーマットです。

　ユーザビリティ・テストという、このような実験は、その後もたくさんやりましたが、結局うまくいかないことも少なくない。たまたま、この時の実験がとてもうまくいっただけです。結果的に、僕がデザインしたものの中ではユーザーが一番多くて、８千万人ぐらいになりました。これはみんなも使ったことあるよね？

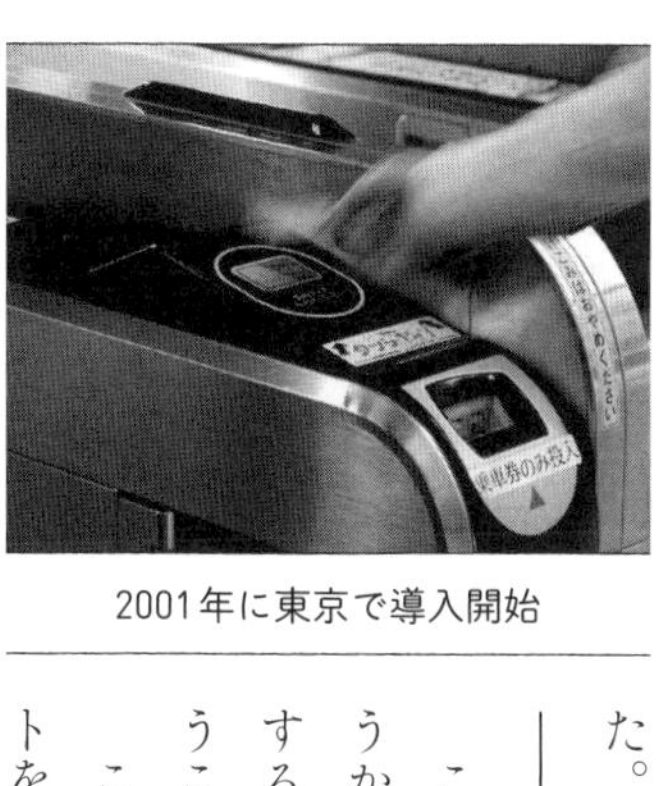

2001年に東京で導入開始

――はい（笑）。

　こんなふうに、人と技術が出会った時に、使い方がわかるかどうか、使い始めて安定して使えるかどうかなどを考えてデザインする。フォーマット、作法といってもいいかもしれない。そういうことを最適化するのもデザインなんです。

　ここまで紹介してきた製品以外にも、15年ぐらい前からロボットを作ったり、義足を作ったりしています。これらは、すぐに実用化される製品のデザインと違って、これらの技術が導入された時、どうなるかを考えるプロジェクトです。

かつて、デザインは、完成された技術に形を与える仕事でした。でも今は、技術者や研究者と一緒に未来を考えることが多くなっています。未来を予想し、より良い生活、暮らしやすい社会のためにはなにを研究しなければならないかを議論するためにデザインする。今、僕は大学の研究者として、そのための様々なプロトタイプを作っています。この話もおいおいしていきますね。

大量生産のためのひな型を作る職業

――デザイナーは比較的新しい職業ということですが、どんなふうに成り立ったんですか。

うん、ここで歴史的側面について大まかにお話ししておきましょう。デザイナーという職業の成立は、大量生産とセットになっています。19世紀後半、産業革命後のイギリスで様々なものが量産されるようになってからのことで、まだ160年ぐらいしか経っていない。

もちろん、それ以前にも道具の形を考えたり、人間が使いやすいものを考える人はいたけど、それはいつも作ることと同時だった。職人さんが食器を作る時に形も使い勝手も考える。

でも、建築だけは、ちょっと違いました。デザインという言葉を最初に使い始めたのは建築

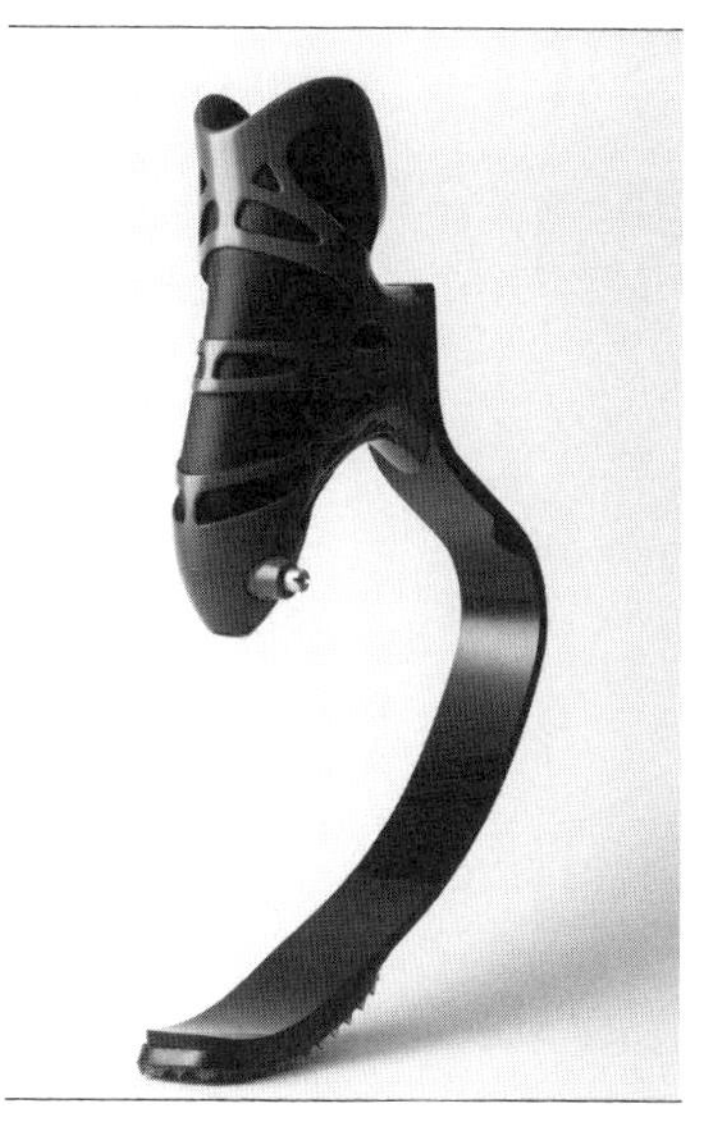

3Dプリンターで作った
走行用義足

なにもしない、
こちらを見るだけのロボット

乗り物であり、
パートナーであるロボット

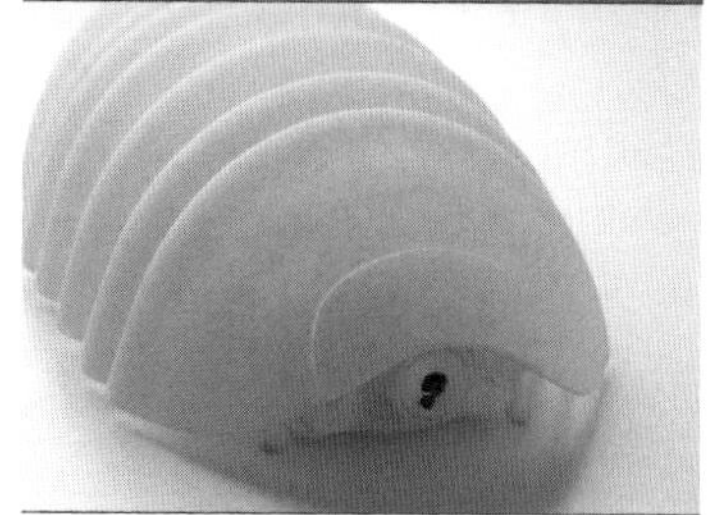

3Dプリンターで作ったロボット

かもしれないのですが、建築は、設計する人と、組み立てる大工とが違う場合もある。設計する人たちはarchitect（建築家）と呼ばれていますね。家は個人でも建てられなくはないですが、大きな建築物になると、たくさんの職人さんが参加するので、先に「計画する人」が必要で、この人たちは明らかに「デザイナー」でした。歴史的にも家具を中心とする工業デザインには、多くの建築家が参加しています。

話を日用品に戻すと、産業革命以前には、作るという行為とデザインというものは、分かれていませんでした。だから、美しくて座りやすい椅子は、特別に腕がよくて頭もいい職人さんにしか作れなかったし、同じ人が作っても毎回違うので、世界にひとつしかないものでした。結果的に、これは大変高価なものになります。

たとえば、1ヵ月かけてかっこいいお椀を考えて、丁寧に作り、そのお椀を売ったとしよう。どんなに手間暇かけても、それを売る時にはお椀1個の値段しかもらえない。それじゃあ、作った人は食べていけないし、そのお椀を手に入れられるのはひとりだけですね。じゃあ、ひとつの器で一月食べていける値段で買ってもらえばいい。実際、昔の腕のいい職人は、貴族に器を売って、そんなふうに暮らしていました。

だけど、同じものを1ヵ月に1万個作ることができれば、話は全然違ってくる。そのお椀の材料や加工を含めた製作費がひとつあたり2千円だとして、デザイン料にあたる10円を加え、2010円で売るとします。それが1万個売れれば、お椀を考えた人は10万円をもらえる。そうすると、なんとか一月暮らせるので、かっこいい器を考えるために一月かけてもよくなる。買う側としても、かっこいい器が手に入るなら10円多く払う人は少なくないでしょう。

誰かが、すごくよくできたひな型を考えて、それが大量生産されれば、作る人も儲かるし、使う人も安くていいものが手に入って、みんながハッピーになる。それが大量生産がもたらしたものでした。今では「大量生産」という言葉は、まるで悪いことのように言われることも少なくありませんが、それ以前は、優れたデザインはお金持ちのためのものだったのです。

こんなふうに、今から百何十年か前、大量生産のためのひな型を作るという意味でのデザイナーという職業が生まれました。

――じゃあ、たとえば縄文土器は、いろんな工夫をして模様がつけられていて、縄文時代のデザインってあると思うんですけど、それは職人の誰かが編み出したっていうこと……？

火焔型土器
（縄文時代・前3000～前2000年）
出典：ColBase（https://colbase.nich.go.jp/）

いい質問です。縄文土器は、1万6千年前から作られた世界最古の土器のひとつですね。粘土で作ったものが焼くと硬くなるという技術をどうやって発見したのか、まだよくわかっていないようです。色をつけて焼く技術はなかったようで、あの独特の装飾は、全て立体として作られました。粘土をこねながら形を考えたのだろうけど、様式がどんどん発達していく様子から、技術の伝承や地域間の交流もあったと考えられています。

この時代のデザインは作ることと一体で、縄文土器のデザインだけをしたっていうデザイナーは存在しないと思うけど、「縄文土器のデザイン」というものはあるし、きみの言うように、職人が生み出して、それが共通になっていったんだろうね。

「設計」と「デザイン」、両方学べばいい

では次に、日本で「デザイン」という言葉がいつから使われるようになったかをお話ししましょう。日本語には「設計」という言葉と、カタカナの「デザイン」という言葉があります。一般的にこのふたつは使い分けられていて、設計者とデザイナーは違う職業です。しかし、英語に訳すとどちらもdesignで、どちらの職業もdesignerと呼ばれます。なぜこんなことになってしまったかというと、それは英語のデザインという言葉を輸入した時に起こりました。

明治維新の頃、英語のdesignに対して中国で「設計」という訳語が与えられ、それがそのまま日本に輸入されて定着したそうです。当時は、鉄道や電気など、欧米から大量の技術導入が行われていた時期でしたので、設計という言葉はもっぱら工学的な意味で使われました。

それからまもなく、欧米では美的な側面を扱うデザイナーが職業として成立するのですが、デザインの意味がもともと広いので、そのまま同じ言葉が使われつづけます。しかし日本で

は、第二次世界大戦後に、外来語として、美的側面を扱う言葉として「デザイン」を輸入しました。このことが、設計とデザインの分断を生むことになります。

つまり、日本では、設計とデザインが違う仕事だと捉えられているけど、実はそんなに垣根のない仕事で、欧米では同じ design という仕事なのです。

もちろん、主にかっこいいもの、美しいものを作るエステティックデザインと、工学的な設計を行うエンジニアリングデザインは、背景にある知識がかなり違うので、欧米でも異なる分野の専門家であることは少なくありません。しかし、日本と決定的に違うのは、その中間の人が、けっこういることです。実際、海外でデザイナーという肩書きの人に会った時には、技術者寄りなのかアーティスト寄りなのかは、聞いてみないとわからない。

日本では、デザイナーはアーティストの一種で、美大に行って勉強する。設計は理科系の勉強をして工学部で学ぶって、なんとなく決まっています。ここに来たみなさんも、職業としてのデザイナーに興味がある人もいると思いますが、たぶん、美大に行くか、普通の大学に行くか迷うことになるでしょう。その状況が、そもそも不幸なのです。欧米だと、行ってから考えればいいという環境があるし、両方を教えている場所もたくさんある。

僕が美大じゃなく東京大学にいる意味も、そこにあるんです。大学で、設計もデザインも両方学びたいじゃないですか。

自分の作ったものが人類の行く末にかかわるかもしれない

――商品開発とか、都市建造物、美術作品も全て、どんなふうに作るか青写真を描くことからはじまると思います。そんなふうに、考えを働かせてものを作る能力が、全ての動物の中で最も優れているのは人間だと思う。設計することがデザインだったら、それが人間の文化の本質ともいえるのかな、と思ったのですが。

……深い。

――(笑)。

今、言ってくれたことは、すごく重要なところを伝えてくれている。それをデザインと呼ぶかどうかはともかくとして、人間って、常になにかを知ろうとする生き物です。

大昔の人間、人間以前の生き物は、自然に生えてきたものを採ったり、偶然出会った動物を捕まえたりして食べていました。ある時、人間の祖先の誰かが、食べたあとに捨てた種から、もう一回、それができてくることを発見した。丁寧に観察すると、どうも捨てたものの真ん中にある黒いものが、そいつの素(もと)らしいと気がつく。そこまでは、好奇心と探究心だよね。ここまでは科学。そして、もしかしたら、これを集めて植えると、いっぱいできるんじゃないかと気がついた人がいる。場所を確保して植えてみたら、安定的に大量の食べ物を得ることができた。これはもう、科学を応用した農業という名のテクノロジーです。

そんなふうに、発見したことを応用して、自分たちがハッピーになるために技術を使うことをやり始めたのが人類という生き物で、それまでの生き物といちばん違うところなんだと思う。その結果、環境を改変してしまう。

たとえば、種を植えることをまとめてやるようになると、そこに植物群ができる。それを意図的に大量に作って大量に食べ始めると、それ以外の植物が邪魔になるから、他の植物をどんどん刈り取って農地を作るようになる。植物群の中でも、特に大きな実をつけるものを選んで植え直すことで収穫も上がる。それが品種改良という技術ですね。トウモロコシの原種は同じ植物とは思えないぐらい小さな実しかつけなかったそうです。植物の多様性を抹殺し、植物の遺伝的性質までも自分たちの都合のいいように変えていく。

そうやって、人間ははじめから環境を改変しながら生きてきた。自分たちが環境から学んだ知恵を環境に応用して、快適な生活のために環境を改変する。それをテクノロジーと呼ぶなら、人類は、類人猿から人類になった時から、テクノロジーとともにあるのです。

そして、みなさんも知っているように、今や、そのようなテクノロジーを否定する人たちが、たくさんいます。その理由は、特に前世紀の半ば頃から、環境改変が様々な問題を引き起こしたからです。大気汚染の問題、化石燃料をはじめとする資源の枯渇、地球温暖化の問題……テクノロジーをベースにした人類の成長には、どうやら限界があることがわかってきました。環境問題だけではありません。場所を超えて人と人がつながることが可能となる、夢の技術のはずだったインターネット上には、これまでに見られなかった形で憎悪や悪意もつらなってあらわになり、それが人間を傷つけてしまうなどの問題も生じています。

このまま環境を改変しつづけていると、私たちは暮らせなくなってしまうんじゃないか。野放図に快適性を追求していると、快適じゃない世界がきてしまいそうだということに、みんな気がついたのです。みなさんの中にも、こんなにテクノロジーを使わないほうがもっとハッピーなんじゃないかと思う人もいるかもしれない。

だけど、歴史的に見れば、良い悪いじゃなくて、それが人間という生き物そのものなんです。それを完全に放棄したら、自然に生えたものや野生の動物を食い、動物に食われながら生きていくしかなくなる。もちろんそのほうがハッピーだっていう考え方もあります。野生動物のほうが人間より幸せそうに見えるんですけど、っていう考えを僕は否定しません。

でも、人類がここまで来たのは、知恵を使い好奇心をもって、なにが起こっているのか知りたい、知ってしまった以上、それを使って生き残りたいという本能にドライブされたものでした。プランニングし、トライアルし、研究してみて、美味しいものが前よりたくさん食べられるようになり、寒い思いをせずにすむようになり、以前より病気にならないようになり、そして結果として、さらに新しい知識を手に入れる時間が生まれました。そんなふうに生きてきたのが人類なので、これを完全に否定してしまうと、存在意義そのものの否定になってしまう。だから、私たちがやらなくちゃいけないのは、たぶん、生き延びられるようにあらゆる営みをデザインし直すことなんだよね。それが、サステナブルデザインと呼ばれるものです。
デザイナーとしての僕は、新しいことを知ったら、それを応用し、テクノロジーを進歩させることで状況を突破するしかないと思ってる。それはデザイナーという職業の人が担うべき仕事なのかわからないし、政治家のほうがちゃんとやれるのかもしれないけれど、少なくとも全てのものづくりにかかわる人は、自分の作ったもの、デザインしたものが人類の行く末にかかわってくることは認識すべきだと思う。きみたちは、そういう21世紀に生まれてきたのです。

ささやかでも、誰かを確実にハッピーに

僕自身は最近、こんなふうにデザインを定義しています。

デザイン：人工物、あるいは人工環境と人の間で起こるほぼ全てのことを計画し、幸福な体験を実現すること。

自然科学をベースにして機械や建築物を作る工学設計もデザインには違いないのですが、そ

れらを含む英語のdesignより、少しだけ狭い意味でデザインを使おうかな、と。

まず、人間とかかわるものに限定することです。もちろん、あらゆる人工物は人間が作るものである以上、人間とかかわるのですが、工学設計の中には、必ずしも人とのかかわりを意識せずに科学的に最適化できる分野があります。たとえばモーターの消費電力を低くするとか、丈夫な素材を作るとか。そこはまあ、対象外とする。一方、人間にかかわることは、いちおう全部、責任をもつことにします。安全性も使いやすさも、値段も、もちろんかっこよさも愛着も。それをトータルにプランニングする仕事をデザインと呼ぶことにしました。

「幸福な体験を実現する」というのは、デザインの目的が常にベネフィット（利益）を得ることだということ。製品を買って得したと思った人も、売れることによって儲かった人も利益を得ているよね。お金に換算できる利益だけじゃなく、すごく気にいったとか、いいねって言ってもらえたっていうのも、広い意味で利益です。

誰かの幸せのためにって当たり前じゃんって思うかもしれないけど、そうとはいえません。たとえば、必ずしも人を幸福にするためにあるわけじゃないのが、本来のサイエンスです。

科学者と呼ばれる人たちの一番の動機は、知的好奇心です。真理を知りたい。宇宙はなぜこうなっているのか、物質ってなんなのか、人の仕組みはどうなっているのか、あらゆる世界を理解しようとするのが科学者の基本姿勢です。科学知識を応用して、病気も治るし、車も動くし、ネットにも繋がるわけなので、もちろん役に立つものなのですが、科学の目的は、そもそも知ること自体で、それが役に立つかどうかなんて知ったことじゃない。

役に立つかどうかなんて気にしないというスタンスは、サイエンスにとって、とても大切なことです。たとえば、２００８年にノーベル化学賞を受賞した下村脩（しもむらおさむ）博士はオワンクラゲがなぜ光るのか、光のもととなる物質はなんなのかを知りたくて長年研究しました。１９６０年代から夏になるたび家族総出で膨大な量のクラゲを捕まえ、すりつぶし、光のもとの抽出を試みました。アメリカのある湾からオワンクラゲがいなくなったこともあったらしい。

――すごい……。

そのクラゲの量、想像できないよね。そして10年以上かけて、光のもとが、あるタンパク質だと発見します。それから20年後、遺伝子操作という技術を使って、別の生き物の細胞の中で、その光る物質を合成させることに成功しました。この物質の素晴らしいところは、生き物由来なので、生物の体内でも健康に影響を与えることなく光りつづけることができることです。その光を追えば、体の中で、ある物質や細胞がどう移動するかの追跡に使える。たとえば、生体内のがん細胞のふるまいが、この物質によって正確に観測されるようになったのです。

今では下村タンパク質を真似て、いろいろな色に光るタンパク質も開発され、世界中の生命科学の研究者がそれを利用するようになりました。そのオリジナル物質を発見した下村さんの医学や生物学の発展に対する貢献は計り知れない。でも、下村さんはインタビューで答えています。「あれが役に立つなんて思いもよらなかった」と。ただ、なぜ光るのかを知りたかったのです。これが科学者の基本的な態度です。もちろん、人の役に立ちたいと思って分野を選ぶ人もいるし、それを目標に活動している科学者もいます。でも、それは科学者個人のモチベーションの問題であって、科学そのものはそれを求めてはいないのです。

役に立つことを目指していないという意味では、現代アートも同じことがいえます。中世の西洋の画家の多くは、人々の信仰を深め、心に平穏をもたらすために様々な宗教画を描きました。一方、絵画は貴族などセレブな人たちの部屋を飾り、食事の時には楽器の生演奏が居心地のいい空間を作っていた。演劇は芸術であると同時に、エンターテインメントでした。芸術はみんながハッピーになるためにあったといえるのですが、20世紀のはじめ頃、現代アートといわれるようになってから、アートはそうでないものを追求し始めます。

現代アートといわれるものを見ると、なんだろうこれ……って悩んで、よくわかんないなって引いちゃうこともあるでしょう。たとえば、ダミアン・ハーストは、作品が高額で取引される、世界で最もリッチなアーティストのひとりだけど、彼は牛の頭に蛆(うじ)が湧いている様子を展示したり、巨大な動物のホルマリン漬けを透明な箱で見せたりする。見る人は、うわあ、嫌だと思ったり、気持ち悪いと思ったりするけど、その強い衝撃は、なにか私たちの本能的なところを揺さぶるものがある。

クリストというアーティストは、世界中の建物や橋なんかを布で包んでみせる。なんのためにやってるのかわからないけど、それを見た人は、いつもと全然違う景色が見えたって感動す

「Wrapped Reichstag, Berlin」(1971-95年)
写真:Wolfgang Volz @ 1995 Estate of Christo V. Javacheff

作品集『Damien Hirst』
(Prestel、2012年)

る。ラッピングした途端に、街がモノになっちゃったような不思議な感覚に襲われるんです。

そういう現代アートがなにをしようとしているかというと、人の心理の奥底にあるものを提示してるってことなんです。表層で見えていることに疑問を投げかけ、「本当はこうなんじゃねえ、おまえら」みたいなことを突き付ける。だからハッピーになるかどうかなんて知ったことじゃない。すっごく嫌な気持ちになっても呆然としても、アートとしては成功なのです。

こんなふうに、サイエンスもアートも真理の探求みたいなものが目的になっていて、まあそれゆえに崇高だともいえるけど、人の幸せなんか目指していない。

でも、デザインは、いつも誰かをハッピーにしようとしているんです。確実に。誰かは使いやすいって思う。きれいだねって思う。持っててよかった、これが大好きだって思う。それを売った人も儲かる。ともかく、それに関係した人たちがよかったと思えることを目的としていて、だから「グッドデザイン」が成立するんです。

デザインは、現世のご利益が大事なんだとすると、サイエンスやアートほど、ある意味、純粋じゃない。でも、誰かを、ささやかでもハッピーにする効果は確実にあるのです。

アートとサイエンスの両方に首を突っ込む

サイエンスとアート、そしてデザインの目的について話しましたが、それぞれの探求の方法論についても、少し触れておきます。

たとえば、科学者は客観性を求めるので、論文というものを書きます。かなり読みにくい書物ですが、なにが守られているかというと、こういう目的のためにこういうことをやりました、その結果こうなりましたっていうフォーマットがきちんと決まっているんです。

特に科学の論文は、膨大な論文の集合体がひとつの塊として、世界共通の知識であることが重要です。人類全体の財産としての知識マップの中で、自分の研究はどこにあって、どういう意味をもつかを、自分で説明しなければならない。誰の研究に自分の研究が似ているか、どの研究に根差して次のことを考えたか、今までの研究とはどう違うかなどを示し、自分が見つけたものが新しい発見であることを説明する。だから、参考文献リストというのがあって、それを調べまくることに科学者はすごく時間をかけている。実験や検証の方法を詳細に書くのも、誰かが同じことをやって確認できるためでもある。そうやって、この論文を人類共通の知識の

1ページに付け加えることには意味があると、客観的に説明しようとするのが科学者です。

一方、アートは根本的には思ったことを表現すればいい世界です。アーティストには自分の作品を全く説明しようとしない人が少なくありませんが、これは科学者の態度と全く違いますね。実験や論理だけでは説明しきれない私たちの心の中の問題をテーマにしているからです。

では、アートはどうやって世界共通の財産になってゆくのか。それは「共感」です。アーティストは自分自身と人々の内面を観察し、これはまだ誰も気づいていないけれど、みんなが感じることなんじゃないかと思うことを表現します。うまく表現するには鍛え上げられた技能が必要で、アーティストは修練に励む。作品が発表され、人々が「ああ、そうだなあ」と共感すれば作品は真理を示すものとして人類の財産になります。この共感を確実なものにするために、評論というものが大切な役割を果たします。ゴッホなどのように、同時代の人に全く共感されず、作者の没後に高く評価されることも少なくありません。評論によって、ある作品が、その時代の人々の共有する感覚に新しい視点をもたらすものであると確認されるのです。

客観性を追求して記述し、検証しあって知識を共有するのが科学。主観をとことん追求して表現し、共感を共有するのがアート。同じように、「本当はこうなんじゃないか」を探していても、方法が全然違うのです。

じゃあ、デザインは、どういう方法で幸せを追求するのか。実は、その両方をやんなきゃいけない。

たとえば、速い車を作るには、エンジンの性能、タイヤの転がり摩擦、空気抵抗はこのぐらいにすべきということは全て計算できるし、それに向かって知恵を結集すれば可能です。車の安全性も確実に数字として出せます。これを使い、こういう状況になったら、どのくらいの確率で事故が起こって人が死にますって計算できちゃう。ちなみに絶対人が死なない車なんて作りようがない。まあ、作れるかもしれないけど、それは動かない車です（笑）。動く以上、事故は起こりうるし、人が死ぬ確率は0にはできない。その確率を適切なコストの中で（これ、けっこう重要）極力減らすための計算をする。これらの計算を支えているのが科学知識です。だけど、人間がかかわると、そういう計算が難しくなる。特に、みんながかっこいいと思う車を作るなんて、全然計算できない。どの自動車会社も、みんなが愛してくれる車を作りたいと思っているけど、そう簡単に作れない理由はそこにある。今どんな車が売れてるかデータを取ってみるとかすれば少しは予想できますが、本当に大ヒットするものは生まれないのです。

では、データに現れない新しい価値を、どうやって提案するか。これは少しアートのやり方に近い。ふだんから自分の感覚に磨きをかけて主観を研ぎ澄ませながら、あれこれ作ってみる。そして、まわりにいる人たちの共感を巻き込みながら、これだというアイデアを探す。

結局、人間のことを考えながら作ると、人間として自分が欲しいものを作らざるをえない。同時に、役に立って、性能もよくて、安くて安全で環境にも悪くないものであることも必要です。そうなると、アート的なやり方とサイエンス的なやり方の接点を探す状況になる。

アートとサイエンスの両方に首を突っ込んで、両方の知見から得たことを統合して、かっこよくて使いやすいもの、安全で気持ちのいいものを作ろうとすること、それがデザイナーの仕事だなっていうふうに思うのです。

作る自分もハッピーで

そういう総合的なひとつの価値を作っている仕事としては、映画監督や指揮者に近いかもしれない。オーケストラの指揮者は、音楽全体に責任はもつけど、全ての楽器を全部こなせる人じゃない。映画監督も映画全体を指揮するので、自分で俳優をやれる必要はない。

じゃあ細かいところがわからなくていいかというとそんなことはなくて、指揮者はバイオリンを弾けなくてもいいけど、バイオリンのことはすごくよくわかってなくちゃいけない。映画監督は、撮影はしなくても、カメラをよくわかっていなくちゃいけない。デザイナーという仕事も、実はそういう仕事なんです。

だから、学ぶ時には好奇心をもって、作るものにかかわるあらゆる方面のことを、とりあえずちょっと勉強してみる。スマホをデザインしようと思えば、ネットワークとか、液晶やソフトウェア、小さなカメラにだってその専門家はいるわけで、一つひとつの知識ではそれぞれの専門家にかなうわけないけど、結局スマホ全体のことを一番よくわかってるのは自分だ、というところまでは勉強するのです。それを僕は「つまみぐい学習」って呼んでいます。

――映画監督や指揮者と違って、デザイナーは、いろんなものを作りますよね。

大変だなと思うでしょう。そのとおり。でもまあ、僕は、大学2年の時に勉強の意欲を失っちゃうぐらいだから、そんなに勤勉な人ではありません。

いろんなものをデザインしてきて、今、思うことは、「なにをデザインするか」がとても大事だということです。僕は、科学と芸術には、もっと多様な出会いがあるはずだと思っていて、それを探して、ささやかな挑戦をデザインという方法でやってみたいと思っています。

さて、そろそろ実践に移りますが、その前にひとつ、言っておきたいことがあります。デザインが他の勉強、他の仕事と一番違うのは、ハッピーを目指すものだから、自分がハッピーじゃないとうまくできないということです。すっごい苦労して作ったデザインも当然あるけど、それでも、それを作っている最中は、作っている本人が幸福でなくちゃいけない。そのためには、音楽を聞きながらもありだし、なにか食べながらもあり。それで本当に価値の高いものが作れるならゴロゴロしててもいい。まあ、ゴロゴロしててうまくいった例(ためし)はないけど(笑)。

――(笑)。

これから、きみたちに手を動かしてもらったり、ものを触ってもらったりするけど、リラックスした環境でやってほしいと思っています。気持ちを前向きにもっていくためならなんでもやる。それが、まず大事なことです。

2章

言葉としてのスケッチ

1日目後半

言語としてのスケッチは、確実に上達する

これから、みなさんに絵を描いてもらいますが、絵は苦手だなと思っている人、どのくらいいますか？　正直に手を挙げてみて。……はい、数人ですね。その人たちのほうが、今日の授業はハッピーになると思います（笑）。

一般的に、絵は才能が必要なものだというふうに伝わっています。実際、できる人は、いきなりできて、できない人は全然できないっていう状況が簡単に起こってしまう。それを見て、おれはダメだ、センスねえな、とか決めてかかってる人も多いと思う。

ですが、最近の研究では、絵や音楽の能力はあまり遺伝しないことが知られてきました。ただ、成長過程でそういうものを学ぶ機会があったかどうかは、かなり影響します。美術や芸術は、自己表現ということに目覚めた人や、自分の感覚を信じることに慣れた人が早くに能力を開花させるので、その意味では環境や親の影響も大きい。でも、これから伝えるのは、そういう芸術とは無関係な、正確にものを見て理解し、人に伝えるための「道具」の話です。

道具としての絵は、言葉に近い。ここにいる人たちは、お互いに困らない程度には言葉を使いこなしています。でも、人を感動させるような詩や小説を書ける人は一握りでしょう。それは芸術の領域なので、才能も修練も必要です。実は、絵もそうなのです。人を感動させるよう

な絵を描くことは容易ではない。でも、お互いに通じる、わかり合うためだけの絵なら、効率よく学習することが可能です。

絵が苦手な人って、大体、美術の時間に「思うように描いてごらん」って言われて、思うように描いたら、「だめ」って言われたという、不幸な経験をもっている人たちです。

――(笑)。

確かに美術や芸術の作法に慣れるということは、自分の気持ちを解放して思うように描くということでもある。しかし一方で、絵は、ものの形を捉えるという認識の方法でもあり、形を介したコミュニケーションツールでもある。スケッチが言語であると意識して練習することによって、確実に向上する部分が存在します。

「見たまんま描いてごらん」って言われても、全く知らない言語、たとえばスワヒリ語を、聞いたまま話してごらん、思うように話せば話せるからって、そんなわけないいんだよね(笑)。絵も語学と同様に、できるようになるための手順がある。日本語を覚えたように、いつの間にか、絵によるコミュニケーションを覚えた人もいるでしょう。でも、外国語を習うように、絵の発音、文法や語彙をこれから覚えても遅くはないのです。

コミュニケーションの手段として、ある程度通じるような絵の作法を身につけるには、手の動かし方や姿勢、体の使い方を学ぶ必要があります。まずはそこからはじめてみましょう。

目の位置は、紙の中心の真上に

みなさんの手元に白い紙を配ります。サイズはA3で、ふだん、みなさんがノートで使っている紙より大きい。絵を描くことは体を使うことです。大きな絵を描くと、それだけ大きく体を使うことになる。実は小さく体を使うほうが難しいのです。恥ずかしがらずに、今日は大きな絵を描くよう心がけてください。

最初にやるのは、描く時の姿勢。これは案外、できていない人が多い。絵を描く時は、紙に対して、まっすぐに向かいます。紙に対してなるべく直角に視線をもっていくのです。

書道をやる人は、高い位置から半紙を見下ろして筆を下ろすでしょう。あるいは、洋画家はみんな、画面を立てて描いているよね。目の位置と画面との関係を垂直にすることが基本だから、キャンバスを固定するイーゼルみたいなものが存在する。

机に座って描く場合も、なるべく背筋を伸ばして、紙の中心の真上から見下ろすようにしましょう。

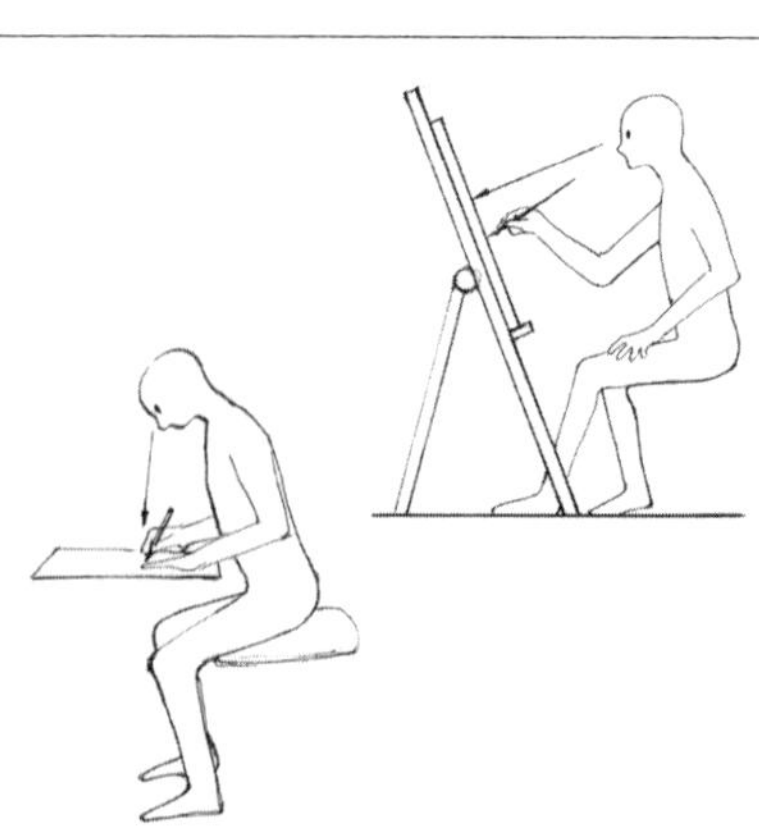

紙に対して、なるべく視線を直角に

実習

水平の線を引いてみよう

次に、線の引き方を教えます。当たり前ですが、線には始点があって終点がある。これをちゃんと意識すること。どこから始めてどこで終わらせるか。それを決めたら始点から終点に向かってまっすぐに手を動かす。まずは、手元の紙の上に、まっすぐな線を5本ぐらい、水平に描いてみてください。

長めに、なるべく平行で水平に、一定間隔で。大きめの紙にのびのびと描いてください。はねたり、ふわっとさせたりしない。鉛筆を紙に置いた瞬間が重要で、等間隔に線を引く時は、置いた瞬間に等間隔かどうかが決まる。

線を引く時は、体ごと動く感じを意識してみてください。肩を使って利き手から遠いほうを始点として、狙いを定めて体の外に向かって引く、そして目的地に着いたらぴたっと止める。そのまま10本、20本、引いてみましょう。

――ちょっと曲がる……。

始点と終点をくっきりさせる

ひじだけを使うと円弧になってしまいます。もっと体を動かして。なんなら、体全体で線の方向へ向かう気分で。

僕たちの体って、手首、ひじ、肩の関節、そういう場所を中心に円弧を描いて動かせるよね。指だけは非常に複雑な関節構造が連動して動いているので、必ずしも円弧にならない。指はとても器用だけど、それが災いして、指だけを使ってまっすぐな線を描くのは案外難しい。

ノートに字を書く時には主に指先を使うけど、絵を描く時は、指先をなるべく使わないようにします。自分の指先から遠いところ、腰や肩を動かしながら描いてみると、線と自分の体との関係がわかってくる。その中から、自分の体が一番スムーズに動く、しっくりくる描き方を見つけてほしいのです。

これは人によって違って、その人に向いた体の使い方がある。何本も描いていると、「あ、なんか、うまくいった！」と思う瞬間があるでしょう。それがどういう姿勢で、どの速度で、どんな体の使い方をした時か、よく覚えていてください。

勢いをつけてシュッと引くと、一見きれいに引けるけど、コントロールできているとはいえないので、絵の役には立ちにくい。だから、あまり勢いをつけず、ゆるゆると描く。少し揺れ

肘だけを使うと、ちょっと曲がる

てもいいんです。ちょっとゆがんだなと思ったら、その場で修正していく。ずっとコントロールしながら描いていったほうが、きれいな線が引けるようになります。

実習

きれいに引きやすい角度の線、引きにくいタテの線

線を最もきれいに引ける角度というものがあります。右利きの人なら左下から右上へ。左利きの場合は右下から左上。これは、手にとってそれが最もシンプルで自然な動きだから。つまり、机の上に置いた手全体を肩を中心に動かした時に、指先が描くカーブ（円弧）の一部なのです。画家が影などに使う、シャシャッとした斜線も大抵この向き。ダ・ヴィンチは、右下から左上の斜線が多いので、左利きかなと推定できる。

レオナルド・ダ・ヴィンチの
スケッチの斜線

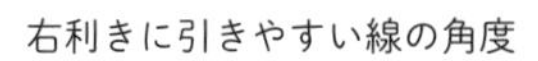
右利きに引きやすい線の角度

右利きに引きやすい線を引く
https://eqm.page.link/drjv

縦に線を引くのはちょっと難しい。紙を正面にもってきて、上から真下にゆっくり引いてみてください。この場合は肩を中心に動かすというより、肩と肘を上手に連動させて前から手前に引く。これをきれいにやるには、練習が必要です。体の中心線を引くつもりで、何回かやってみましょう。

少しやってみるとわかるように、絵を描くのは体の使い方でもあるし、目の使い方でもある。アクションゲームが好きな人にはわかると思うけど、繊細なコントロールって一ヵ所に集中しすぎるとだめだよね。つまり鉛筆の先を見過ぎてもだめ。全体を見渡して漠然と集中する。

上から真下にゆっくり。
体の中心線を引くつもりで

縦の線を引く
https://eqm.page.link/1MNQ

実習

真ん丸を描いてみよう

次は、ほんのちょっとだけ高度なことをやります。真ん丸を1個、描いてみて。

左上のものは先生がテストでつける時の丸で、なんとなく丸を描くと大体こうなります。下から始まって左上に上がっていき、右に回って、最後は左下に向かってはねる。自然に手を動かすとできる形ではあるのですが、「円」としてはちょっと歪（いびつ）ですね。本当に丸い円を描くのは、案外難しい。どこか尖ったり、ゆがんだりして、なかなかきれいな円は描けないものです。

デザイナーたちは独特の丸、楕円の描き方をします。特に、私のように工業製品を作っていると、丸や楕円って、すごく頻繁に登場するんです。

では、デザイナーの円の描き方をやってみましょう（下のQRコードで動画を見てください）。重要なのは、円には始まりも終わりもないこと。まず紙の上で手を、描きたい大きさに丸く、くるくると滑らせます。まだペンは紙に接していません。手が安定して動くようになったら、その状態からゆっくり着地させる。円らしきものが描かれ始めて一周以上回ったなと思ったら、なめらかに引き上げる。ペンを下ろす時も引き上

採点で先生がつける丸

円運動が安定したら着地

一周以上回ったら手を引き上げる

手の円運動を利用して円を描く
https://eqm.page.link/oHZh

げる時も、手の円運動を止めない。ゆっくり回っているペン先を、ふわっと着地させて、ふわっと引き上げる。

つまり、ずっと円運動している手の、一瞬だけを切り取って円にするんです。早く引き上げ過ぎちゃったり、二重にまわったりしても気にしなくていい。無理に一周だけ回そうとすると、始めと終わりに速度の差が出て歪になる。どの場所でも同じスピードでペンをなめらかに丸く動かし続けます。


——なかなか難しい……。


体の使い方として難しいよね。ちょっとお饅頭型になっているかな［左上の絵］。まだ肘から先しか使ってないので、おおらかなカーブにならないのです。もうちょっと真上から見下ろし、肩と肘を使って、やわらかく円を描いてごらん。

うまく描けないと思ったら、もっと大きく。体全体を使う大きさのほうがラク。何回もなぞるようにしながら、だんだんきれいになっていく線を探す。

紙はどんどん使ってください。スケッチには、紙がふんだんにあることも重要で、いくらでも失敗できる安心感があったほうがいい。

お饅頭型になってしまう

だんだんきれいな円に

実習

楕円を描いてみよう

次に、楕円も同じように描いてみます。円より楕円を描くほうが少しラクだったりする。基本は一緒。ぐるぐるぐるって、楕円に手を揺らしておいて、ふわっと着地させる。

——……楕円を描くの、ちょっと難しい。

右利きの人は、線を引く時に少し右上がりのほうが楽だったでしょう。楕円も同じ。線を引きやすかった方向に長い楕円が描きやすい。いろんな向きの楕円は描けなくてもいいです。紙を回しちゃえばいいので。

楕円って、円を斜めから見たものなんだよね。コップの縁は真上から見ると、真円に見えて、真横から見ると一本の線になる。64ページの図のようにその途中があって、真上からだんだん目線を下げてゆくと、コップの縁の円が少しずつつぶれていって、目がコップの真横の位置に来た時に一本の線になります。

今度は楕円を床にいっぱい並べてみようか。足元の楕円は

手をまわしながら楕円を描く

楕円を描く
https://eqm.page.link/x63M

上から見下ろしていて、遠くに行くにつれて横から見るのに近づいてゆく。楕円のつぶれ具合を調整しながら描くと、床に丸い物が敷き詰めてあるように見えるでしょう［左ページ絵］。

――すごい。**描き方を変えるだけで奥行きが見える。**

実は、僕たちの目がすごいんだ。目は、いつもいろんな情報から、空間がどうなっているかを知ろうとする。お皿は角度によって全然違って見えるけど、どれも丸いお皿だって理解する。その上で、つぶれて見える具合から、どこにあるかまで推理しようとする。私たちがどうやって物の位置や形を把握しているかを考えて逆手に取ると、こういう絵が描けるのです。

僕は、デザイナーになったばかりの頃から、楕円を描く練習をしょっちゅうしています。絵を描く前に気持ちを落ち着けて集中するためのウォーミングアップでもある。きみたちも、時々は思い出して、ぐるぐると手を動かしてみてください。

今、やっていることは、語学の発音練習と同じような基礎練習です。絵はなにかを表現するものだと思い込んでいると、こ

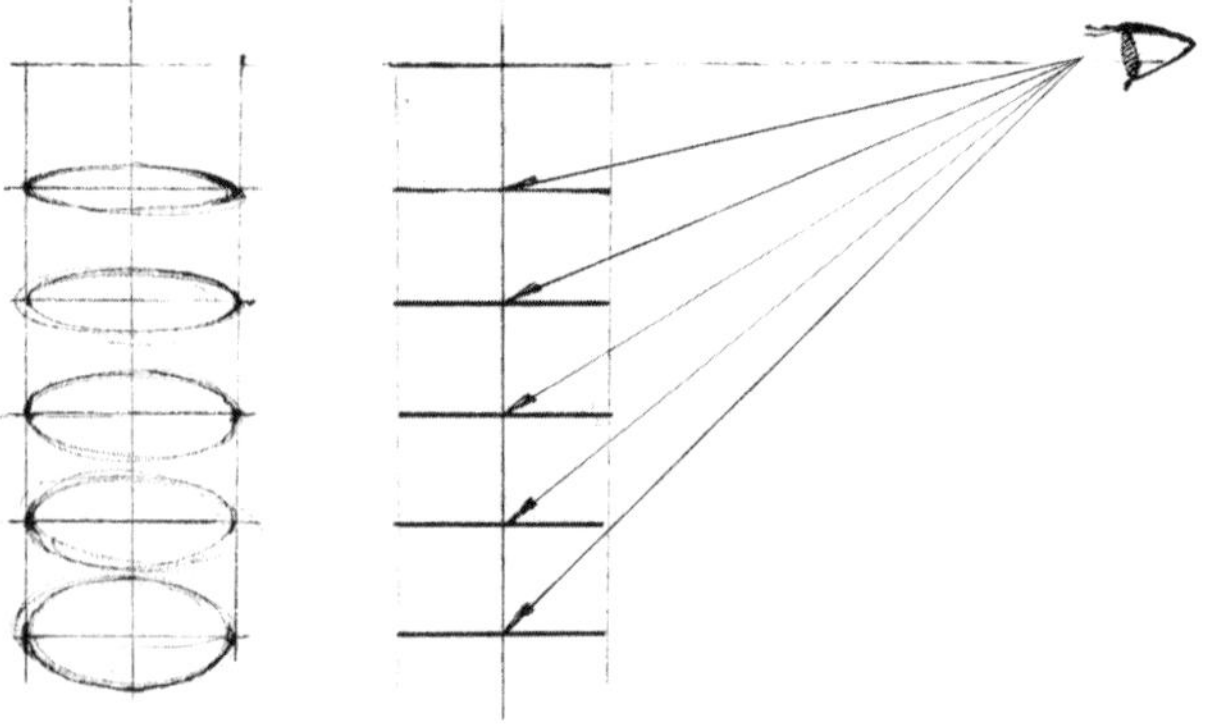

目線と水平のコップの縁は線。下がっていくほど厚みのある楕円に

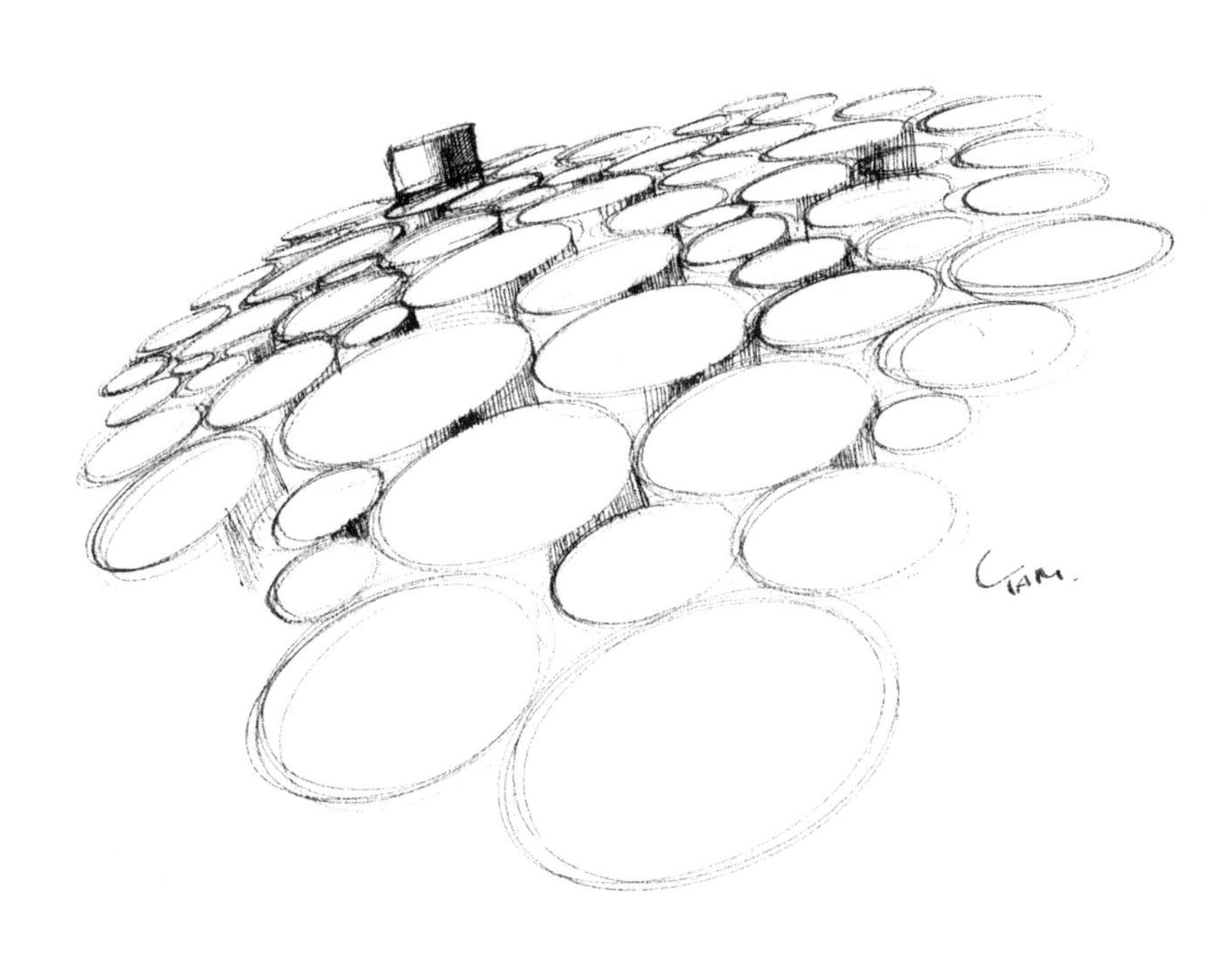

大きい丸も小さい丸も、つぶれ方がコントロールできていれば、
円柱を敷き詰めているように見える

んなふうに無目的に手を動かすことを、あまりやりません。テニスや野球、剣道の素振りと同じですね。自分にあった姿勢、ちょうどいい速度、それらをうまくコントロールできる精神状態を繰り返し練習することで体に刻みつけてゆく。スケッチって、案外スポーツでしょう。

ついでに、ストロークの話もしておきましょう。私たちの体は、たくさんの関節で繋がっていて、関節を中心に、そこから先を回すことができる。これを多段リンク構造といいますが、この構造の先端が描く軌跡をサイクロイドといいます。円弧上に動く円、そのうえにもうひとつ同期させた円を描くと、お饅頭みたいなカーブが生まれる。これがサイクロイドで、われわれの体の動かし方の基本になっています。

たとえばテニスのサーブやピッチャーの投球、ゴルフのスイングでもいいけど、振り始めは手が小さくたたまれている。そこから振り出して速度が上がっていくにつれて全体が伸び、一番伸びたところでトップスピードに

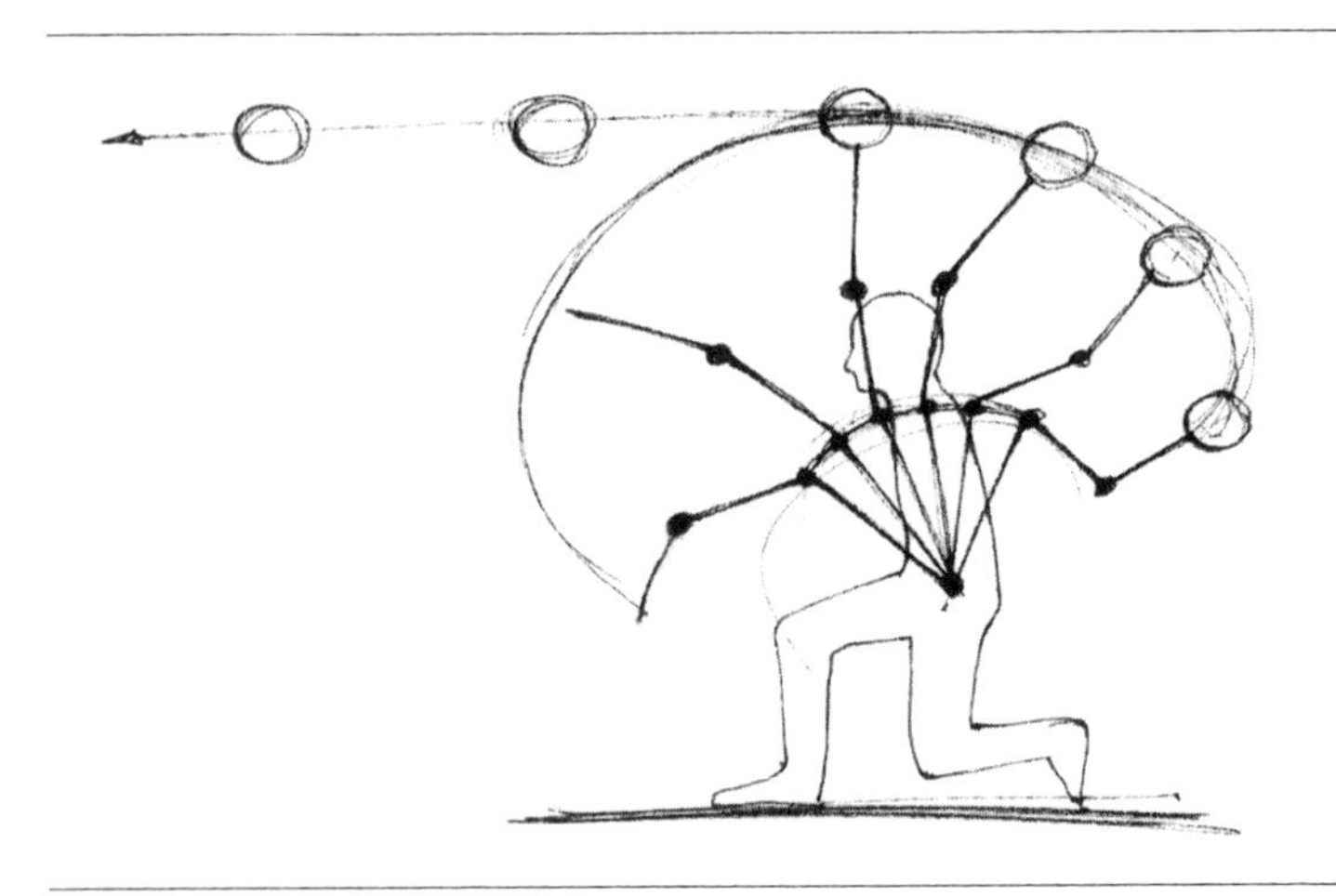

サイクロイドのお饅頭みたいなカーブ。一番伸びたところでトップスピードに

なる。ここでピッチャーはボールをリリースし、テニスやゴルフはボールを打つ。その後、小さく折りたたまれて体に巻きつく。小さく始まり、一番伸びたところで大きなカーブになり、また小さく丸くなって止まる。

スケッチの場合は、体が描くサイクロイドカーブの一番伸びやかなところを使って線を引くと直線に近い。「線」を練習した時、体全体で描くつもりでと言ったのはそういうわけです。

じゃあ、体の準備運動はここまで、今度はものの形と、それを見る目の話をします。

知っているはずのもの、本当に知ってる？

突然ですが、ニワトリを描いてください。ネットで見たりしないで、ニワトリってこんなだったなあ、という姿を思い出しながら描いてください。制限時間3分。はい、スタート。

実習

ニワトリを描いてみよう

3 min

はい、そこまで。ちょっと見てみると……みんな2本脚だね。大丈夫か。……いや、大丈夫じゃなかった［次ページの絵］。

——（笑）。

脚が4本

脚が3本

こんなふうにニワトリを描いてもらうと、4本脚のニワトリが30分の1ぐらいの確率でいる。もちろん本物は2本脚で、羽が手にあたります。ニワトリの写真や映像なんてたくさん見ているはずなのに。実物のニワトリを見たことある人は？　半分ぐらいいるね。

今、4本脚を描いちゃった人は、自分をバカだと思う必要はありません。大学の授業でもこれを時々やりますが、4本脚のニワトリを描く学生が、やっぱり何十人かにひとり、いるんです。ある学生は、東大で機械工学を学んでいる学生の中で成績がトップだった。賢い人って概念操作がすごく上手なので、案外、ものを見ていなかったりするのかもしれません。

――脚は2本でも、全然リアルに描けなくて愕然としました。

どんなふうに描けばニワトリっぽくなるか、そのコツは今日の最後に話すので、さらに私たちがなにを見て、なにを見ていないかを確認してみることにしましょう。

3分間見ていたもの、どこまで覚えてる？

さて、みなさんの前に、カメラマンの人がいます。ラファエラさんといって、僕の研究室にブラジルから来ているデザイナーさんです。写真が上手なので記録係として来てもらいました。では、課題です。あの人の姿を3分で描いてみてください。

この人を描いてください

実習

観察しながら人を描く

3 min

よく見て描いてください。ちなみに、彼女はブラジルの国立技術センターというところで働いていて、今は奨学金で僕の研究室に来て、子ども用の義足の開発に携わっています。

……はい、3分たちました。ラファエラさんはみんなから見えないところに隠れて。

では、質問です。彼女の髪の毛の色、覚えてる？　何色だった？

——**黒で、毛先のほうが赤。**

そうだね。パンツの色は何色？

——**黒。**

よく見てるじゃん。じゃあ、シャツの色は？

——**シャツ……？**

覚えてないかな。3分間も見ていたはずなんだけどね。メガネをかけていたかどうかを覚え

メガネの形は？

ている人は？　お、これはみんな覚えてる。じゃあ、メガネの形を覚えている人は？　何人かいるね。ラファエラ、ちょっと出てきて。こんなメガネをかけています。

僕は、ラファエラさんの顔を描けとも全身を描けとも言わなかったから、みんな思い思いに描いた。顔を主に描いた人は、縁の尖った、ちょっとツンとしたメガネだったなって覚えていたでしょう。でも体全体を描いた人は、メガネをかけていたことは覚えていても、あまり形を覚えていない。メガネを描かなかった人は、たぶん全然覚えていない［左ページの絵］。

――ああ……。

こんなふうに、描いたところは覚えていて、描ききれなかったところは覚えていない。髪の毛の色は覚えているのに、メガネは覚えていなかったりする。一緒に見たのにね。

まず、自分は案外ものを見ていないんだと気がつくことが、すごく大事。わかったたって思ったり、街でなにか見かけて、かわいいって写真を撮ったりすると、安心してもう見ない。

なんでこんなに僕らは注目しているところ以外を見ていないかというと、目に入ってくるものを全部、端から覚えていたら、あっという間に頭の中がパンクするからです。写真データは、文字データに比べて重たいでしょう。だから、その人の写真データを全部、頭に入れるより、誰々さんって名前をつけて、なんとなくこんな顔をしていたって覚えるほうが整理される。脳は、手掛かりになる特徴だけを覚えて、かたっぱしから消去しているんです。

スケッチを描くということは、自分がなにを見て、なにを見ていないかを意識することなんだよね。描くということは、そこを見ることと連動していて、見ていないところは描けないし、描く時には必ず見ようとする。僕らは無意識に、全部は見ないようにしていますが、絵を描くことで意識的に見る範囲を限定したり、見る範囲を決めることができるのです。

見たとおりに描くのは難しい

次は、もっとじっくり観察しながら、見たまんま絵を描く、ということをやってみます。10

どこを描くかで、覚えている
ところが変わる

分間で左手を描いてみましょう。左利きの人は右手を描いてみて。紙を用意して、紙の左半分に左手を、右手を描く人は右半分に手を置いてください。適当に指を曲げてもいいし、握っていても、チョキでもなんでもいい。その形を、そのまんま、見たとおりに描いてみましょう。

実習

見たとおりに左手を描く

10 min

手って、不思議な形をしているよね。僕は手を描くのがとても好きなんです。

……そろそろ10分ですね。はい、そこまで。

手になると急に難しくなります。まず、手は非常に複雑な構造の集合体なので、それを正確に認識することが難しい。そして、手は見慣れたものですが、見慣れたものって難しいんです。

絵を描くという行為は、カメラで一瞬を切り取るのと似ています。一方、僕らの目は、無意識のうちに角度を変え、いろんな角度からものを見ようとして、それがなんであるか理解しようとしている。これはものの認識のための重要な習慣ですが、このことが絵を描きにくくしているのです。カメラみたいに一瞬を切り取り、それをパッと記憶できたら正確な絵になるのですが、いろんな角度から見ているので、描いてるうちに見ているものの角度がズレていくし、そのこと自体に気がつかない。

明るさでいうと、カメラの場合、明るいところか、暗いところか、どちらかしか撮れないよね。晴れた日に部屋の中から窓の外を撮る時、外の景色をきれいに撮ろうとすると部屋の中が真っ暗になり、部屋の中に明るさを合わせると、窓の外は真っ白に飛んでしまう。

人間の目は、外を注視した時には、外の明るさに、暗いところを見た時には暗いところの明るさに合わせ、瞳孔を開いたり閉じたりして、頻繁に明度を変えます。それらを常に頭の中で合成し、ひとつの画面にしているので、暗いところも明るいところも、全部ちゃんと見えているような気がしてしまう。

それと、カメラにはピンボケがよくあるけど、われわれの目は、カメラと同じ構造であるにもかかわらず、しょっちゅうピント合わせをしているから、遠くから手前まで全部見渡せる。手前の指を見ながら、向こうを同時に見ると、向こうはボケているけど、向こう側を見ようとした途端にそっちにピントが合っちゃうから、ボケていること自体に気がつかない。

手は複雑で不思議な形

理解が形を見ることを妨げている

それから、手を描きなさいって言うと、みんな、輪郭を描くよね。でも、世の中に、輪郭なんてものは存在しない。物と物、物と背景の境目は確かにわかるけれど、それは、私たちの理解の手がかりでしかないんです。

今、見えている手の輪郭は、手の向きを少し変えると変わっちゃうよね。見えているものの形は刻々と変わっていく。それを鉛筆で描くと線になるので、線が存在するような気がするけれど、たとえば顔なら、顔のまわりに輪郭線が存在するわけではなくて、髪の毛との明るさの差を、われわれは境界線として理解しているだけなんです。

指は、なんとなく先の丸い棒だと思ってしまうけど、本当は見る角度によって全然違う。目は、いつも違うものを見ているのですが、脳はさまざまな角度で見た図像を整理してひとつにしているので、「手ってこういうもんだな」って思っちゃうと、その典型的な手に近いものを描いてしまう。形の理解が、ものの形を見ることを妨げているのです。それらを1回フラットにリセットする必要があります。

実習

左手でつくられた余白を描く

10 min

では、そのリセットの方法を教えます。これは、アメリカのある先生が開発した描き方なのですが、そのやり方でもう一回、左手を描いてみます。

まず、左手に対して、自分の位置を固定してください。この姿勢で描くぞって決めたら、手や頭の位置を動かさない。つい、いろんな角度から見ちゃうけど、今回はそれを意識して、固定してください。それから、描くほうの手の指先の位置にちょんちょんと印をつけて、そこから動かさない。うっかり動いちゃっても戻せるようにする。

そして、片目で見ること。左右の目は、同じものを見てもアングルが違うから、実は違う図像を見ています。僕たちの脳は、それらを上手に合成し、認識して、ひとつのものとして見ているのですが、絵を描こうとすると、2つの見え方が混ざって、微妙にゆがむんです。

整理すると、描く時の姿勢を決めて、頭の位置を安定させて、腰と背もたれの関係、肘の位置を意識して、片目で見る。カメラを三脚に固定するようなものです。

さて、その状態で、ここが重要ですが、手を描くのではなくて、「手によって切り取られた紙の形」を描くように意識してください。

── 切り取られた形?

左手を置くと、そのまわりに白い余白が、紙の上に残るよね。それを描く。手を取り囲む余白はどんな形をしているかなって描いてみて。時間は10分間です。はいスタート。

……どう？　なんとなく、手の形が浮かび上がってきたよね。手の余白の輪郭が大体見えてきたら、爪も描いてみましょう。この時も、爪を描こうとするんじゃなくて、指の中の爪によって残された皮膚、爪のまわりにある余白、その形を描いてください。

はい、できたかな。ちょっと眺めてみましょう。さっきよりは不完全な絵で、指の交差とか、なにも描かれていないけど、でも、さっきの絵よりも立体的に見えませんか。

――本当だ、そう見えます。

最初に描いたのは、私たちが手はこういうものだと見ながら描いた絵。二度目に描いたのは、なんの解釈も加えていない、ありのままの輪郭。この輪郭だけを見せられた脳は、一体これ

「手によって切り取られた紙の形」を描いてみる

はどういう立体なのかと推測する。その結果、生き生きとした立体が浮かび上がる。

――切り取られた形を描いたのに、立体感が出てくるって、不思議です。

立体感を、物にのっている影とか凹凸で理解していると僕らは思い込んでいるけれど、脳はそれらをさほど重要視していない。輪郭線が正確であれば、それだけでも十分に立体構造を読み取れる。じゃあなんで2枚目の絵のほうが正確な輪郭を描けたのか。それは見たことがないものだったからです。

余白を描けと言われてとまどったでしょう。「余白は余白であって、なにかじゃない」っていうことが重要なのです。なにか知っているものを描こうとすると、僕らは頭の中の理解に照らし合わせて、こうなっているはずだと勝手に解釈する。指なら指に見えるようにがんばって描く。でも、指によって切り取られた紙の形は、その時、偶然できた形でしかない。だから、純粋に形だけを見ることができるし、知らないものなので、細部まで丁寧に、正確に観察しようとします。その結果、正確な輪郭が出来上がる。

それを見た私たちは、すぐにどのラインがどのラインにつながるかを見つけて立体を再構成して、あ、これは指だと発見する。だから、こうやって描かれた手の絵は、実際の手以上に「手だ」って思える瞬間があるんです。

下の絵は、最初の絵〔A〕と、余白を描いた絵〔B〕とで、爪のつき方が全然違います。はじめに手を見て描いた絵は、どの爪も指の真ん中にあって、先が丸くて根元が平らなものとして描かれている。それは、あなたが、爪はそういうものだと思って描いているから。余白を描いた絵は、4本とも指の向きが違っているように見えるでしょう。

このように、正確に描くことをしばしば邪魔している、われわれの認識を一旦消すようにリセットすることが、絵を描くコツの基本です。

今、やってみた余白を描くという描き方は、ベティ・エドワーズさんという、アメリカの美術の先生が唱えているやり方のひとつです。この先生の『脳の右側で描け』（河出書房新社、第4版、2013年）という本は、他にもいろんな方法で、絵は苦手だと思い込んでいる人がどこでつまずいたのかを教えてくれ、絵を描く喜びを取り戻させてくれる名著です。

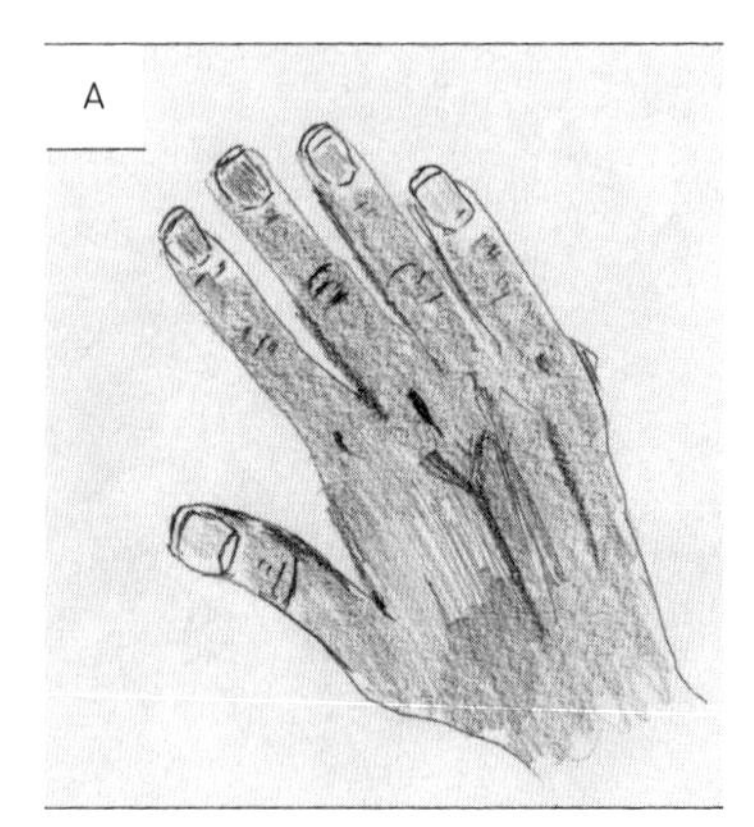

見たまま描く

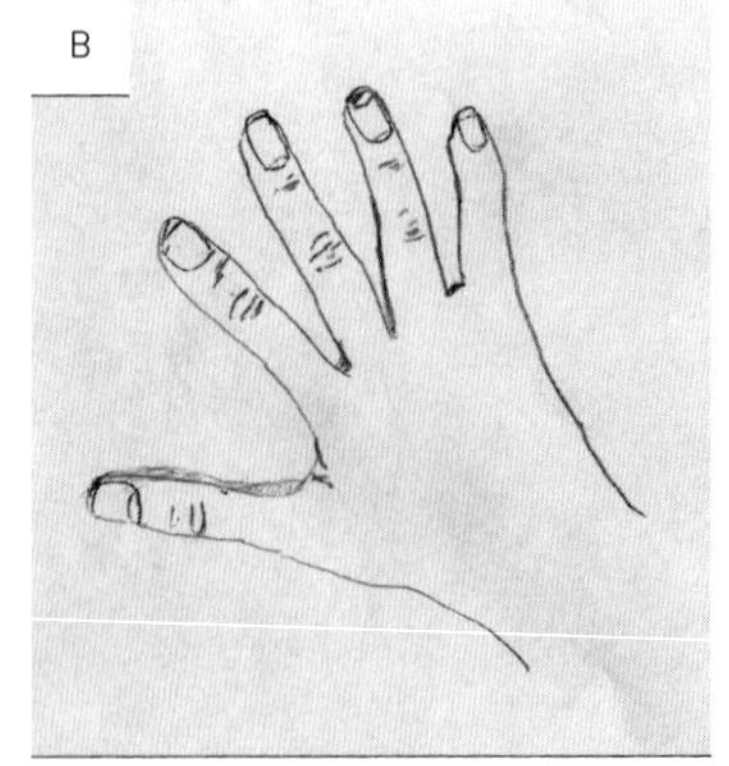

余白を描く
（爪のつき方、指の向きが違う）

深く理解することで描く方法

さて、今度は、手を深く理解することで描けるようになる方法をやってみましょう。それは「構造を描く」ことです。

手を子どもに描かせると、丸い掌(てのひら)から5本の指が生えている、下のような絵になるよね。みなさんも、大雑把には、手首の先に掌という塊があって、そこから指が生えていると思っているかもしれない。でも、手はこんな構造をしていません。

よく見てみると、あるいは触ってみると、僕たちの掌には、何本も骨が通っている。その骨がどうなっているのか、手の立体構造を理解しながら描いてみましょう。

よく描かれる手

実習

骨の構造から左手を描く

3 min

指は、掌の先についているように見えますが、骨だけで見ると全然違います。手首から直接、5本の骨が生えている。骨格だけで見ると、掌なんてものは存在しません。

指先のほうから第一関節、第二関節、第三関節があって、普通の認識では第三関節が指の根

第一関節
第二関節
第三関節
第四関節

本ですが、実は第四の関節が手首のところで寄り添って並んでいる。つまり、手は、手首のところから放射状に指が生えているのです。そしてその、手首に近い5本の骨は肉でつながり、一つの塊のように見える。掌が丸っこく見えるのは、筋肉がたっぷりついて皮膚で覆われているから。掌って、小さく丸まったり広がったり変形するよね。この構造がその理由です。

さて、この骨格構造を意識しながら手を描いてみましょう。今度はさっきと全く逆で、細かいところは見なくていい。どちらかというと簡略化して描きましょう。

まず、骨を細い棒とみなして、一本の線を描きます。この線を……そうだな、骨線（ほねせん）と呼びましょうか。自分の手のどこに骨線（骨の中心線）があるかを探して、それだけを描いてみましょう。

手首から直接生えている骨線が一番長く、先のほうにいくに従って短くなります［1］。骨線と骨線の継ぎ目が関節。ここに小さな丸を入れましょうか。ここで曲がるよっていう印。よく見ると、この小さな丸の位置は横に

1

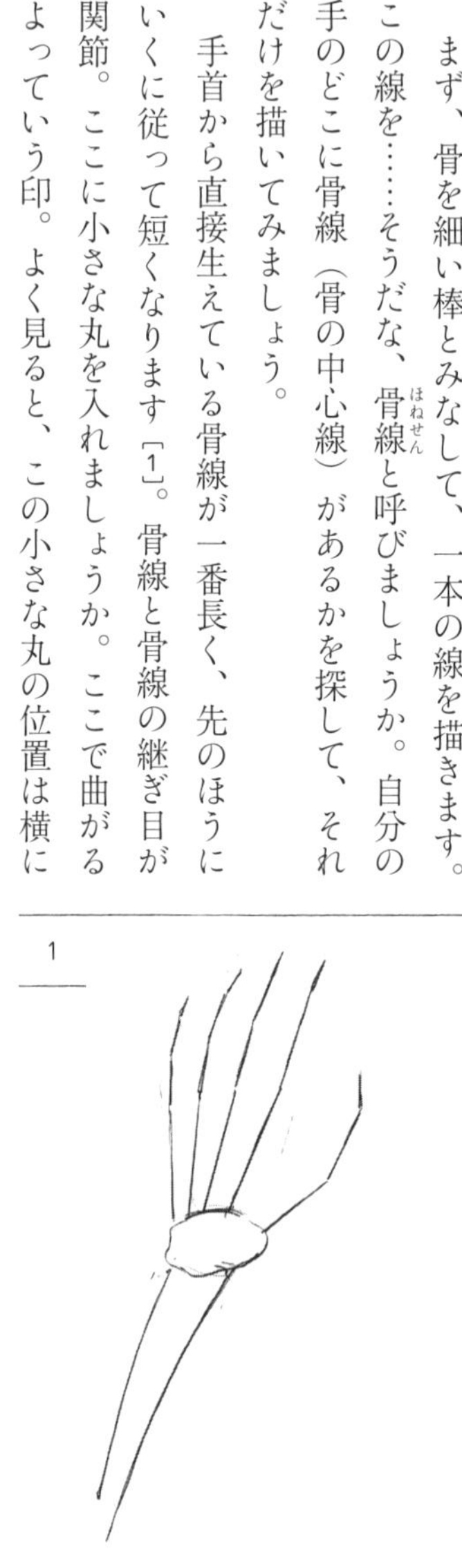

それぞれの長さで骨線を描く

揃っていて、手首を中心に扇状に並んでる。……大体、指の骨格構造ができました。クモみたいですね［2］。

この骨線に肉付けします。手首から直接生えている5本の骨線は、掌の中にあるので、皮膚でつなぐ。アヒルの水かきみたいにね。そこから先の指は、今描いた骨線を中心とした丸い筒として描きます。トイレットペーパーの芯みたいな筒です。指はだんだん短くなる骨線で繋がってるから、3つの筒のつながりとして描く［3］。

……はい、大体、手らしきものになりました。この描き方だと、案外早いよね。形を観察するというより構造を理解して、紙の上で組み立て直している。人間の認識に沿った描き方だから、自分のペースで描ける。

2

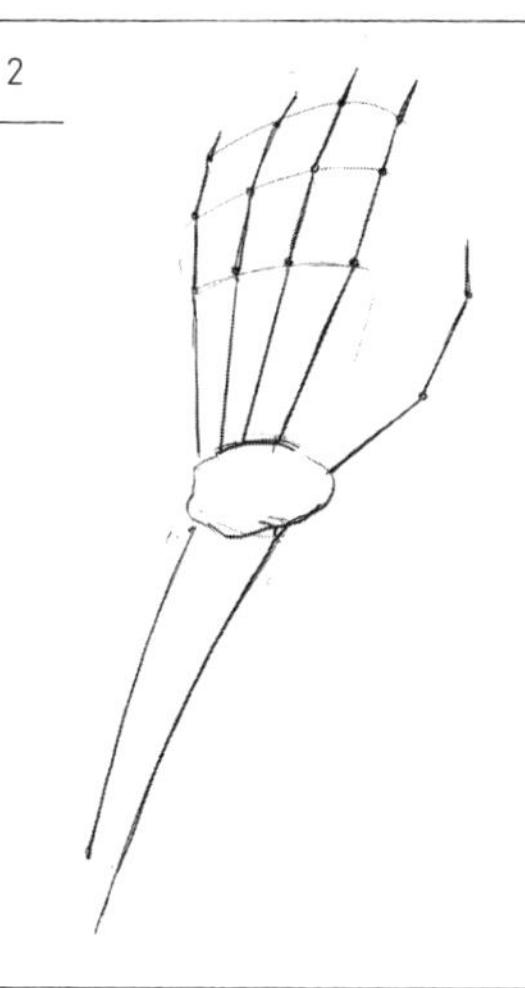

関節に小さな丸を

3

肉付け。指は3つの丸い筒として描く

他の人がどう描いたか、自分の経験と比較する

机の上に、これまでに描いた3枚の絵を並べて、比べてみます。じゃあ、立ちあがって、みんなが描いた絵を見て回りましょう。

――ええ、みんなで見るのか……。

ええと（笑）、人に見られるのが嫌だって思う人、いっぱいいると思うけど、これには慣れてもらわないといけない。みなさんが学んでいるのは言語としてのスケッチで、正しく人に伝わることを目的にしています。言葉の勉強は一人でもできるけど、ちゃんと人に通じるかどうかはわからない。外国に行って一年も暮らすと、みんな英語が上手になるのは、仕方なく現地の人といっぱい話すからです。人に向かってしゃべってみるって、すっごい大事。

幸いなことに、絵は世界中の人に通じます。僕は英語が通じない国のレストランでメニューが読めない時、絵を使います。これはけっこう有効で、食べたいものがちゃんと出てくる。

今回の場合、人に向かって描いたわけではないので、他人がしゃべっているのを聞いてみるっていうことだけど、それも重要な経験です。他の人がどんなふうに描いたか、自分の経験と比較してみてください。

さて、これ［左ページABC］、劇的によくなりましたね。見たまんまに、しわや血管を描いた絵

より、形がすっきり取れている。

この絵［abc］も、すごくしっかりした感じがするけど、なにか理解したことってある？

——うーん……。影かな？

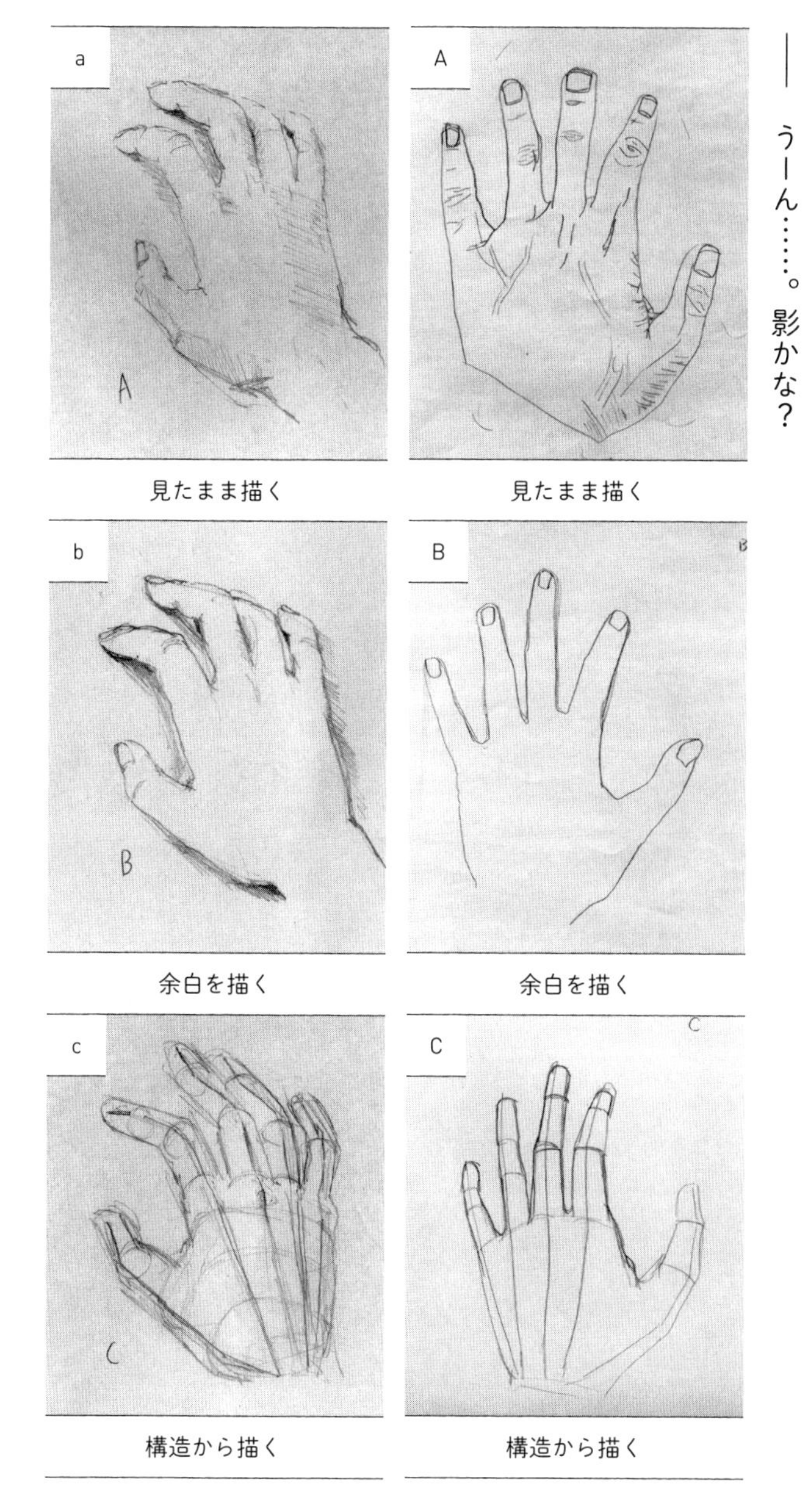

見たまま描く　見たまま描く
余白を描く　余白を描く
構造から描く　構造から描く

きみは絵が好きなんだと思う。最初から影を意識して描けていたけど、2枚目、3枚目を見ると、最初の曖昧さが、すっと抜けた感じがする。特に影の入れ方に迷いがなくなっていて、それは形や構造を理解したから、影だけにこだわらなくなったということでもある。

——私は、余白を描くやり方が、自分としては一番うまく描けた気がします。人によって、どの描き方がうまく描けるのか違うのも面白いです。

そう、これは自分のものの見方との対話でもあります。成長の仕方は人によって違うんです。

——構造を考えながら描いてみたら、今まで見ていなかった指の付け根の付き方も、しっかり見えてきた感じがありました。

いいところに気がつきました。これから世界が全部そういうふうに見えてきますよ。

もっと細かく言うと、掌って、表と裏で、大き

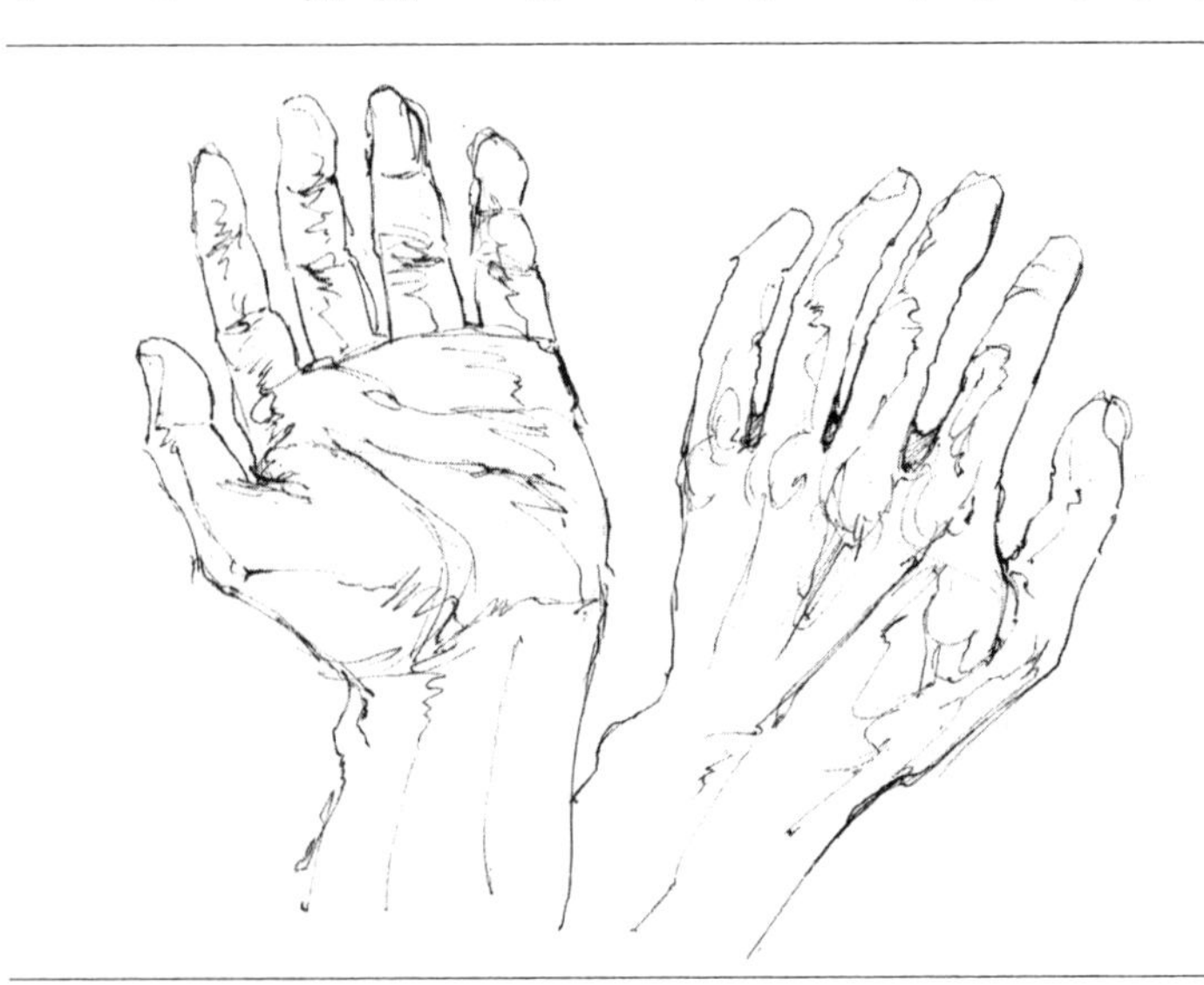

手の甲の側から見たほうが、指は長く見える

さが違っているよね。手の甲の側から見ると、指の第三関節がくっきり見えて、この辺りから先が指なんだとわかるけど、ひっくり返して見ると、第三関節より少し先まで掌がある。だから手の甲の側から見たほうが、掌の側から見た指より長く見える。

仕組みを理解し、そのエッセンスを描く

これまで描いてきてわかるように、スケッチというのは、世界の認識の方法なんです。だから、手で描くというより、基本的には目と脳で描いている。なんとなく手の器用さみたいなものが、絵を描くためには重要だと思われているけど、実はそうじゃないんです。

たとえば、利き手以外の手だと、文字はとても書きにくいけど、絵は構造を理解したうえで描くと、思ったより違わない。

絵の上手い人っていうのは、自分が認識した世界の仕組みを、少ない線で伝えられる人のことです。レオナルド・ダ・ヴィンチも葛飾北斎も、超精密な絵を描く一方で、さ

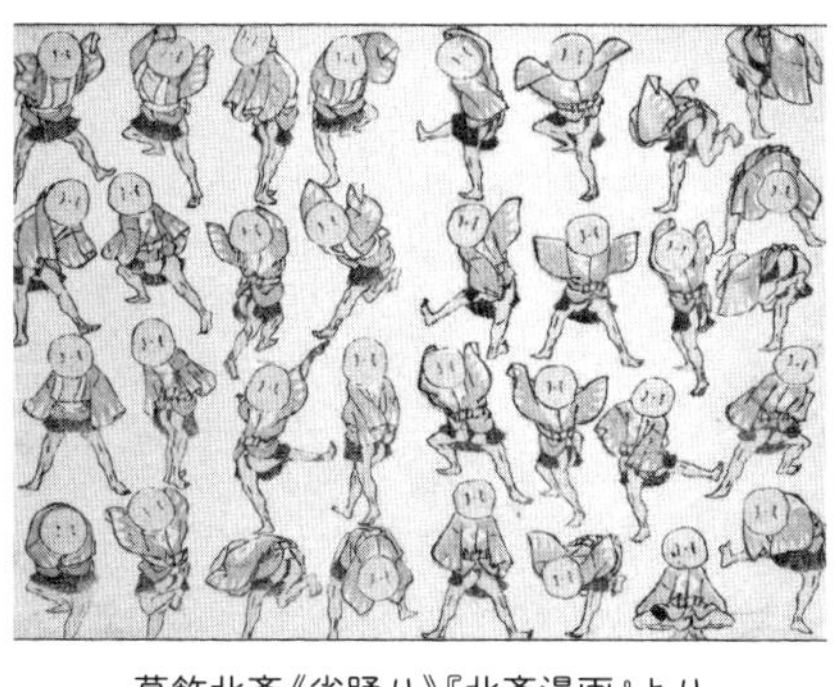

葛飾北斎《雀踊り》『北斎漫画』より

出典:広島県立美術館HP

さっと描いた絵がとても魅力的だよね。世界の仕組みを理解して、そのエッセンスを効果的に紙の上に定着させる、それによって少ない線で人に伝えられることがスケッチの魅力なんです。さらに言うと、描くということは、理解のプロセスにもなっている。

もっと練習してスラスラ描けるようになってくると、スケッチを思考の道具としても使えるようになっていきます。ちょっとメモしたり、計算してみたりするのと同じように、役に立つ道具になってくるのです。

まあ、道具として使えるためには、絵そのもので苦労しないようになる必要はあります。包丁を持つだけで苦労していたら野菜なんか切れない。まずは正しく包丁を持って自由に動かせるようにならなくちゃ。

―― 私は、少し絵を習っていたのですが、「陰影をつけなさい」とずっと言われてきたので、影以外のものに注目してデッサンするという考えがなくて衝撃的でした。

デッサンは見えるとおりに描くことだと思っていたので、空間も構造も見えないのに、どうやって描くのか、わけがわからなくて……今日は全然描けませんでした。

わかります。いっぱい練習して、もうだいぶ上手に歩けると思っていたのに、新しい場所に連れていかれて、うまく歩けなくてびっくりしてるんだと思う。確かに、どこが明るいか、どこが暗いか、よく見なさいって言われるよね。正確に明暗を見るのって難しいし、伝わる絵を描くためにも、それはとても大切なことです。

一方、構造を理解すると、どうしてある場所がその明るさなのか、影の中で明るいところがあるのはなぜか、などが理屈でわかるようにもなります。「理屈でわかる」ことと「あるがままに感じ取る」ことは、しばしば相反するものなので、ちょっととまどったのかもしれない。でも心配しないで。結局は、その両方を手に入れたほうが世界がくっきり見えてきます。

実習

骨線からニワトリを描く

3 min

では、最後に、ニワトリの絵を一緒に描いてみましょう。

ニワトリっていうと、よく描かれるのは、こんな絵［左下］ですが、もうわかったと思うけど、胴体を丸で表すっていうのは、掌を丸で表したのと同じ。ちゃんと描くために理解するべきなのは、ニワトリの骨格構造です。

手と同じように、骨線（ほねせん）でニワトリを描いてみましょう。

ニワトリは脊椎動物です。最近の学説では、鳥こそが恐竜の子孫であり、恐竜は絶滅なんかしていなかったというのが一般的になりつつありますが、この恐竜の末裔（まつえい）の骨格構造は、僕らの骨格と非常に似ています。

まず、体の中心に脊椎がある。脊椎はたくさんの骨の集まりですが、

よく描かれるニワトリ

概ねS字カーブとして描くことができます。犬でも馬でも大体そう。首から背骨をひとつのS字カーブとして描いたら、途中に肩があって肋骨がある[1]。すこしあいて腰、そこから脚が生えている[2]。

鳥の脚って反対に曲がるんだなって、気がついたことある人、いるかな？　膝が逆に曲がってるように見えるよね。でも、実はそこは、かかとなんです。そこから先は指で、鳥は指先だけで立ってる。じゃあ膝は？　というと、もうほとんど胴体の中に隠れてる。鶏の骨格はよく知らなくても、骨付きの鳥もも肉の形は覚えている人もいるでしょう。特に骨しか残さない人は、その構造までよく知ってるはず。それがどこにあるかというと、下の絵の膝から上で、あの肉がたっぷりついているところがモモ。鳥の脚の体から突き出してるように見える部分は、膝から先なんです。

羽は、私たちの手に当たります。羽ばたく時だけ手を伸ばし（飛べないけどね）、ふだんはたたまれてい

1

脊椎をS字カーブで。肩と肋骨

2

かかと
膝

鳥は指先で立っている

る［3］。ほら、これで大体ニワトリの骨線ができた。ね、恐竜でしょう？

ここから、肉付けします。寒いのが嫌いなのか、首のまわりはけっこうふさふさなので、首の根本はとても太く見える。みんなが大好きな胸肉がある。そしてもも肉。羽は羽毛に覆われて体に張り付いているからまあるく埋もれてしまうけど、ちゃんとボリュームはある。そして嘴（くちばし）、トサカ、尾羽なんかを加えていくと……はい、出来上がり［4］。

――わあ……！　ニワトリの骨格を人間と対応させて捉えられるって、なんか驚きました。

みなさんは、今まで写真や遠くからしか見たことがないニワトリの姿と、いつも食べてる骨付きもも肉の関係を気にしたことがなかったかもしれない。こうやって説明されると、ああ、そうだったかも、と思うから記憶はしているのです。だけど、それは照合のためだけに使われていて、その記憶を正確に取り出すのは

3

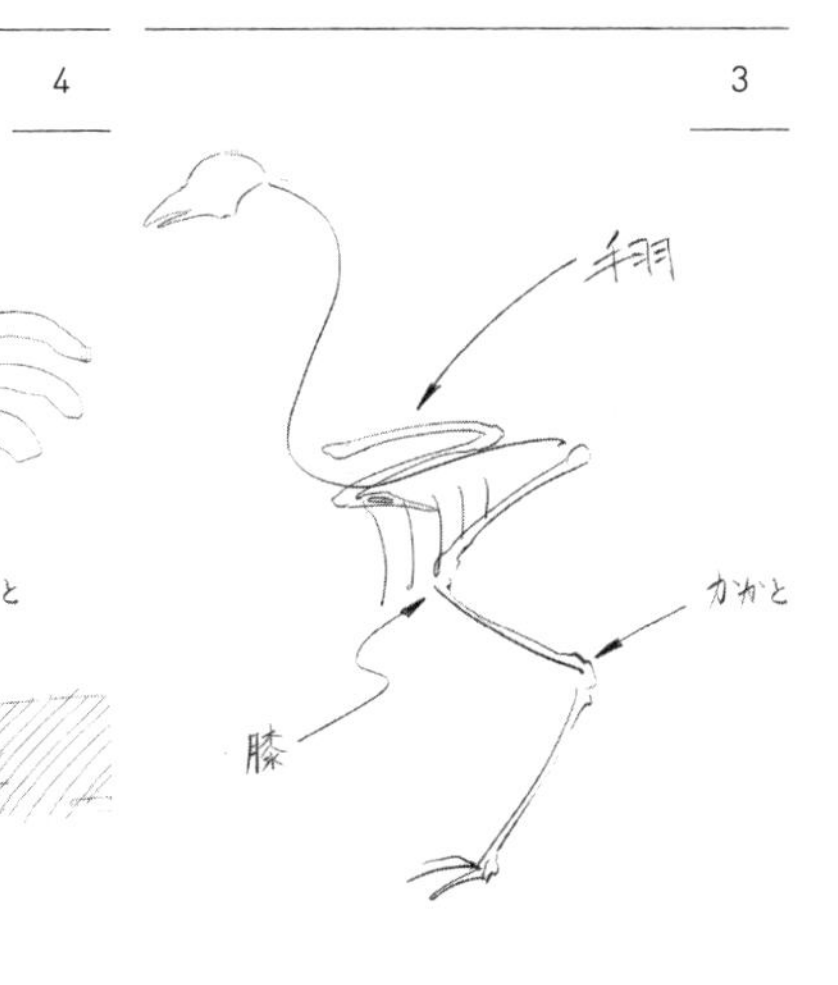

羽は折りたたまれている。恐竜みたい

4

肉付けして、ふさふさの羽毛もつける

難しい。この「覚えてるんだけど、よく覚えてない」ことをはっきり覚えさせるのが、絵を描くということでもあるんです。

同じように、犬を描いてみようっていわれたら、まずは犬の骨線を描きます［1］。馬や犬も、鶏と同じように爪先立ちなんです。かかとと膝の構造も一緒。これに肉付けして犬の出来上がり［2］。

――生物の先生が絵が上手なのは、生物の構造をよく知っているからなのかな。

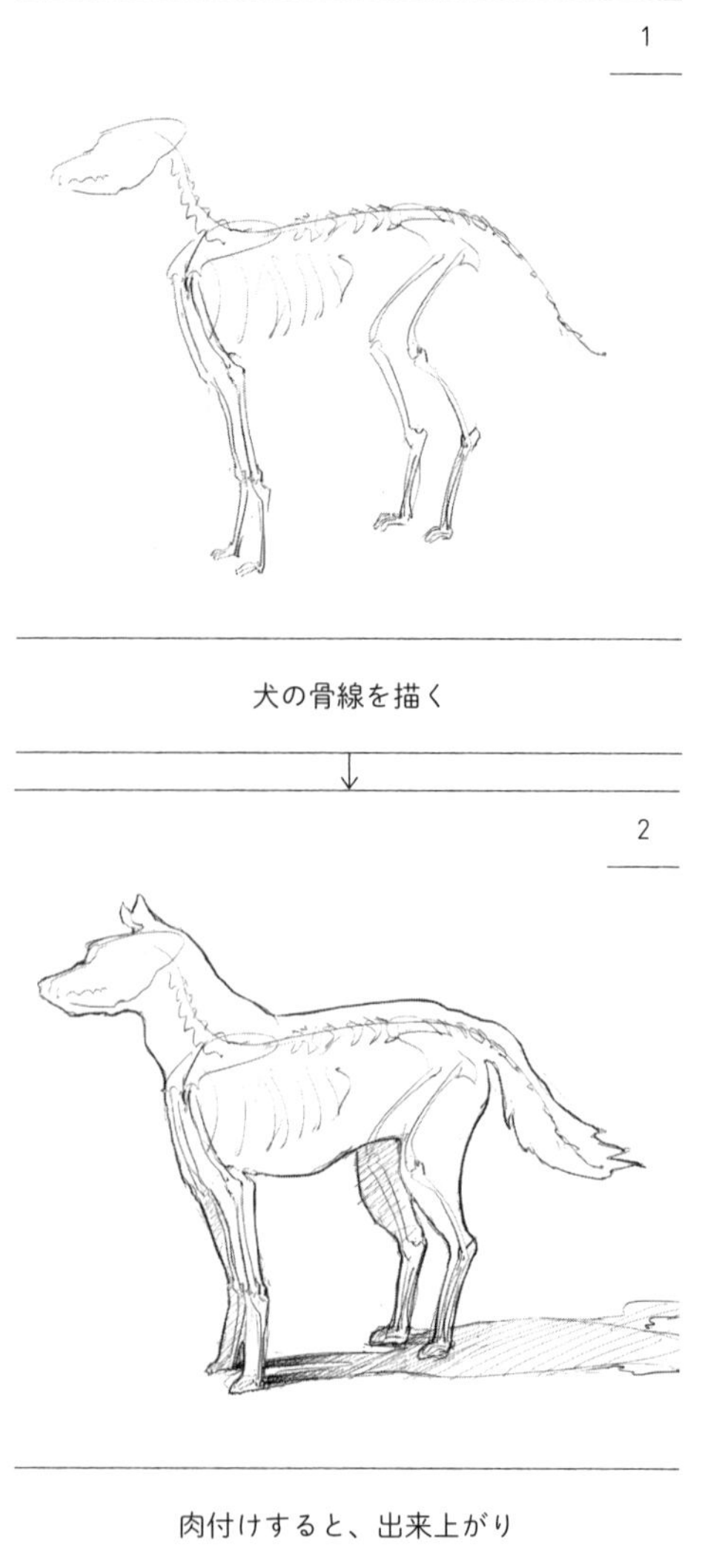
1

犬の骨線を描く

2

肉付けすると、出来上がり

生き物の形をよく見る癖のある人は、自然に絵が上手になるっていうことはあるんだよね。絵を描くって、芸術でもあるんだけど、科学でもあるんです。

スケッチは、昔は記録としても重要な意味がありました。たくさんの科学者が顕微鏡を見ながら、空を見ながら、動物を見ながら、スケッチを描きました。今は写真があるので、必ずしも記録の手段としてのスケッチは必要とは限らない。ビデオのようにいろんなアングルから動いている状態で撮れるほうが、より情報の多い記録になる。でも、そのおかげで浮かび上がってきたのは、スケッチというのは記憶のための方法だったんだということです。


――もっといろんなものをスケッチする時の目で見たら、きっと楽しいし、新しい発見がたくさんあると思いました。


そのとおりです。それこそがこの授業の目的でもあります。

今日は、前半で、デザインとはなにかということを考えて、それから、いきなりスケッチを描いてもらいました。一見、このふたつはかけ離れているように見えるかもしれないけど、スケッチは、人とものとの関係を考えるうえで重要な役割を果たします。ものと人を同時に観察し、仕組みを理解することは、新しいものを作る時の大前提です。

2日目は、もう少し絵の練習をします。明日は人工物。身のまわりにある生活の道具や機械の仕組みを理解するために、実際にものに触ってもらいながら、どうしてこんな形をしているのか、絵を描きながら探ってゆきます。ではまた明日。

3章
「っぽい」リアルさを描く

2日目前半

「面白そう」と思ったら容赦なく学ぶ

こんにちは。2日目の今日はスケッチの練習の続きをやりながら身のまわりにある自然界の植物や動物、そして誰かが作った人工物を観察してみましょう。なぜそんなふうにできているのか、そこにどんな仕組みがあるのか、その成り立ちを一緒に知っていきたいと思います。

その前に、ちょっとおさらい。昨日の授業を振り返ってみて、なにが印象に残りましたか。難しかったこと、わからなかったことがあれば言ってみてください。

―― 3分間でニワトリやカメラマンさんを描いたりしましたが、短い時間では細かい特徴まで描くことができないので、その中でなにを描くか、その選択がけっこう難しかったです。

うん、「一言で言うと、どういうこと？」っていう質問にうまく答えるのが難しいのと同じだね。どんなふうにエッセンスを抽出して描くか、今日はそのコツも練習していきます。

―― 絵を描くのは好きで楽しかったんですけど、理系っぽいっていうか、理系科目が得意じゃないこともあって、ちょっと難しかったです。

そうだね。デッサンって想像以上に理系なんですって言ってた有名な画家もいました。昨日も話したように、デザインって、理科と美術の融合みたいなところがあって、どうしても、ちょっと理科が入ってくる。この中には数学は苦手だけれど図形だけは得意っていう人も、生物は好きっていう人もいるでしょう。人は全てを学べるわけではないので、自分に合うところから入っていけば良いと思います。

文科系の知識はデザインにとって、もっと大事です。なぜ、みんなシンプルが好きなのか。東京とパリの街並みは、なぜあんなに違うのか。最近の車がみんなつり目なのはなぜ？　そういうことを理解しようとすると、社会の仕組みや文化の歴史を学ぶ必要があります。

たとえば、シンプルな生活、シンプルな服って聞くと、なんとなくいい感じがするけれど、ではなにがいい感じなのかを考えようとすると、途端に難しくなる。東京や横浜の街並みはどうしてシンプルにならないのか。便利とシンプルは両立するのか。「シンプル」という言葉の現代的なニュアンスや歴史的意味を考えるだけで一冊本が書けるぐらいです。

デザインは、いろんなものが組み合わさってできているから、理系の人も文系の人もかかわってほしいと思っています。そもそも、一番大事なのは、僕は理系、自分は文系ですって決めないで、面白そうだと思ったら、なんでも容赦なく学ぶこと。必要だから学ぶというより、知りたいことから逃げないで、好奇心とまっすぐに向き合ってみる。

僕も、なにか新しいものを作ろうと思った時、必ず知らないことに出会います。それを知らないとデザインできないから、しょうがない、勉強してみるかってなる。完璧にわかる必要はありません。大体、「ああ、そういうことか」と思える、そんな体験を増やすことが、まだ誰も見たことのない素敵なものを作ろうとする時、じわじわと力になっていくんです。

「平行」に敏感な理由

1日目はまっすぐな線を引く練習をしましたが、それを使って立体を描いてみましょう。たとえば、下の右の図のように線を引くと、これは箱だよね。でも、左のように、これらの線をでたらめに引くと箱じゃなくなる。箱に見えるものと見えないものと、なにがそうさせているかというと、縦、横、高さ、それぞれの方向の稜線(りょうせん)がどれも平行だということ。僕たちの平行線に対する感覚はけっこうシャープで、ちょっとでもゆがんだ向きにあると、すぐに気がつきます。

複数のまっすぐな線が3次元空間上で平行になっていることを伝えるには、パースペクティブという技法を学ぶ必要があります。専門家はよく「パース」といいますが、日本語でいうと透視図法。透けて見えることじゃないよ。遠くまで見通すという意味の「透視」です。

このパースについて簡単に解説しましょう。まず、正面の壁を見てください(読者のみなさんは、学校の教室を想像してく

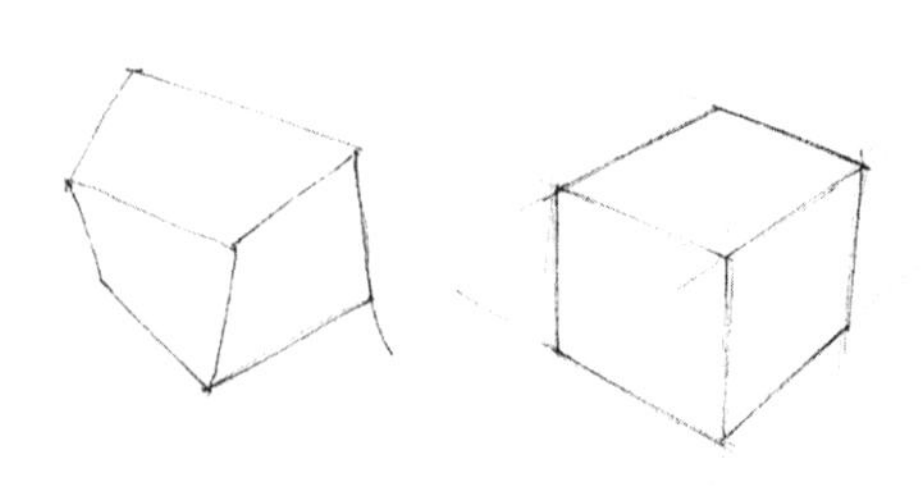

平行の線が箱を作る

ださい)。この部屋には、みなさんの視線と同じ向きの直線がたくさんあります。机の左右の縁は正面に向かっている。隣の机のヘリもそう。見上げると蛍光灯が並んでいて、これを繋ぐと前にまっすぐ伸びる直線が想像できます。左右の壁と天井の境目、床と壁の境目、窓枠の上下のラインなど複数の線が前に向かっている。それらの線はあなたの視線と「平行」です。

じゃあ、その先を想像してみましょう。正面の壁がなくて、この部屋が長い廊下のように前に向かって伸びているところを想像してみて。

――……? **部屋全体がずっと先まで続いてるっていうことですか。**

そう、あなたの視線と平行な直線たちも、どんどん前に向かって伸びていく。蛍光灯がずっと遠くまで連なり、左右の壁もまっすぐ前に伸び、机も遥か彼方まで並んでいます。机も壁も

視線と平行の直線が前に伸びていく

蛍光灯も、遠くに行くにつれてどんどん小さくなって、やがて1つの点になります。

様々な平行線は、ずっと向こうで、1つの点に集まったように見える。まっすぐな長いトンネルや橋で、そういう景色を見たことがあるはずです。これがパースペクティブというルール。景色を平面に投影する時の光学的な原理（つまり写真もそうなっている）でもあるのですが、私たちの認識の基本でもあります。

――その一点って、どこに集まるんですか？

これにもルールがあって、地面に平行な線は全て、地平線上の一点に集まります。水平に見渡した時、一番遠いところが地平線だから。それが平行線の基本。透視図法とは、紙の上に水平線を想定しながら立体を描く図法です。

さて、私たちの身のまわりには、直方体がたくさんあります。たとえばこの教室もそうだけど、部屋はほとんど直方体。柱を垂直に立て、そこに横棒を乗せて箱を作っていくのが建築の基本だからです。部屋が直方体だと、タンスや冷蔵庫も直方体であるほうが収まりがいい。掃除機は四角ではないから、収納場所にちょっと苦労するね。ノートが台形や円形だとカバンにしまうのも大変。身のまわりのものがみんな勝手気ままな形をしていたら片づけが大変になるので、たくさんのものが四角を基本に計画されています。機械加工は、まっすぐに切ったり削ったりするのが得意なので、工場で作りやすいからでもある。

こんなふうに、平行線は人工物の特徴でもあり、物を設計する時にとても大切です。まっすすぐな線は、定規を使えば引けるし、コンピュータでも引けますが、スケッチを言葉のように人に伝えたり、思考の道具として使うためには、これをクイックにやれたほうがいい。

今日は、昨日描いた円、楕円を使って、身のまわりのものを描くためのスケッチから始めます。前半の2日間は、スケッチの練習がつづいて、ちょっと疲れるかもしれないけど、基礎トレーニングなので、もう少し付き合ってください。うまくなくていい。絵を描こうと思うだけで身構えてしまう習慣を取り去って、気軽に描けるようになることが目標です。

「っぽく」見える絵を描くには

まず、構造から人を描いてみましょう。構造ってなにかというと、内部の仕組みだけではありません。身のまわりは平行線だらけだって知ることも建物や机の構造を知ったことになる。同じように「人の構造を描く」といっても、必ずしも骨格標本を描くわけではありません。

実習 丸と線で顔と体を描く

では、僕と一緒に描いてください。丸を描いて、その中に小さな丸をふたつ。その下に短い線を入れると［下の絵］、「あ、顔だ」って思うでしょう。これは、実はとて

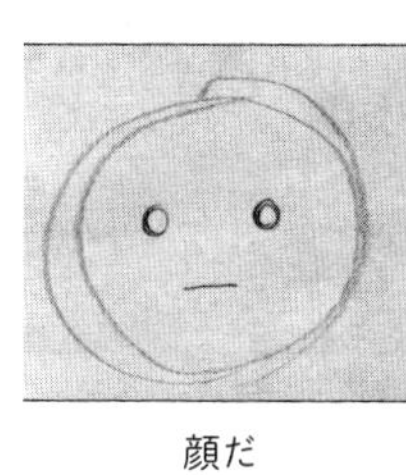

顔だ

も不思議なことで、なぜ顔に見えるのか、ずっと研究してる人がいるくらい。

人間は、簡単に顔を認識してしまうクセがあります。車のヘッドライトはみんな目だと思うし、三つ口コンセントが顔にしか見えない人もいるでしょう。

特に「目」の存在に、私たちはとても敏感です。動物の「目」にはいろいろな形のものがあるけれど、大抵2つの丸いものが横に並んでいるので、私たちの脳はその特徴を見つけると目なんじゃないかと咄嗟に反応する。この能力は、おそらく人間が自然の中で暮らしていた頃から身につけていたものでしょう。猛獣がいっぱいいた世界では、森の中でちらりと見たものが顔であるかどうか、こっちを見ているかどうかを察知することが、生き延びるために必要だった。

他の動物もそうで、蛾の羽に、左右に大きな丸い斑点があるものは、鳥などの捕食動物が咄嗟に目と勘違いしてびびることを利用し、身を守っているのだといわれます。

さて、先ほどの顔の絵ですが、これを真横から見たところを描いてみましょう。この人の頭は横から見ても丸なのか。少し考えてみて。横から見ても前から見ても丸いってことは、こいつの頭部は球なんじゃないか……。そうする

顔に見える

羽の眼状紋

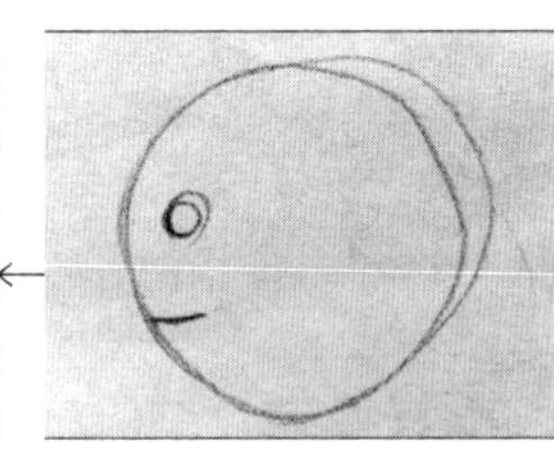

横から見た目を描く

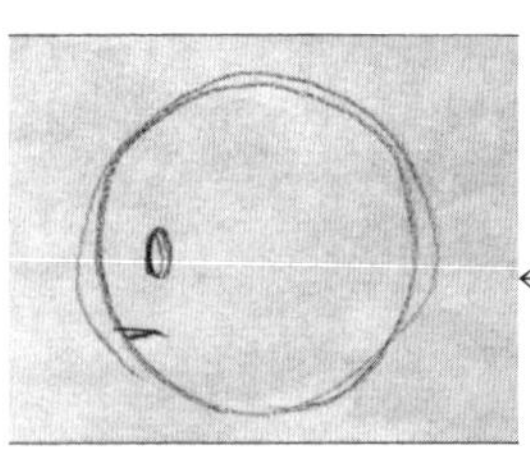

目を楕円にすると……

と、横から見た時の目はどうなるでしょう？

——どちらかの目が、前のほうについている。

そう、球の前のほうに丸い目をひとつ描く［右ページ右下の絵］。

でも、ちょっと待って。正面から見てまん丸の目は、真横から見てもまん丸なのか……縦長の楕円にしてみましょうか［右ページ左下の絵］。ね、こちらのほうがしっくりくるでしょう。たったこれだけのことなんだけど、微妙に立体感が違う。

じゃあ、これに胴体を与えてみましょう。正面から見て、まん丸の顔の下に、ちょっと縦に伸びた楕円を描きます［右の絵］。手も足も描いてないけど、「胴体なんだな」と理解できます。

次に、これを横から見たところを描きます。横から見ても丸い顔に、楕円の胴体［中央の絵］。これだと、目と口以外は前から見ても横から見ても同じ形で、こけしみたい。

さて、今度は、横から見た時だけ胴体の角度を変えて、ちょっとたわんでいるように描く［左の絵］。それだけのことなんだけど、なんとなく、この子のほうが生き物っぽくなるでしょう。それはなぜかというと、僕らが人の背骨はこうなっていると知

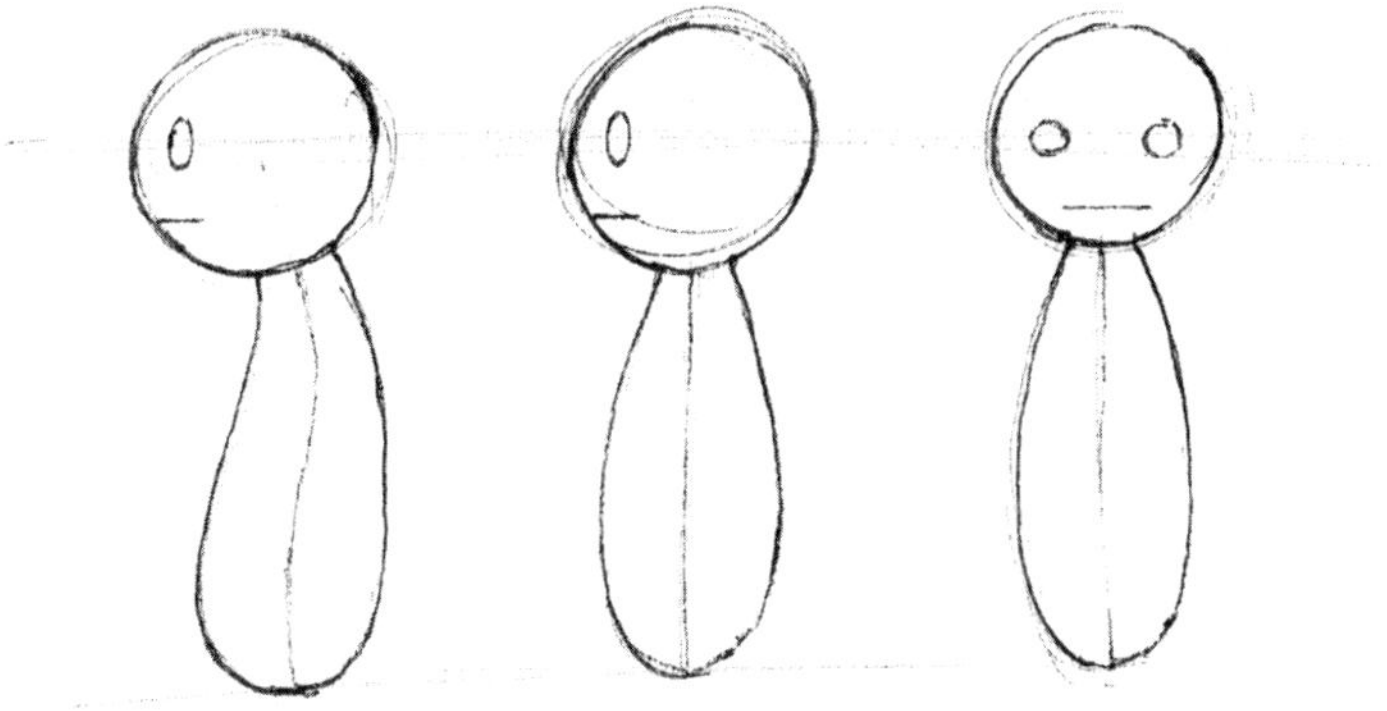

横から見た時、ちょっとたわんでいるように描くと……

っているからです。人間って、ちょっと顔を突き出してて、背中が少し丸い、腰はちょっとへこんでるとか知っている。そういうことを押さえて、体の中心の流れに沿って線を引くと、こいつが急にほんの少しだけ、なまめかしくなるんです。

こんなふうに、ちょっとした構造のエッセンスを与えると、おお、リアルだって思う瞬間がある。一つひとつの人の顔やものの形のリアルさではなく、みんなが「そうだな」って感じるリアルさ、そのエッセンスを様々な人の姿から抽出すること、それが抽象です。

肝心な構造を中心に、「らしい立体感」や「っぽい配置」をちょっと意識して描く。そういう抽象化をうまく行うと、他人の頭の中へリアリティを投げ込むことができるのです。

実習　球と楕円を使って目を描く

球から、また別のものを描いてみましょう。まず、ひとつ、球を描いてください［1］。で、球面に楕円を描く。球面上に載った楕円をイメージして［2］、球と楕円の中心軸を揃えてください。その楕円の中に、もう一個、楕円を描くと［3］……これは、眼球。ふたつの楕円の中心を通る線が

1

球をひとつ

2

球面に楕円

「視線」、見つめる方向です。

ところで、一般的に目を描いてくださいって言うと、左上の絵みたいに描くよね。紀元前の壁画から、ずっとこう描かれてる。では、目の上下の縁の線は、なぜ円弧の一部なのだと思う?

——**中に球体が入っていて、その上を覆っているから。**

そのとおり、良い答えです。目というのは球体で、眼窩(がんか)(骸骨の絵に描かれる、ぽっかり空いた穴のことです)といわれる丸い骨のくぼみの中でくるくる向きを変えて自由に動く。

話を戻して、目の続きを描いていきましょう。球はいろんな向きに分割できて、その分割線はみんな円になる。まん丸のジャガイモを薄切りにすると、みんな円になりますよね。だからポテチは丸い(ジャガイモは歪んでいるものが多いけど)。

先ほど描いた黒目のすぐ上で、球を真っ二つに割ると、黒目の上に円弧が現れました。黒目の下も割って、下側にも円弧が現れた[4]。このふたつの円弧が、上下のまぶたの境界線。シャッターになって、球面に沿って動く。

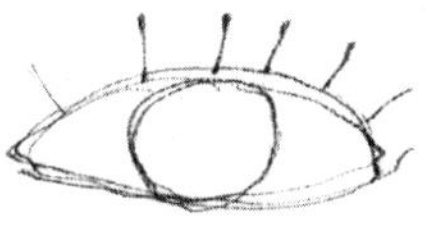

よく見る目

3

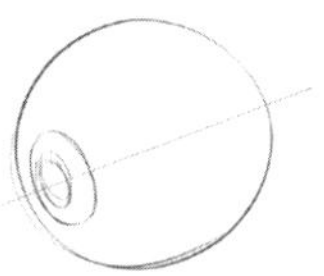

中心軸を揃える

4

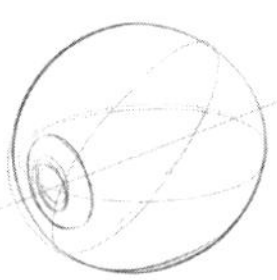

黒目の上下で割る

5

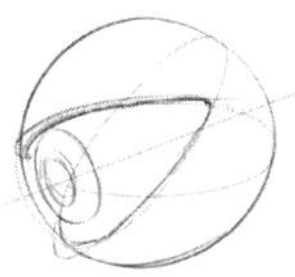

円弧に厚みを

続けて、円弧の上下の皮膚の厚みを描きます。皮膚がシャッターになるためには根元に余裕が必要です。蛇腹のように皮膚が折りたたまれていて、目を覆う時にはそれが伸びてくる、その折りたたみ構造がいわゆる二重まぶた［5］。二重になっていない人も心配しなくていいです。もっと上手に折りたたまれてますから。

だいぶ目らしくなってきました。その上下に、目に埃が入らないよう、ひさしとして、前向きに毛が生えている［6］。これがまつ毛。そして、この球を眼窩に押し込みます。目の上の眼窩の縁には眉毛がある。眉毛ってなぜある

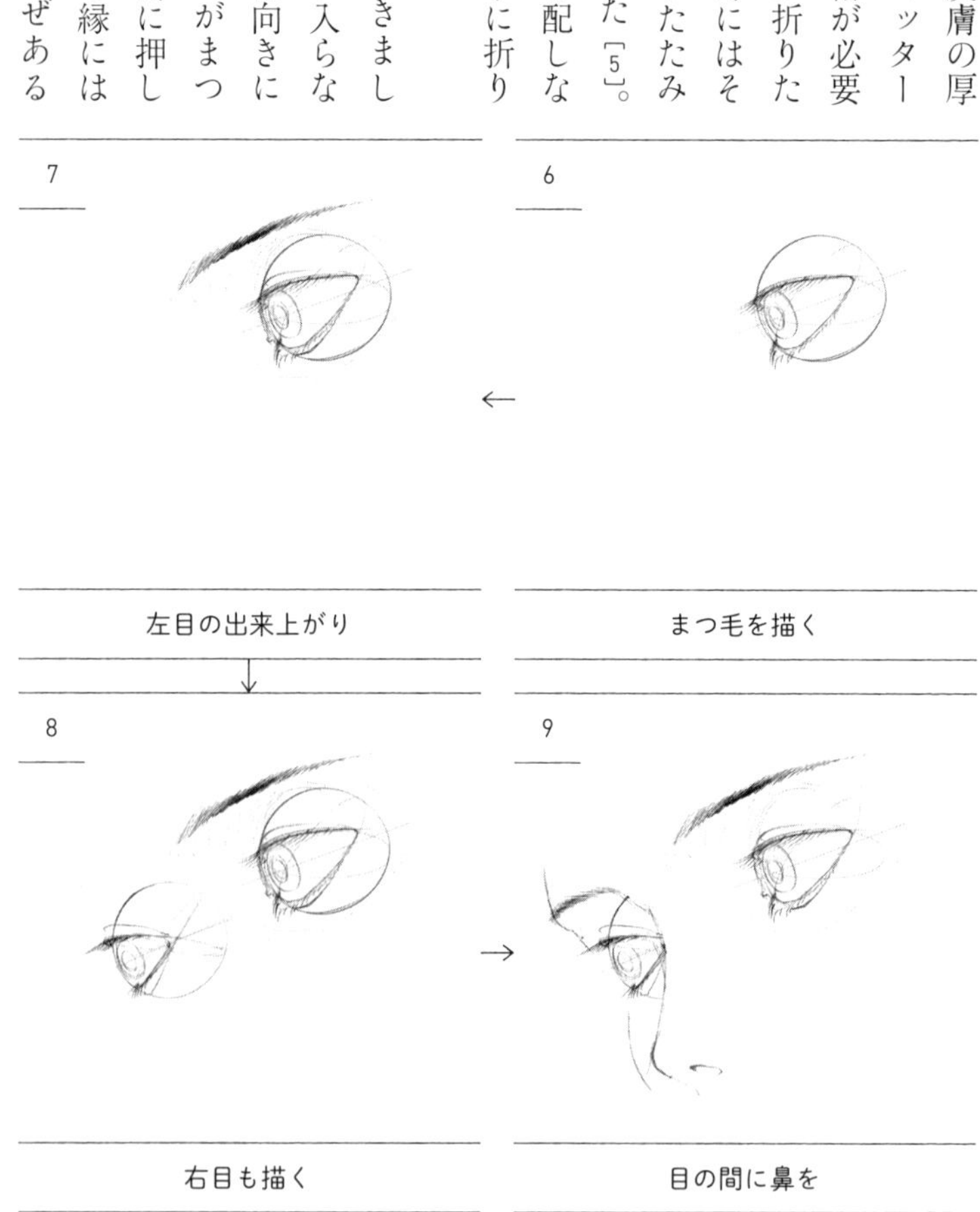

か、よくわかっていないともいわれているけど、汗が目に入らないとか、埃を防ぐ効果はあるらしい……はい、これで左目の出来上がり［7］。

じゃあ、右目も描いてみよう。だいたい人間のふたつの目には、間に1個半ぐらいの距離があるそうです。もう少し離れている人も近い人もいるけど僅かな差。少し向こうにもうひとつ球を描き、同じように黒目を描く。黒目の方向を揃えるのを忘れないで［8］。両目の間には突起があって、そいつが左右の目玉をしきる。鼻筋ですね［9］。……どうです、人の顔らしくなってきたでしょう［次ページ上の絵］。

ついでに、目玉のシャッターの角度を変えて、水平に近いところにシャッターを入れると……ああ眠そう、ないしは意地悪そうになる（笑）［次ページ下の絵］。

――構造を描こうとするだけで、こんなに変わるんだ［上の絵］。今まで、目をじっくり観察しながら描いても、リアルに描けたことがなかったので、すごく驚きました。

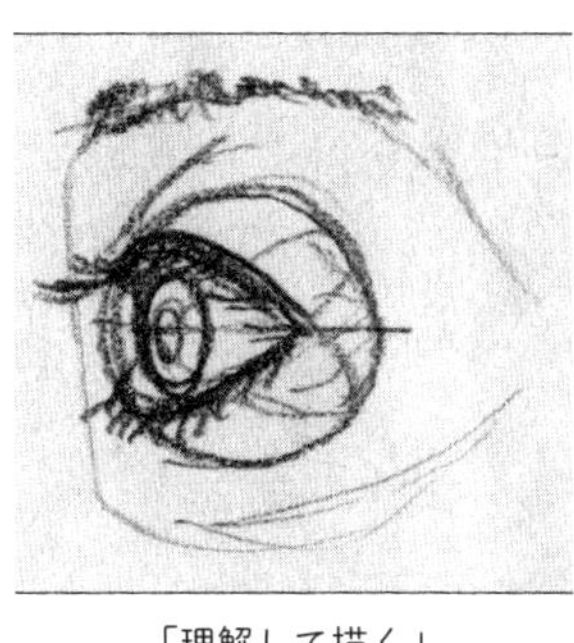

「理解して描く」

「見て描く」と「理解して描く」の違いですね。位置関係や立体の重なり方を意識して描くことも、構造を理解して描くことのひとつです。

1日目に、生物の先生は絵が上手だっていう話がでたけど、美術と生物学のはざまに「美術解剖学」という、人体の美術的

余計な線を消す

目玉のシャッターの角度を変える

表現のための解剖学があります。レオナルド・ダ・ヴィンチの時代は、解剖学と美術は分かれていませんでした。

一方、103ページで紀元前の壁画の目について触れましたが、古代エジプトの様式では、横顔でも、目は常に正面から見た目が描かれています。ダ・ヴィンチに代表される、人体骨格を正確に表現することが正しい体の描き方だと思っているヨーロッパの人たちは、エジプト人は立体を理解していなかったと解釈しました。でも、本当にそうだったのでしょうか。同じ時代のエジプトにも、とてもリアルな彫刻も存在しています。向きによって形が変わって見えてしまう「目」を切り離し、ある種の記号として描くことで、人であることを明確に伝えようとしたともいえる。そのことに20世紀の画家たちは気づき、古代エジプト人すげえってなった。

同様に、様々な原始的な絵が見直されます。古代人の壁画も、アフリカの原住民たちの大胆な色彩の絵も、そして浮世絵をはじめとする日本の美術も。浮世絵は、伝統的な西洋絵画に比

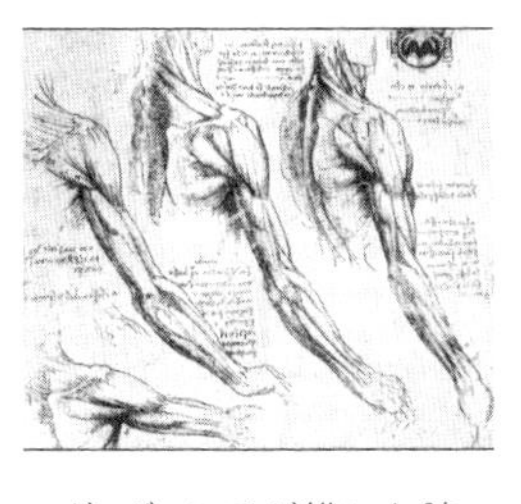
ダ・ヴィンチが描いた腕

横顔も正面から見た目
オストラコン、王の横顔
(前1550－前1069年頃)
©2012 Musée du Louvre

紀元前のエジプトの彫刻
ネフェルティティ王妃
あるいは王女の頭部
(前1351－前1334年頃)
©Staatliche Museen zu Berlin, Ägyptisches Museum und Papyrussammlung / S. Steiß

べると立体感が薄くフラットです。最初は陰影や遠近法を理解していなかったとされたのですが、20世紀になって西洋画壇でも高く評価されるようになりました。漫画は、この浮世絵の伝統を受け継いだものともいえますね。

――目といえば少女漫画の人物の目は、どんな構造になっているかって考えると恐ろしい気が……(笑)。

顔の半分ぐらいあったり、横から見ると凹んでたり、光入りすぎだし。漫画を未来の人が見たら、20世紀後半の日本人はちゃんと立体を理解していなかったって思うかもしれませんね。

科学と漫画の共通点

漫画に描かれたじいさんのほうが、本物のじいさんより「じいさんっぽい！」って感じる瞬間ってあるでしょう。このことの重要性を最初に書いたのは、物理学者の寺田寅彦(てらだとらひこ)という人です。彼は高名な物理学者でありながら、幅広いエッセイを残し、今でもその文章のファンがたくさんいます。「天災は忘れた頃にやってくる」という言葉を残したのもこの人。

寺田寅彦は、1921年（大正10年）に、次のようなことを言いました。

「漫画が実物と似ない点において正に実物自身よりも実物に似るというパラドクシカルな言明はそのままに科学上の知識に適用する事が出来る」

随分難しい言い回しですが、こういうことです。上手に描かれた漫画は本物よりそれっぽく見える。そして、実は科学知識もそういうものなのだと。

たとえば、サザエさんに出てくる波平さんの頭のてっぺんには髪の毛が1本だけニョロッと伸びているけど、あんな髪型の人は実際にはいない。眉毛だって1本の線しか描かれていない。だけど髪の毛をたった1本残すことによって、寂しくなった頭を上手に表しているし、薄い眉毛が目尻のほうで下がっているという老人の眉の特徴を、1本の線で巧みに表現している。その結果、波平さんをテレビで見ると「いるよね、ああいうじいさん」って思ってしまう。科学知識といわれるものも、すぐれた漫画みたいなものなのだと、寺田さんは言うんです。

物理の力学を習った人は、「なお、摩擦はないものとする」という言い回しを聞いたことがあるでしょう。現実には、そんな世界は存在しないのに、なんだそれって思うよね。実際に目の前にある坂は、いろんなデコボコがあり、あたりには風も吹いていて、ところどころ濡れたりもしているので、そこをものがどう滑り落ちるかなんて、とても一言では言えない。だけど、そういう坂ごとに違う環境みたいなものはおいといて、まっすぐなものだとして、摩擦はないものとして、空気抵抗はないものだとして……と架空の坂（科学者は理想の坂と呼びます）を想像すると、坂を滑り落ちるものに共通する動きのパターンが見えてくるかもしれない。たとえば「坂を滑り落ちるものはだんだん速くなる」ような気がする。坂だけじゃなく、まっすぐ落ちるものもだんだん速くなっていそうだ……。そのあたりをひっくるめて、シンプルに数学で表現したのが、かのアイザック・ニュートンでした。そこからニュートン力学と呼ばれる、みなさんが最初に習う力学の基本法則が生まれます。

様々な現象に共通する「っぽいところの抽出」が科学知識であり、「真」でありながら、実際は目にできるものではない。裏を返せば、科学による真理探究などといっても、自然現象の似顔絵を描いているようなものだと寺田は考えたのでしょう。科学知識と漫画は、いずれも個々の事物によらない、普遍的な真理を見つけようとする人の営みとして共通のやり方だということを、寺田寅彦は指摘しているのです。

このエッセイで彼が引用した漫画は鳥獣戯画や北斎漫画、フランスの画家、ドーミエの風刺版画でしたが、「滑稽」であることは、必ずしも漫画の本質じゃない、みたいなことも書いている。当時はストーリー漫画なんてなかったのですから、恐ろしい先見の明だなと思います。

さて、この漫画と科学に共通するやり方は、デザインのスケッチの本質でもあります。スケッチに全ては描かない。最も重要なエッセンスを抽出して（抽象化して）リアリティを与えるということが、スケッチの表現の根幹なんです。

回転体を描こう

では、身のまわりの人工物を描いていきます。まず、回転体を描いてみましょう。

回転体っていうと言葉は難しげですが、壺とかコップのように、真ん中に軸があって、真上から見るとまん丸に見えるもののことをいいます。シフォンケーキやバームクーヘンもそう。横から見ると左右対称で、真上から中心軸に沿って切ると、どの角度で切っても同じ断面が現れる。デコレーションケーキは違うよ。イチゴの乗ってるところとそうでないところがあるし、クリームの形も切る場所によって違うからね。

円柱、円筒は回転体の基本形です。工業製品には、いろんなところに円筒がありますが、工場で作られるものに回転体が多いのは、作りやすいからです。ろくろなどの機械で回転させながら削って作るとあっという間にできちゃう。

回転体を描くには円は斜めから見たら楕円に見える（63ページ）という性質を利用します。目の前にお茶の入ったビニールコップがあるよね。それを30秒ぐらいで簡単に描いてみて。

実習 お茶の入ったコップを描いてみよう

0.5 min

……うん、みんな、構造から描くことが、ずいぶんできるようになってる。コップの縁も底面も、お茶の水面も、真上から見るとみんな円で、斜めから見たら楕円だよね。

コップのような回転体を描く時のコツは、最初に中心線を引くこと［次ページ1］。真ん中に線をまっすぐ引いて、上の縁となる楕円の中心［2］、下の縁となる楕円の中心がその線の上に来

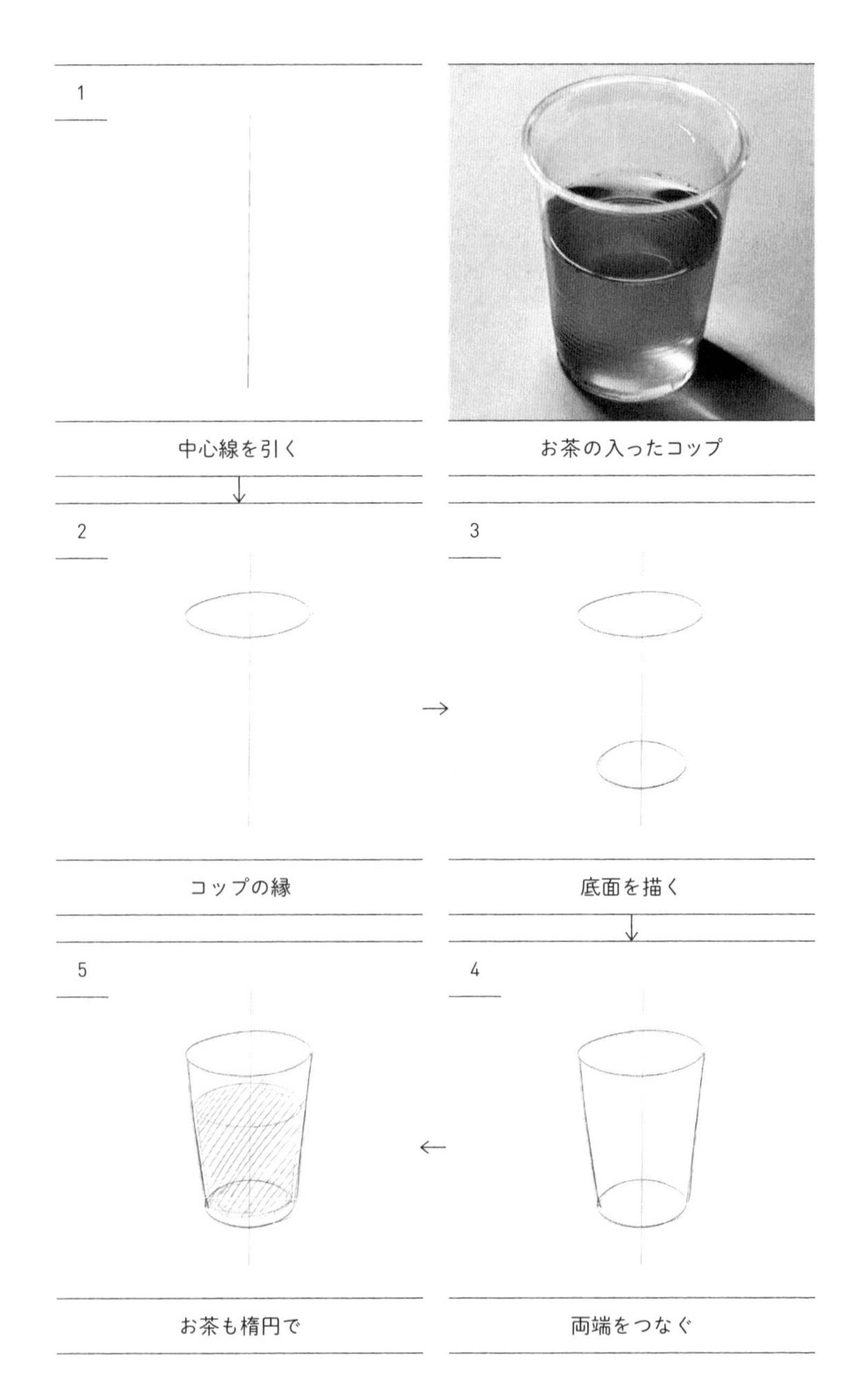
1
中心線を引く
お茶の入ったコップ
2
コップの縁
3
底面を描く
5
お茶も楕円で
4
両端をつなぐ

るように描く〔右ページ3〕。上の楕円のほうが少し大きいと、コップらしくなる。下のほうの楕円ほど上から見下ろすことになるので、コップの底面のほうが縁の楕円より少し上下に膨らんで円に近い。その楕円の左右の端をそれぞれつなぐと、コップの形が現れる〔4〕。その中に、もうひとつの楕円を描くと、なんとなくお茶に見える〔5〕。

じゃあ、次の課題。これは想像して描くしかないのですが、コップが、左手前のほうへパタンと倒れました。その、手前に倒れたコップを描いてみましょう。

実習

倒れたコップを描いてみよう

1 min

コップが、開口部をこちらに向けて斜めに倒れている。その状態を斜め上から見下ろしていると想像して描いてください。やってみないほうがいい（笑）。こぼれたお茶は描かなくていいです。これ、だいぶ難しいよね。

描いたかな。では、今、描いた絵をくるっと回して、コップが上を向くようにしてください。

――ああ……。

あれ？　なんか違うね。さっき描いたコップとずいぶん違って見える人が多い。コップは倒れると形が変わるのか……

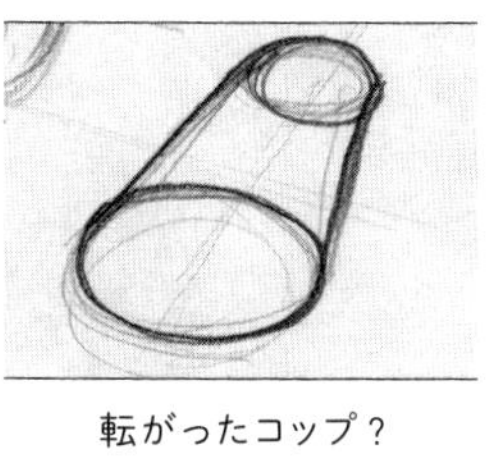

転がったコップ？

回してみると……

（笑）。もちろん、そんなことはありません。では、どう描くか。

　こちら向きに倒れたコップの縁が、左側にある場合を想像してみましょう。まず、このコップの中心軸を描きます［1］。右奥から手前左に、画面でいうと、右上から左下に描かれた斜めの線になるだろうということはわかりますね。この1本の直線を引いてください。

　コップが中心軸を通る上の円と底の円で構成されていることは、倒れていても立っている時と同じ。倒れたコップの縁と底は、斜めから見下ろすと、それぞれ楕円になるので、ふたつの楕円を左下と右上に、中心軸に合わせて描きます［2］。

　問題はこの時の楕円の向きです。少なくない人が、ここで楕円を垂直に立てます［次ページ3］。倒れている時の円筒の底面と上面が、地面に垂直であることを知っているからです。でも、これが間違い。僕たちの認識において、上下の概念は非常に強くて、転がっているコップの縁は、こうなっているはずだって考える。ところが、これは実際に見えてる姿じゃないんです。

　最初に描いた、普通に置かれているコップの絵を見てください。コップの縁と底面、ふたつの楕円の一番長いところに線を引く（長軸）

1

中心線を引く

←

2

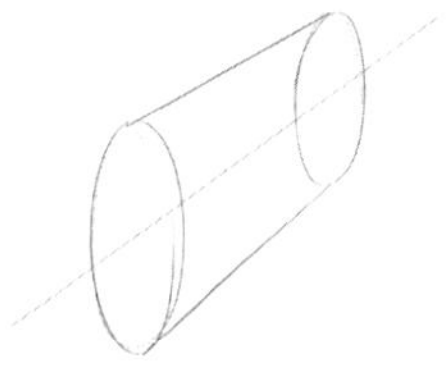

楕円をふたつ……

と、このふたつの線は水平になるように描いたと思います。コップの底面や縁の円が水平であることを知っているから。この時、楕円の長軸と円筒の中心線は、直角になります［左の絵］。

さて、コップが倒れたら、この関係が変わると思いますか？

――変わらない……。

そう、倒れたコップでも、コップの縁を表す楕円は、中心線に直角に描かれるべきなのです。

では、描いてみましょう。コップの底も同じように長軸が中心軸に直角になるように［4］。最後にこのふたつの楕円の長軸同士をつなぐと、倒れたコップの出来上がりです［次ページ5］。

「じゃあ、倒れたコップはどこで地面に接するの？」って思うかもしれませんね。今描いた楕円の中心を通る縦線を引いてみましょう［次ページ6］。

――あ、上と下が見えてきまし

楕円の長軸と中心線は直角

3

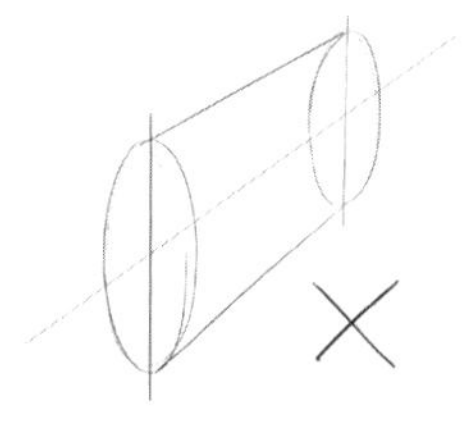

垂直に立てちゃう

4

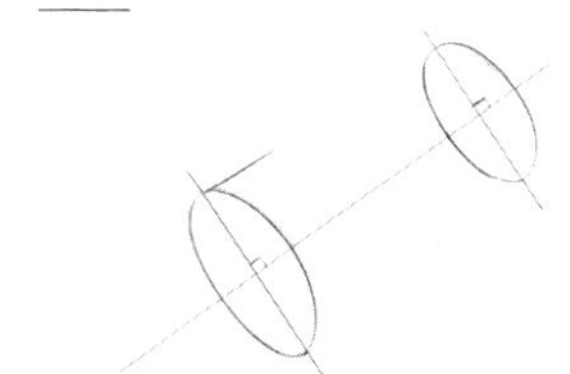

長軸が中心線と直角になるように

た。

　そう、この向きが、この画面上の上下。楕円と縦線の交点は、上と下にふたつあります。上がコップの一番高いところ。下が地面に接しているところ。底面とコップの縁の地面に接している点をつなげば、これがこのコップが地面に接している線になります［7］。

――すごい。中心の軸と楕円の角度を意識して描けば、斜めのものをちゃんと描ける。

　これが空間配置を理解して、その構造から描くということです。こういう練習をすることの意味は、自分たちの空間認識がどういうものであるか、どういうふうに間違うかも含めて、それをまず知ってほしいというところにあります。

5

長軸同士をつなぐ

6

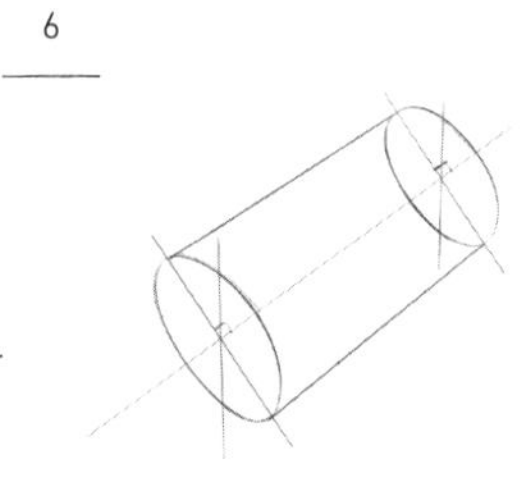

楕円の中心を通る縦線を引く

7

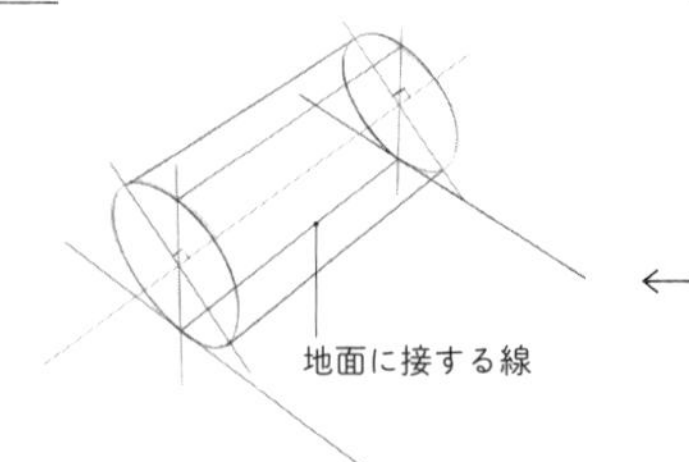

地面に接している交点をつなぐ

実習

コップの影を描く

ついでに、影も描いてみましょう。コップはどんな影を落とすか（ガラスが作る影は光が屈折してややこしすぎるから、不透明なコップとします）。影は太陽の反対側にできて、太陽が高い時は短く、朝や夕方など、陽が低い時は長くなるのは知ってるよね。昼ぐらいで上のほうから陽が当たっているとして、影も同じように構造から描いてみる。

まず、コップの縁の上面だけが空中に浮いていることを想像してみてください。つまり円盤が空中に浮かんでいる。地面に落ちた影はどんな形になると思いますか。

――……円？

そう、地面に平行な図形の影は、そのまま同じ形になるので、同じ直径の円。コップの縁と同じ大きさの楕円を、底面から少し離れた右のほうに描く［次ページ2］。これがコップの縁の影。底面の影はというと、地面にペタッと置いてあるので底面の真下、つまり底面そのものが底面の影になる。側面の影は、上下の楕円に接する直線を描けばいい。はい、影の出来上がりです［次ページ3］。

――コップの縁だけ切り離して影を描いてから、底につなげるのが

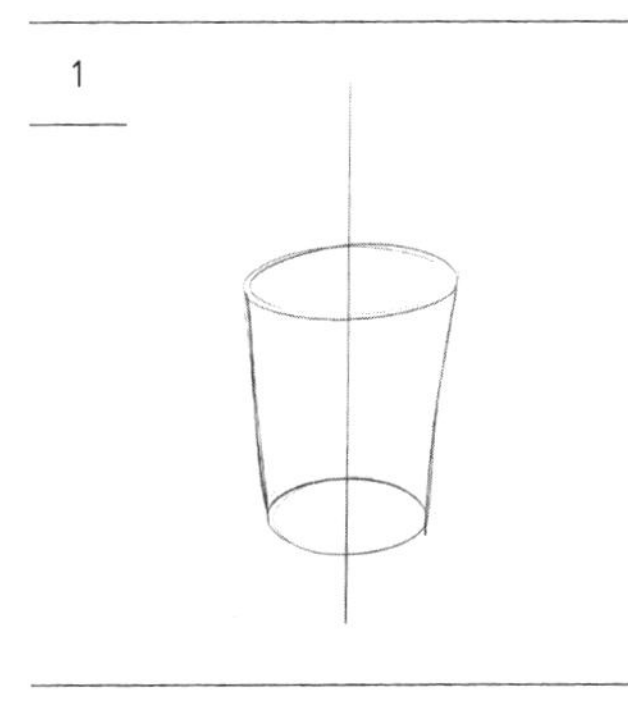

影はどうなる？

面白いです。

実際の影はこんなにシンプルではありません。部屋の中にはたくさんの光源がありますし、コップの中の水は光を屈折させるので、とても複雑になる。でも、こんなふうに描いてみて、違和感はないですよね。

これも抽象化された「影らしい影」なのです。

2

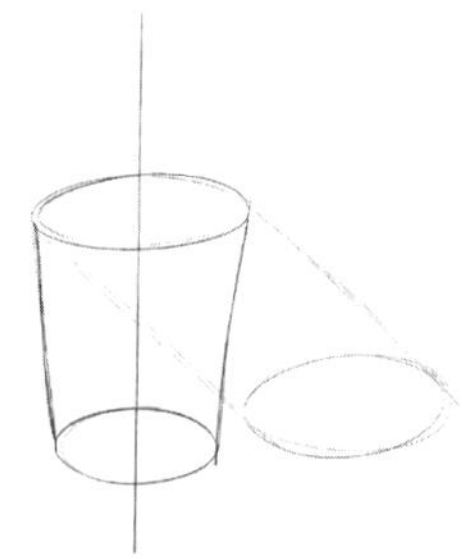

縁の影を描く

3

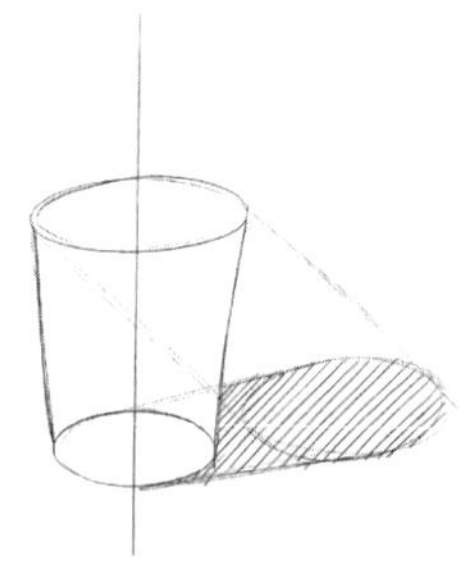

底面からつなげると……

実習

ペットボトルのラベルを描く

回転体は、壺でも植木鉢でも茶碗でも、コップと同じ原理で全て描くことができます。次は、ペットボトルを描いてみましょう。使う楕円は大小2種類。

縦に1本中心線を引き［左ページ1］、一番上に、瓶の口になる小さな楕円を描きます。少し下がって、首の部分に同じ小さな楕円、ボトル全体の半分ぐらいのところに大きな楕円、最後に同じく大きな楕円を底面として描きます［2］。上の楕円ほど扁平になることを意識して。

上の2つの楕円、下の大きい2つの楕円の左右の端を縦につなぐと、それぞれ円筒ができて、この2つの円筒をつなぐ曲線を左右対称に描くと、ほら、なんとなくボトルになりました［3］。

大きい2つの楕円の間に、さらに2つ楕円を追加して、縦に線を引いて区切ると……［4］。

――ラベルだ。

そう。ラベルの上の線も下の線も、楕円の一部になっているということ。四角いラベルが張り付いて見えるように描くのは難しいのですが、水平断面を楕円として描いてから切断してラベルを作ると、ちゃ

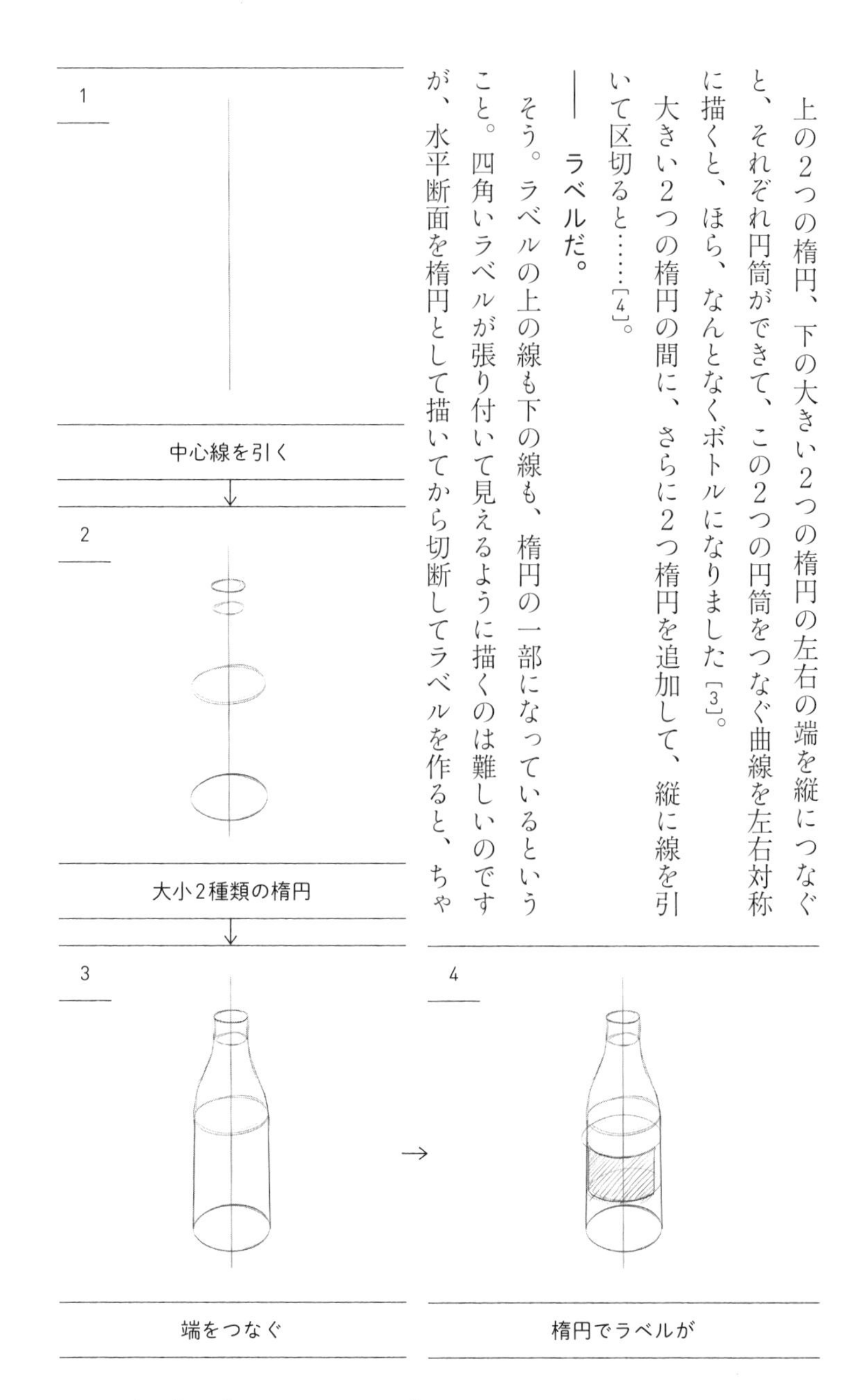

んと張り付いて見える。こういうことは外形を見ても気づけない。描いてみると、なるほどなって思うでしょう。

実習
車も円筒から描く

だいぶ回転体を描くことに慣れてきたと思います。さらに円筒を応用してみましょう。

まず、斜めに転がっている円筒を描きます［左ページ1］。楕円の中心を通る縦の線を引いて［2］、楕円との交点の下が、地面に接する点です。この点で楕円に接する接線を引いてみましょう。この円筒は、この線の方向に転がることができます。

同じことを向こう側の底面でもやると、円筒の2つの底面が地面に接しているところから出発して向こうに伸びてゆく2つの線が現れます［3］。これが、この円筒が転がった時の通り道。お掃除用の粘着ローラーなら、この2つの線の間のゴミがなくなってきれいになります。

転がっていった先に［4］、もうひとつ、少し離れて平行に置かれている円筒を描きます。この2つの円筒は同じ方向に転がりますね［5］。

実はこれが、自動車の4つの車輪の立体構造の基本です。つまり、ひとつの円筒は、前の2つのタイヤを左右につないだ立体。奥のものは後輪です。この4つのタイヤの間に人を配置して、それを覆うようにボディを乗せると……ほら、もう車にしか見えない［6］。

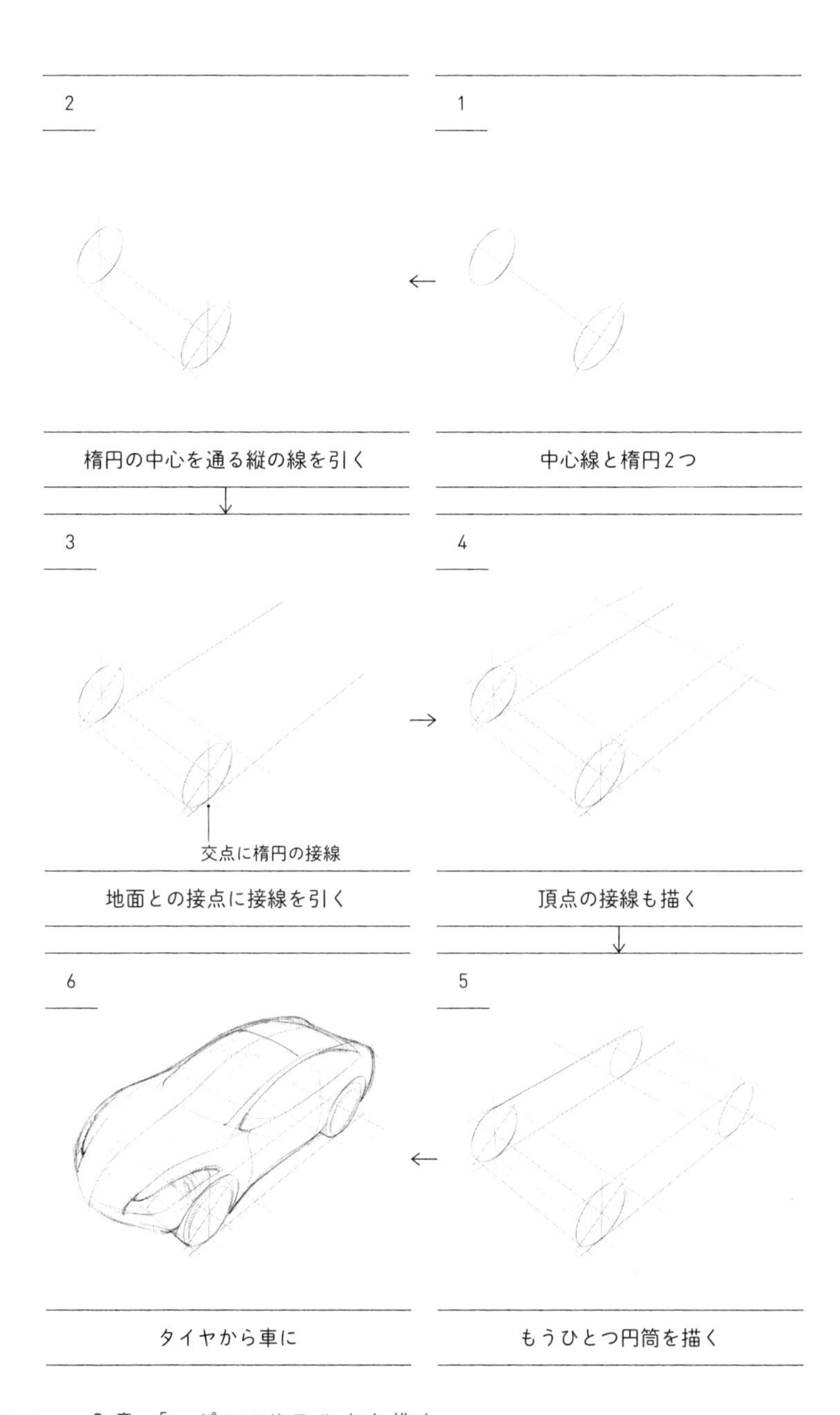
1
中心線と楕円2つ
2
楕円の中心を通る縦の線を引く
3
交点に楕円の接線
地面との接点に接線を引く
4
頂点の接線も描く
5
もうひとつ円筒を描く
6
タイヤから車に

車の絵を描こうとすると、ドアや窓から描いたりしますが、デザイナーは必ずタイヤから描きます。タイヤ四輪が同じ方向を向いて、正確に長方形の四隅に配置されていること。それが、車が安定してまっすぐ走るための基本構造で、これさえ描ければ車が描けたも同然です。

カーデザインの基本も、車がちゃんと踏ん張っているように見えること。基本機能を理解し、そのための構造を骨組みとして、形をデザインします。

楕円が使えると人工物も自然物も描ける

工業製品には、丸くて回転するものがとても多い。車輪やモーター、扇風機や洗濯機、時計はゆっくりですが、いつも回ってる。最初に話したように円筒もたくさんあって、パイプ、電球、カメラのレ

7

完成

ンズ、ドアの取っ手、iPhoneのホームボタン、洋服のボタンなどもそうですね。楕円が自由に使えると、身のまわりの人工物がずいぶん描きやすくなります。

――なんか、楕円の偉大さを感じました。

だからいっぱい練習してね。円筒は自然界にもたくさんあります。

画家のセザンヌは、友人への手紙に、自然を円筒と球体と円錐で捉えなさいと書きました。生物学者の本川達雄さんは、『生きものは円柱形』っていう歌まで作ってる。生き物にはひとつの中心線が存在して、そのまわりに対称の構造がある、それが生物の特徴だと言っているのですが、そのとおりだよね。生物の腕や足、胴体、骨、植物の木、草の茎など、みんな中心軸をもっていて、外に向かって何層もの層状の構造があって、一番外側に皮膚、あるいは皮がある。そういう意味で円筒なんです。ゆがんだり変型したりしているから円筒だって気がつかないけど、基本の立体構造を押さえて描くのはコップも腕も木の幹も同じ。

――私は、人や生物の体もデザインされたもののようにできているな、って思っているんですが、人工物と、自然のものと、円筒っていう共通点があるのは面白いです。

その共通点は、デザイナーがなにかをデザインする時の大切な手がかりになるんです。たとえば食器や花瓶をデザインする時、花や木の実の形を参考にする人はとても多い。

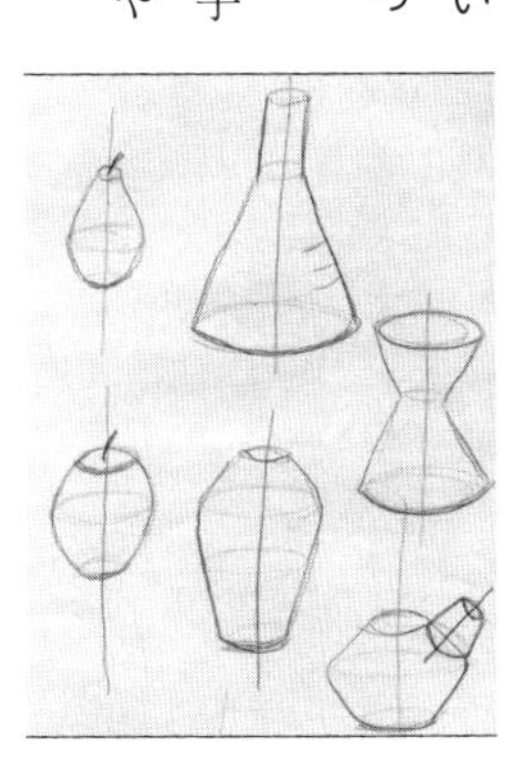

円筒からいろんなものが

では、逆に、自然物と工業製品の違いについて、少し考えてみましょうか。

一番違うのは作られ方です。生き物は基本的に、ひとつの細胞から成長してできていきます。だから、みんなつながっている。体の一部が取れちゃったら、取れちゃったほうはもう体じゃない。そしてずっと成長しつづけます。古い細胞は死んで、どんどん新しい細胞に更新されてゆくし、成長期が過ぎてからも体の中の細胞は分裂を繰り返しているのですが、その回数には限界があるので、少しずつ更新できなくなっていきます。それが老化ですね。

これに対して工業製品は、バラバラの部品を作って、それを最後に組み立てるという作り方をします。だから、いろんなところに分割線が入ってるよね。取れちゃっても元に戻せることも多い。一度作られた工業製品はいつまでも変わらないようにできている。そりゃ、時には修理もするし、ソフトはアップデートされるけど、ハードウェアはなるべく壊れないように腐らないように、つまり変わらないように設計される。そしてある時、いきなり壊れます。

こういう作られ方の違いは形の違いにも現れます。生き物のボディは大体滑らかにつながっていて、柔らかい。工業製品は、時には柔らかい素材も使うけど、概ね硬くて、いろいろなところで分割されている。

それから、生き物は大抵湿っています。体の中に水がある。これは最初の生き物が海で生まれたことの名残です。生き物たちは水中で呼吸したり、体を動かしたりすることを覚えました。理科の用語でいうと水溶液中の化学反応を利用して動くことを獲得した。だから進化の過程で陸上に上がっても体の中には水がたっぷり。水を補給し続けないと死んでしまいます。

これに対して、私たちが作るものは、大抵乾いています。たとえば家電製品やコンピュータはとても水に弱い。自動車は水が入ってこないように頑張ってるけど、水没したら二度と動けません。人工物は電気や燃料で動きますが、いずれも水にはとても弱いものです。ぬるぬるしてたり、しっとりしてたりする工業製品が少ないのはそういうわけです。

自由課題

木で「石っぽい！」を作る

今回の授業ではやりませんが、僕が大学でよく出す課題として、「木片で河原の小石を作る」というものがあります。目標は、誰もが「石っぽい！」と感じる形や手触りを再現すること。

ただし、この課題は、ナイフを使うので、ケガをする可能性がある。大学でも深く傷つけちゃった人や、ナイフを足に刺しちゃった人もいました。刃物は、刃の進行方向に自分の指や足がないことを常に確認しながら気をつけて使ってください。

木で石を作る

木片で河原の小石を作る

使用材料：4センチ以上の木片、のこぎり、切り出しナイフ、サンドペーパー

◇◇◇

木片をのこぎりと切り出しナイフで削り、その後、サンドペーパーで磨いて石を作ります（カッターナイフで木片を加工するのは危険なので絶対にやめてください。彫刻刀も、石の外形を削るには細かすぎて適していません）。

サンドペーパーは、粗いものから徐々に細かいものに交換しながら研磨します（サンドペーパーには番号がついていますが、60番、80番あたりのものを最初に、それから200、300番台、最後に800から1000ぐらいのものを使うときれいになります）。

木は硬い素材ですが、無理な力をかけずにゆっくり加工すること。焦ってぐいぐいやろうとすると危険です。

河原の石は、東京だと、多摩川まで行かないと、なかなかありません。地方都市は川沿いにあることが多いですね。

石は、上流と下流で全く形が違うので、そのあたりも観察してみてください。

まずは、小石を手に取って、石特有の丸みを、五感を総動員して感じ取ってみましょう。でも、石をひとつ拾ってきて、それをいくら観察しても、石の性質を知ることにはなりません。ひとつの石は、自然の偶然が生んだひとつの現象だからです。ここで考えてほしいことは、それのメタ化、抽象化です。たくさんの石の中から、石の典型をつかんで、それを表現してみる。

　どうして、丸い小石が自然にできるか、考えてみましょう。大きな岩が、やがて小さな石になり、それが川の中を少しずつ水に押されて下流に向かって転がっていくうちに、少しずつ研磨されて角が取れていく。

　河原の小石がもつ柔らかい曲面は、私たちの体や卵などの生き物の丸みとはだいぶ印象が違います。私たちの体は、たっぷり水を含んでいて、その中に柔らかい臓器が入っている袋です。しかも中身がどんどん成長するので、中からの圧力でピンと張っています。

――果物なんかもそうですか。

　そう、梨やみかんの丸みも同じでピンとした張りがある。子どものほっぺがりんごみたいと言われるのは赤いからだけじゃなくて張りがあるからだね。その証拠に、お酒を飲んだおじさんの顔がいくら赤くても、りんごみたいとは言わない（笑）。

　石には、そういう張りはありません。ピンというよりゴロン。まわりから削られて、ゴツゴツした形から徐々に丸くなっているので、ある種のいびつさと丸さが同居しています。

　川に投げると水面を連続ジャンプする薄い石は削られて薄くなったのではなく、薄く割れた石が丸くなったものです。

　石には、しばしば割れやすい方向があり、それがきれいに揃っています。四角や六角形に割れやすい石もあって、割れたばかりの石は角張った多面体になります。それが長年、流水で研磨されて丸っこくなる。丸くなっても、多面体っぽい立体構成はなかなか消えない。角を落とした多面体であることを意識して上手に表現すると、石っぽくなります。

　河原の石が、元はなんであったか。火成岩か堆積岩かで性質が違うし、できあがる形も違います。

　火成岩は、マグマが冷えて固まっ

火成岩

堆積岩(砂)

堆積岩(泥)

てできた石です。ゆっくり冷えると、中にいろんな鉱物の結晶が生まれるので、大体カラフルになる。急に冷えたやつは内部に空洞ができやすい。典型的なのは軽石ですね。

一方、堆積岩は、元は火成岩である場合も少なくないけど、細かく砕けて泥や砂になったものが海底にたまって、長い時間をかけて石になったものです。砂利、砂、泥、どれからできたかによって、キメの細かさが違う。

中には石灰岩みたいに、海中の小さな生き物やサンゴや貝などが長い時間堆積してできた石もある。

自分で拾ってきた石がどんな種類の石なのかを調べてみると、形の由来に迫れるかもしれません。科学と美術の架け橋になる課題ですので、興味のある人は挑んでみてください。

木の石も混ざっています

石の写真は『うもれ木』第38号(魚津埋没林博物館)より転載

4章

分解と観察スケッチで「作り方」をたどる

2日目後半

分解して「中身」もスケッチする

さて、ここから今日のメインイベントに入ります。ものを徹底的に観察し、その結果を人に伝えるためにスケッチを使ってみます。課題名はずばり、「観察スケッチ」です。

はい、注目。ここに5つの工業製品があります。メトロノーム、ちょっと前のマウス、ゲームコントローラー、鍵盤ハーモニカ、ドライヤー。これから5つのグループに分かれて、この工業製品を分解してもらいます。

――バラエティに富んでる感じ。

みなさんが馴染(なじ)みのありそうな工業製品の中から、構造が面白そうで、そんなに分解が難しくないものを選んでみました。僕たちの身のまわりの工業製品は全て、誰かがデザインしています。誰もなにも考えていないけどこうなっちゃった、っていうものは、人工物である限りほ

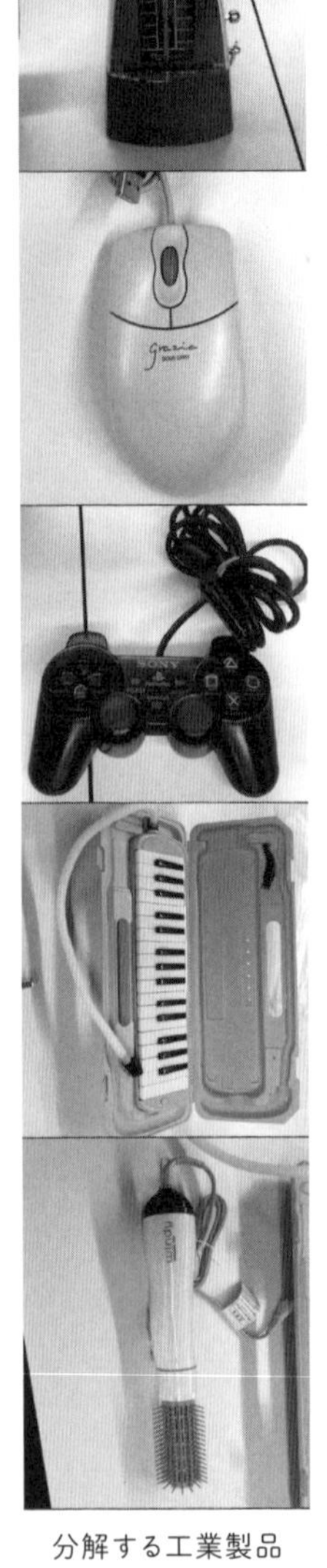

分解する工業製品

とんどない。誰かが一所懸命考えて、この形にたどりついた。その人たちが一体なにを考え、これを作ったのか、これからみんなに追体験してもらいます。

製品の分解と観察スケッチは、私もよくやるんです。たとえば、新しいカメラのデザインを企業から依頼されたら、まず電気屋に行って、最近のカメラの動向を観察します。よくできてるなあと思うカメラを見つけたら早速買って、分解して調べる。慣れてくると、それをデザインした人がどんな苦労をしたかなども手に取るようにわかってきます。今、どうなっているかを知ることは、新しいものを作るためのベースになるのです。

では、それぞれのグループで、製品の観察をはじめます。最初にやることは、使い方を知ること。わからない人がいたら、経験のある人が説明してあげてください。

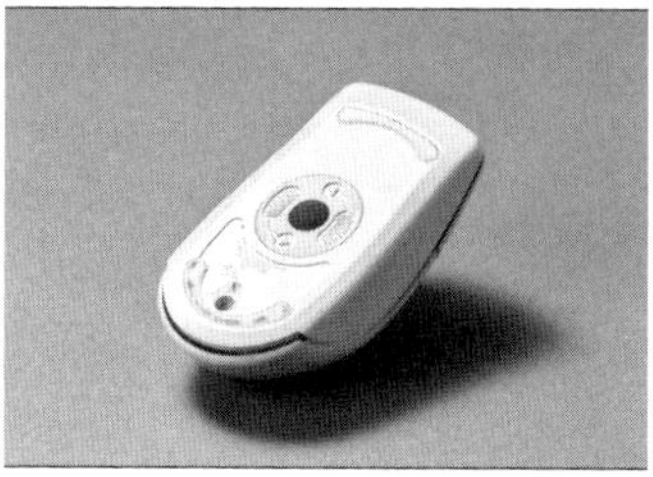

底面のボールで動かすマウス

これ〔上の写真〕はとても昔のマウスで、マウスの底にボールが入っているんだよね。使ったことある人、いる？

——はい、あります。

4人中ふたりか、意外にいるね。今のマウスとなにがいちばん違う？　記憶をたどってみて。

——今のマウスは、底に赤い光がある。

そうだね。今のマウスは、センサーで机の模様などを読み取り、自分が移動している向きと距離を計測します。この昔のマウスには、センサーのかわりにどの向きにも転がるボールが入っていて、その動きを電気信号に変えてコンピュータに送っている。ボールが転がる場所じゃないと使えないから、テーブル面の材質を選ぶし、当時はマウスパッドが重要でした。

鍵盤ハーモニカは、小学校でよく使われる楽器なので弾いたことがある人も多いでしょう。楽器の基本はいい音が出ること。そして、練習すれば誰でも使えるようになること。当たり前のことのようだけど、そのための工夫がなされているかどうか確かめてみてください。

ドライヤーは、とても電力を食う機械です。瞬間的には冷蔵庫より洗濯機より使う。大型液晶テレビ10台分、スマホだと100台分ぐらい。ドライヤーに匹敵するのはIHヒーターや、ガンガン使ってる時のエアコン。熱を使うとエネルギーを食うんだね。電力を使うということは、それなりに危ないので、安全性に気を使って設計されているもののひとつです。

ゲームコントローラーは、この中では一番複雑でハイテクな機械で、分解するのはちょっと大変かな。そしてみんなが一番夢中になるものでもある。夢中になれるって、実はすごいことです。ゲームしている最中は、その機械のことをほとんど忘れられるってことだから。

そして、メトロノーム。音楽を習っていないと使ったことがない人もいるかもしれない。

――学校の授業で使いました。

音楽室で見た？　他の4つが手に持って使うものなのに対して、こいつだけは置いて使う。一定のリズムを刻むだけのシンプルなものだけど、その仕組みはなかなか魅力的です。

実習

工業製品を分解する

2 hours

さて、今から2時間くらいで、5つの製品をバラしてもらいます。工具を各グループに1セットずつ用意しました。研究室で使っている道具で、精密機械用の繊細な工具もあります。おおむね繊細な工具ほど高価なので、気をつけて使ってください。

――一生のうちでゲーム機をバラす日が来るとは思わなかった。

――大体こういうものって、説明書に分解しないでくださいって書いてあるよね。

分解に使う工具

多くの工業製品は、使う人が分解するようにはできていません。だけど、もう使わなくなったものや、壊れちゃったものを分解すると、けっこう勉強になります。

ただし、あまり大きなものや複雑すぎるものには取り組まないほうがいい。ちゃんとした道具を使わないと怪我をすることもある。最近はネット上に分解してみせる動画解説ページもあるから、それで勉強して手に負えそうだと思ったらやってみるといいです。

今回の分解は、仕組みや構造を知り、どんな工夫がなされてい

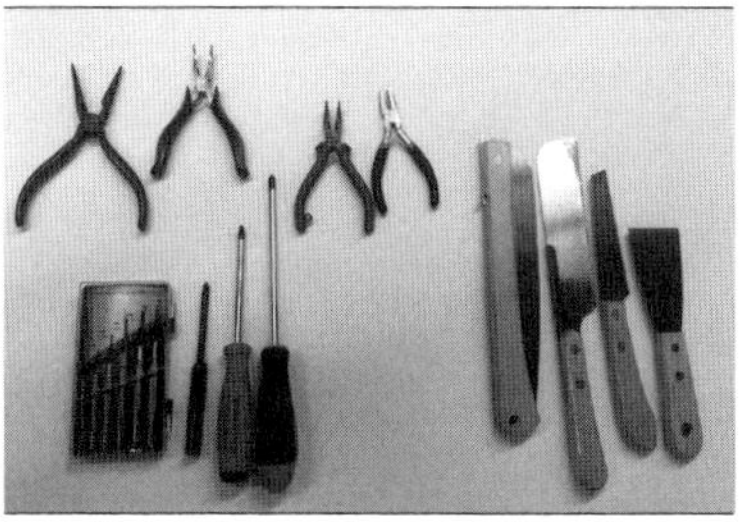

るかを学ぶことが目的です。どの部品が、どこに、どのようにくっついていたか、どう動くか、隣の部品とどんな関係にあるか、そういうことを観察し、理解し、記録しながら分解してください。メモでも写真でも、たくさん記録をとって。バラした部品を小袋に入れて整理しながら分解を進めます。

そして、途中で何度かスケッチしてみましょう。わからないところだらけだと思うけど、スケッチしながらよく観察して、自分で気がついたことがあったら話し合って、仲間と情報を共有するようにしてください。スケッチには、どんどん文字も書き入れてみよう。

ネジのすごいところと「標準化」

作業しながら聞いてほしいんだけど、世の中にはネジというものがあるよね。なぜ、ネジを使うと思う?

——接着剤で留めてしまうと、バラせなくなるから。

そうだね。ネジの素晴らしいところは、一回組み立てたものを、誰でもバラせること。

ネジにはたくさんの種類があって、数百種類が売られていますが、それらはでたらめに作られているわけではありません。ネジの大きさや長さ、螺旋部分のネジ山の間隔や直径は、工業規格というもので正確に一つひとつ定められています。

ネジのいいところは?

――ネジの回す方向も一緒。

うん、それも重要なことです。世の中にはたくさんのものがあふれていますが、その大きさや形がでたらめにならないように「標準化」が行われています。ものづくりにかかわる人たちが長年かけて話し合って進めてきたもので、国際工業規格といわれるものです。きみたちに馴染みのあるものでは、紙や本の大きさですね。A4とかB5とか。もし、プリントやノートや本が全部ばらばらの大きさや縦横比だったら、カバンの中や本棚は大変なことになる。

ネジやボルト、ナットも同じ。ルールに則って決められた大きさ、形があって、それぞれに数字とアルファベットを組み合わせた名前がついています。誰もが使えるし、なくしたら同じものをどこでも簡単に手に入れることができる。

ネジは、それぞれに大きさ、締め付ける力も大体決まっていて、ドライバーもそれに合った大きさ、太さになってる。だから、大きさの合わないドライバーで無理にグリグリやってはいけません。ネジもドライバーもダメにします。他にもギヤ、スイッチ類、モーターなど、工業製品の中には標準化された部品がたくさん入っています。

ミニ講習

分解しながら見てみよう

電気製品を分解すると大抵、電子基板といわれる板が入っています。プラスチックの板の上に小さな電子部品がぎっしり張り付いているもの。これは、製品のふるまいをコントロールするための頭脳にあたる、とても重要な部品です（基板の分解は、みなさんの手では無理なので、そっと外して、それ以上は壊さないように保管してください。外せない場合もあります）。

ゲームコントローラーは、内部の部品の大半が基板ですね。それだけかしこい機械だということ。

マウスの基板も、かなりの大きさを占める。おおむね情報機器といわれるものは、電子基板がそのメイン機能を担います。

一方、ドライヤーの基板は全体の大きさからすると小さいのですが、それは、メイン機能が仕組みそのものにあるからです。熱い空気を出す仕組みが製品の内部空間の多くを占めていて、基板は補助的な機能を果たしています。

分解しながら、特に動くところをよく観察しましょう。丁寧に見ると、どう機能するのかが、わかってくるはずです。

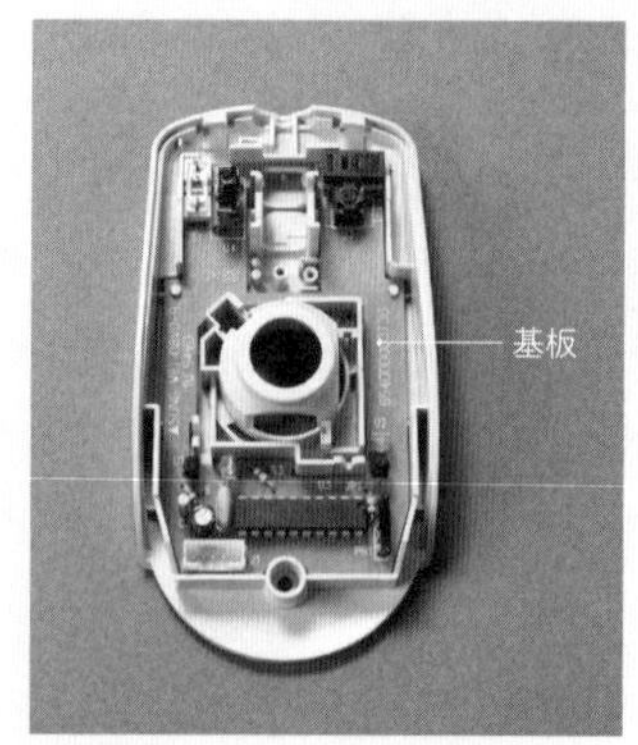

デザインが決まる3つの要素

はい、2時間ほど経ちました。だいたい分解し終わったかな。どうしてこんな形になっているんだろうって思うところがいっぱいあったと思うけど、それを理解するためのレクチャーを、少しだけやってみようと思います。

デザイナーが日用品の形を決定する要素には、どんなものがあるでしょう。整理してみると、その要素は3つ。機能、構造、作り方です。「あれ、かっこよさは?」って思うかもしれないけど、僕は、かっこよさも製品の機能だと思っているんです。

最初にデザインの定義の話をしたよね。「人とものの間で起こること全部を計画して、幸福な体験を実現すること」。ここで言う、人とものの間で起こることは、全部、製品の機能と呼ぶことにしています。人にかっこいいって思わせるのも、使いやすいのも、売れるのも機能。そう考えると、それを必要とする知識に沿って、機能を分類することができる。

〈デザインを決定する要因〉

1　機能　工学的機能/心理的機能/社会的機能

2　構造

3　製造方法（作り方）

3つに分けた機能のうちの工学的機能とは、大雑把にいえば、測定可能な機能です。吸引力とか冷却力、精度や速度など、いわゆる基本性能っていわれるやつ。軽くて丈夫、コンパクトで持ち運びしやすいなどの寸法や重量も、これの一部。工学的機能は、数字で表すことができるから最初に決められる。それらを数字で表す科学知識があれば、計画できるのが特徴です。

これに対して心理的機能は、快適さ、心地よさ、かっこよさなど、人の気持ちに対して働きかける機能です。美しいとか愛着とかもだね。心理的機能に共通する特徴は、とても測定しにくいこと。「使いやすさ」は作業時間を測ることによって、多少測定できるけど、美しさや愛着になると、もう、ほとんどお手上げです。そこで芸術の方法が使われる。自分がいいって思うものを作って、みんなに見せてみることですね。これは表現力を鍛えなきゃいけない。

3つ目の社会的機能ですが、これはなんだと思いますか。

――たくさんの人たちが買って、それで社会の仕組みやみんなの生活が変わったりとか。

そのとおり。この機能の一番わかりやすいものは「儲かる」ってこと。売れるというのはいろんな機能の結果だけど、「儲かる」はちゃんと計画できる。どのぐらいの値段のものをどういうコストで作って、誰に買ってもらうか。そういうことはマーケティングやブランディングなど、文科系の知識に支えられた手法でデザインできます。

これらをちょっと具体的に挙げてみると、たとえばドライヤーなら、数分で髪を乾かすにはどのぐらいの温度と強さの風があればいいか。なおかつ小さく軽い。これが工学的機能。美しさとか握り心地のよさなどを形に取り入れて、長く使いたいという気持ちにさせるのが心理的機能。安くてシンプルなので高校生が自分で買いたくなるというあたりが社会的機能ですね。このように、様々な機能のバランスによって、大きさや重さ、形、素材などが決まってくる。

機能の次に、デザインに大きく影響するのが「構造」です。分解してもらったものは、どれも外側のケースと内部部品とに分かれているけど、これは家電製品や腕時計、車など、一般的に見られる構造です。ケースをどこで分割するか、どこにどのようなものを配置してそれをどのように支えるかなど、構造を考えることは外観を考えることと密接に結びついている。

特に、椅子や自転車など、構造体（フレーム）がむき出しになっているものの場合は、構造を決めることが、そのまま形をデザインすることでもあります。

そして、最後に作り方。実は作り方で全然違うデザインになります。作り方に精通しているかどうかが、プロとアマチュアの一番の差かもしれない。簡単にいうと、デザイン学校の学生は、形を考えてから、作り方を考える。プロフェッショナルは、形と作り方を一緒に考える。

そのあたりの話を、アップル製品を例に見ていきましょう。僕は10年ほど前から、アップル製品をしょっちゅう分解しています。それは、そこで使われている製造技術を学ぶためです。

裏面もきれいなコンピュータ

この中で、アップル製品を使っている人はいますか。なにを使ってる？

――iPhoneです。

iPhoneを使っている人、けっこういるよね。気にいってる？

――はい、まあまあ。

まあ、いいかなと（笑）。一般的には、アップル製品が世の中にこんなに多く出回った理由のひとつは、かっこいいからだといわれています。

僕は、30年前からアップル製品を使っています。今でこそiPhoneはスマホの代表みたいになってるけど、２０００年頃までは、アップルの製品を使ってる人って、とてもマイナーだった。iPadもiPhoneもなくて、主力製品はMacintoshというコンピュータ。一部の熱狂的なマニアにウケてたけど、主流は圧倒的にウィンドウズでした。そういう状況で僕らが使い続ける理由は、なんといっても製品がクールだったことです。

最初に紹介するのはMacBook Airという製品で、２００８年に売り出されたマシンです。当時、こんなにかっこいいノートパソコンは、ほとんどなかった。特に裏面がこんなにきれいなノートパソコンってなかったんです。

中でも僕が注目したのは、このネジの入り方。ネジの頭が曲面に沿って、きれいに埋まっているでしょう［下の写真］。これにすっごくびっくりした。

――……？

え、こういうものなんじゃないの？って思うかもしれないけど、実は、これ、以前の工業製品では、ほとんどないことだったんです。

先ほど話したように、工業製品にはネジが使われますが、ひとつの製品に使われるのは、大抵、数種類のみ。このマックにしても、底面に刺さっている6本のネジは、みな同じものです。

MacBook Air と
スティーブ・ジョブズ
「Macworld 2008」での講演

この裏面のネジは、底板を本体のボディ（キーボード側）に取り付ける役割をしていて、それぞれのネジを迎え入れる穴がボディ側にあいている。曲面に沿ってネジ頭がきれいに埋まっているということは、それぞれのネジの向

ネジの頭が曲面に沿ってきれいに収まっている

きがみんな違うということで、つまり、ボディ側にあいているネジ穴も、全部違う向きになっているということです。

さて、思い出してみてください。組み立て家具でもなんでもいいですが、一本一本、ネジを差し込む向きが違う状況に出会ったことがあるでしょうか。

——……それぞれの面で、ネジの向きは揃ってる。

そうだよね。その理由は、受け側のネジ穴を、いろいろな向きに作るのが大変だからです。ネジ穴は、ボディを作る人が正しい寸法で穴の内側に螺旋状の溝を作る必要がある。小さな町工場でも大抵はネジ穴のための機械を持っていて、それを使えば簡単にネジ穴が作れます。問題は、そのネジ穴製作機械が、真上からまっすぐネジ穴を作るようにしかできていないことです。だから、通常は、ボディをセットして、真上からぶすぶすと垂直にネジ穴を作っていく。曲面の部品を同じ向きのネジで止めると、ネジのトップの面が曲面に合わないから、ネジ穴に合わせた水平面を作って誤魔化しているんです。パソコンやキーボードなどの裏を見ると、たくさん深い穴があいていて、その奥にネジの頭が埋まっています[上の写真]。

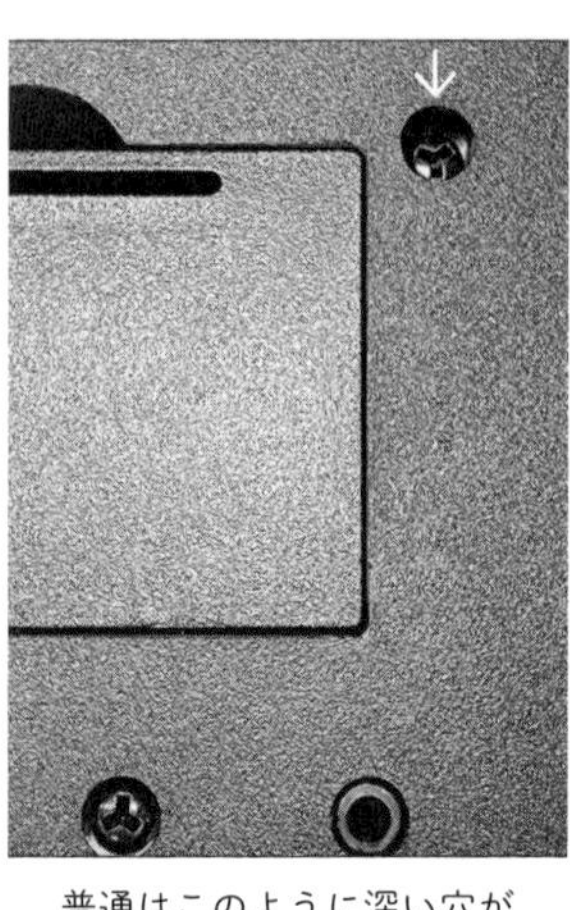
普通はこのように深い穴が

ところが、MacBook Airはそうなっていない。なんでこんなことができるんだって知りたくて、さっそく分解しました。実際に開けてみると……ネジ穴がちゃんと斜めになってました［左下の図］。しかも、一個一個、向きが違う。

どうやってこれを実現したか。のちにわかったのですが、ボディをロボットアームで支えて少し傾ける、そこに真上から機械でネジ穴をひとつあけるとネジ穴が斜めになりますね。ひとつ開けたら、ロボットがボディの向きを少し変えて、また真上からネジ穴を切る。つまり、ネジの穴を作る機械は昔のままだけど、穴をあけるボディを支える台をロボット化して、ネジ穴を作るたびに向きを変えていたんです。

――すごい。

超ハイテク。これが、これまでにないデザインを実現するために最先端の製造技術を使うということです。

ネジ穴を斜めにすると

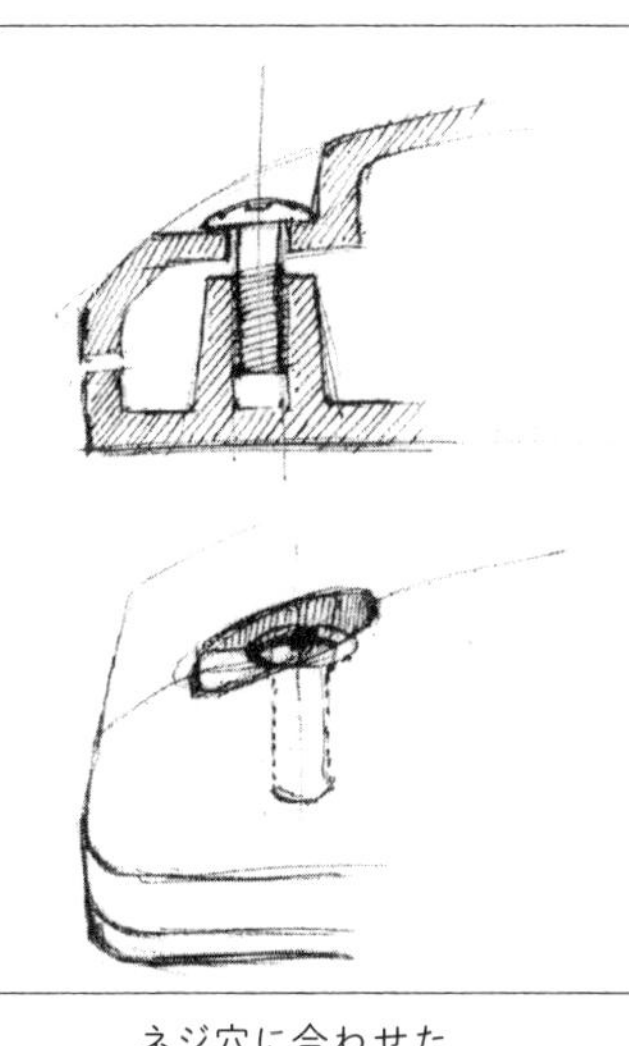

ネジ穴に合わせた
水平面をつくる

ものの形の作り方

一般的に、デザイナーがかっこいい形を考え、製造技術がそれを支えるために頑張りましたっていうストーリーが伝わりがちですが、ものづくりの現場はそれほど単純ではありません。ものの形は製造技術と密接にかかわっていて、それは文化といえるくらいです。

工業製品の形の作り方には、大まかにいうと5種類ぐらいのパターンがあります。

1 型に流し込む／2 曲げる、叩く／3 削る／4 つなぐ／5 少しずつ足す

その1、型に流し込む

ひとつめは、溶けた素材を型に流し込んで作る方法です。自由度が高く、複雑な形もきれいな形もできる。プラスチック製品の多くは、これで作られます。

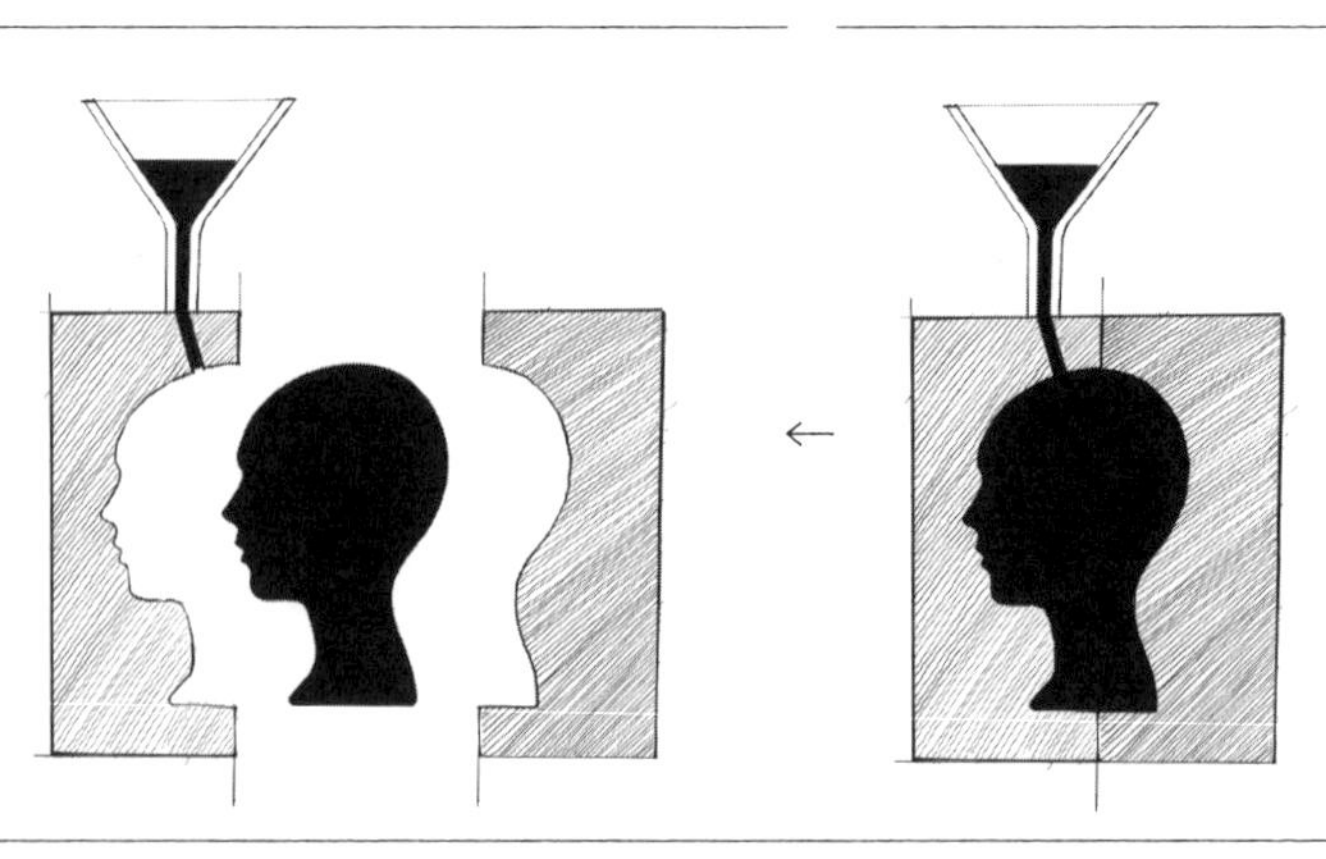

射出成形
熱く溶けた素材を押し込み、固めて作る

プラスチックは、20世紀の工業製品の最も普及した材料ですが、それを支えるのが射出成形という作り方です。金属の型に、熱く溶けた素材を圧力をかけて押し込み、それを冷やして固めて作る（型の中に行き渡らせるため、勢いよく押し込むので「射出」）。金属でも、鉄鍋や文鎮、マンホールの蓋などのどっしりと重いものは、こうして作ります。

その2、曲げる、叩く

ふたつめは塑性加工という、曲げたり叩いたりして材料を変形させて作る方法です。スプーンを曲げようとした経験のある人はわかるかな。金属を曲げようとすると、ちょっとぐらいなら元に戻るけど、ぐいっと曲げるともう戻らない。これを塑性変形といいます。

アルミ箔でなにかを包んでそっとはがすと、包んだものの形が残るよね。人の手では曲げられないような鉄板も、強い力で硬いものに押し付けると変形して、その形になります。

車のボディはほとんど塑性変形で作っていて、厚さ1ミリ以下の鉄板からできている。事故車が無残に変形するのを見て初めて、うわ、紙みたいに薄いんだって気づくよね。

たとえば、ボンネットの形を分厚い鉄で作って（これが「型」）、その上に鉄板を置き、上からハンマーで叩く。たくさん叩くと、少しずつ型に沿って変形していき、最後にはボンネットの形になるんです。昔は、車のボディは全てこの方法で作られていました。

今は、巨大なハンマーを使います。巨大な櫓のような機械装置の真下にボンネットの型、その上に真っ平らな薄い鉄板を置いて、上からボンネットの形に凹んだハンマーを油圧を使って、挟み込むようにドーンと一発。すると、型とハンマーの隙間に沿って鉄板が変形し、信じられないようなきれいな曲面が一発で出来上がる。これをプレス加工といって、薄い鉄板でできてるフライパンや台所のシンクなどもこうして作られています。

その3、削る

3つめが、削って作る方法。機械が素材の塊から不要なものをどんどん取り除くことで形を作る。昔から使われてきたのは旋盤（せんばん）という、金属の塊をモーターでビューンと回転させておいて、横から刃物を当てて削る方法です。モーターや車輪、時計などの回転する機械の主要部品は、そうやって作られます。

逆に、回転するドリルを金属に押し当てて加工する方法もある。単純な穴あけもありますが、複雑な形を作ることもできて、これは彫刻に近い。みなさんが最もよく体験するドリ

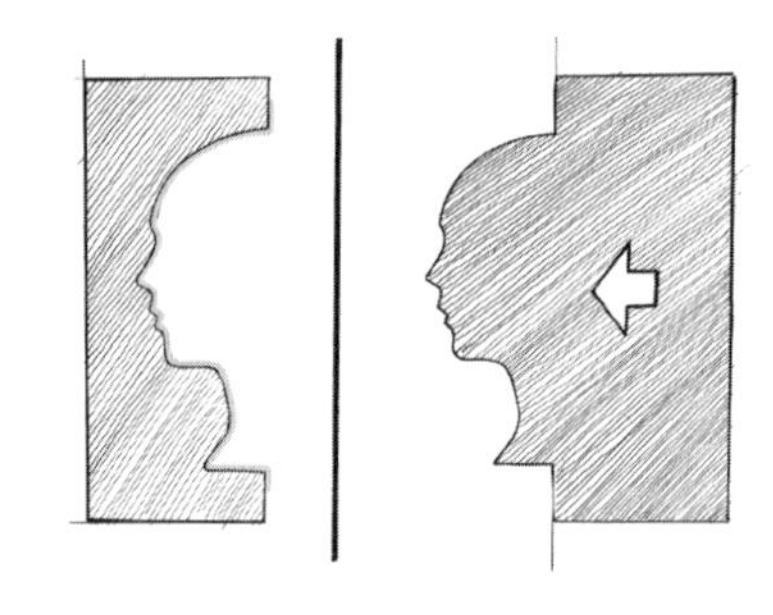

プレス加工
薄い鉄板を型とハンマーで変形させる

ル切削加工は、歯医者さんです。歯医者さんは歯の悪くなった部分を取り除くだけじゃなく、その周囲を切削加工して、人工的に作られた歯を被せやすいように形を整えている。

最近ではＮＣマシーンという、コンピュータでコントロールされるドリルが使われるようになりました。金属の塊に様々な方向からいろんな形のドリルを押し当てて形を作る、いわば彫刻ロボットです。これはまだ歯医者では使われていません（笑）。

自由に複雑な形を作ることができますが、型に流し込んだり、ドンとプレスしたりするのに比べると、とても時間がかかる。時間がかかるということは値段が高いということ。意外に時間がかかるのは歯医者さんでも知ってると思うけど、保険に入ってなければ、歯1本でそんなに高いの？と思うでしょう。それは材料費だけじゃなく、作業費用でもある。

その上、たくさんの材料を削り落とすので材料代も高くつく。だから、ＮＣマシーンによる切削加工は、一般的には航空機の部品など、高機能でそんなにたくさん作られないもの

切削加工

ドリルで削る

に使われます。ちなみに、現在、世界中で使われている旅客機は全部合わせて2万機近く。工業製品としては少ないほうです。車は世界で約1億台、携帯電話だとiPhone 1機種だけで2億を超えます。加工時間は作る個数と密接に関係するので、商品の個数によって作られ方も変わるのです。

その4、つなぐ

これまで紹介した作り方は、主に単一の素材を形にする方法で、鋳造(ちゅうぞう)、変形、切削などで作られた単一素材のものの多くは、工業製品の部品に過ぎません。それらの部品を集めて組み立てて、ようやく製品になります。組み立てで重要なのが、それらの部品を「つなぐ」こと。つなぎ留める方法には、ネジやボルトなどのつなぎ留め用部品を使う方法と、接着や溶接などのように材料そのものを固着させる方法があります。

自転車やバイクのフレームや自動車のボディは、プレスなどの方法で成形された部品を溶接して作ります。だから簡単には分解できない。一方、エンジンやタイヤなどの部品は、ネジとボルトで外すことができます。そのおかげで分解して修理したり、交換したりできる。設計者は、製品のメンテナンスのことを考えて、つなぎ留め方を変えているんです。みなさんが製品を分解しようとしてなかなか外れないところには、「そこは分解しないでくれ。二度と戻らなくなるよ」という設計者のメッセージが込められていると思ってください。

その5、少しずつ足す

一番最新の作り方は、少しずつ足すやり方です。3Dプリンターがその代表。溶けた物質をちょっとずつ加えるとか、粉をちょっとずつレーザーで固めて作る。3Dプリンターで作られたものを日常的に使っている人はいますか。

——……。

まあ、いないよね。今のところ、3Dプリンターで作ったものを実際に使っている人って、すごく少ない。形状は本当に自由に複雑なものを作れますが、短時間で大量に作ることはできないし、コストもかかる。表面はちょっとザラザラしてるし。

今あるものを3Dプリンターで作っても、あまりメリットがないのですが、一部では使われるようになりました。切削加工の話で触れた航空機の部品、そして義歯、歯の詰め物や入れ歯です。人の歯は全部形が違うので、一人ひとりのために作る必要がある。そういうものは、これまでは手作りが基本でしたが、これからは3Dプリンターに置き換わっていくでしょう。

以上、製造技術概論でした。「作り方」のことを頭に置きながら、身のまわりのものを見てみると、どうしてその製品がそんな形なのかも、少しずつわかってくると思います。

大体のプラスチックが台形の理由

アップルのデザインを支える製造技術の話に戻ります。アップル社は、1970年代にスティーブ・ジョブズとスティーブ・ウォズニアックという2人の若者が、ガレージでコンピュータを作るところから始めた会社です。

ジョブズとウォズニアックは、1984年にマッキントッシュというとてもキュートなパーソナルコンピュータを作り、これが大ヒットして急速に大きな会社になります。そして左ページ上の写真が、その2代目。1987年に作られたMacintosh IIというコンピュータです。

当時のデザイナーたちは、わぁ、きれいなものができたなぁって、驚きました。一番びっくりしたのは、コンピュータを積み重ねた時、側面がピタッとまっすぐになることでした［左ページ下の写真］。実は普通のプラスチック製品を重ねても、こんなふうに揃わないんです。

プラスチック製品って、なんとなく安っぽいイメージがあるよね。ペコペコした質感だし、部品の継ぎ目をさわると尖っていてちょっと痛かったりする。実はその安っぽさは、プラスチックという素材そのものではなくて、プラスチックを作る方法が大きく影響しているんです。

144ページで説明したように、プラスチックは、熱してドロドロに溶けた樹脂を金属の型にぎゅっと押し込んで、固くなってから取り出して形を作ります。この成形方法の素晴らしさは速いことと安いこと。それから型さえ用意すれば、いろんな形が作れることです。でも実は、型には重大な制限があります。それは、型から取り出せるかどうかということです。

製氷皿で氷を作った時のことを思い出してください。四角い部屋がずらっと並んだ容器に水を入れて、冷凍室に入れる。固まってから製氷皿を下向きにして、ちょっとひねると、バラバラッと四角い氷が落ちますね。この時、よく見ると、氷は全部、台形になっています。なぜサイコロのように、どこから見ても真四角じゃないんでしょう。

―― すぐ出てくるように、入り口のほうが大きいから？

そう。まさに「ちょっとひねるだけで取り出せる」ためなのです。

じゃあ、球状の氷は、どうやって作るか。ゴムボールに穴をあけて、水を流し込み、そのまま冷やせば丸い氷はできる。だけど、ボールをカッターで切らないと氷を取り出せない。そこで、はじめからボールを半分に切っておき、それをピタッと合わせて、まわりをテープで止める。水が漏れないように小さな

キュートなMacintosh II

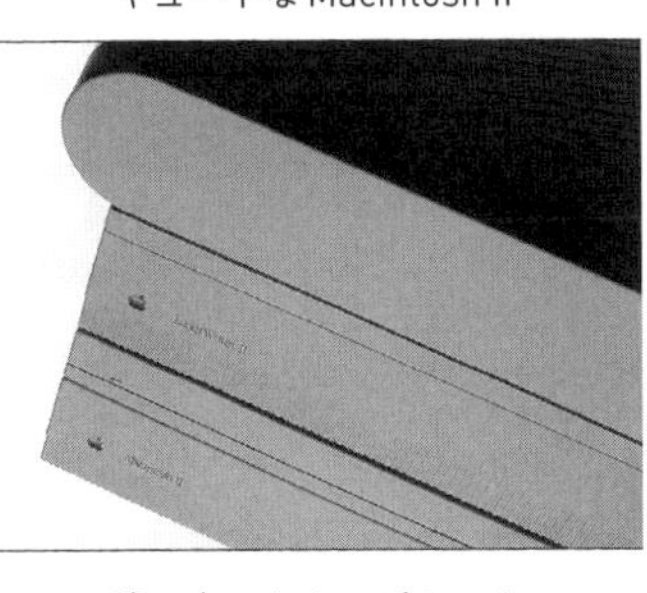

積み木のようにピシッと

ポール・クンケル著『アップルデザイン』（アクシスパブリッシング）より転載

穴をあけ、そこに水を流し込む。冷凍室で固まったらテープを取って、ボールを半分ずつ外すと、まん丸の氷の出来上がり。重要なのはボールを半分に割ったことで、型を割れるようにはじめから設計するというのは、射出成形の基本です。

四角い箱を作るとすると、金属の型がふたつ、片方は凹んでいて、もう片方は凸の上下に分かれる型がある。そのどこか一ヵ所に穴をあけ、溶けたプラスチックを流し込む。プラスチックが固まり型を上下に外すと、箱の出来上がりです。

でも、真四角の箱って、普通、プラスチックでは作れないんです。気づいたことあるかな。大抵のプラスチックの製品が、ほんのちょっとだけ台形の形をしているって。

——……?

なぜそんなふうにできているかというと、製氷皿と同じです。プラスチックを型から外すためには、型が少し取り出す方向に開いていないといけない。型が抜けるために必要な角度をドラフト角(3〜7度)といいますが、だから出来上がった製品はちょっと台形になるんです。たとえば板チョコもみんな台形でしょう。あれは、型の中に、溶けたチョコレートをどろーっと流し込んで、ぱかんと外すだけ。一般的な板チョコは、そうやって作っているので、すごく安くできている。でも、メルティーキッスとか、ちょっと高いチョコレートになると真四角でしょう。あれは、板状に流し込んで固めたものを後から切って、正方形、もしくは立方体のチョコレートを作っているんです。ちょっと高いのは、良い材料を使ってるからなんだろうけど、それに見合った丁寧な作り方をしているということでもある。

――板チョコが台形なのはバラバラにしやすいからだと思ってた。作り方と値段にかかわるって、驚きました。

そう。同じ素材でも、素敵なものを作るには、お金がかかるんです。あ、みなさんの手元に配られたおやつのキットカットも、たぶん台形？

――台形です。

だよね（笑）。同じ理由でペットボトルのキャップも、必ず微妙に開口部のほうが大きい円錐台なんです。

――気づきませんでした。全然見てなかったんだな。

中がらせん状のネジ穴で、型をねじりながら取り出すという高度なことをやってるけどね。

アップルの話に戻ると、Macintosh IIを見た時、デザイナーたちが感心したのは、そういうプラスチックの常識を超えて、とても端正できれいなスクエアに作られていたからです。

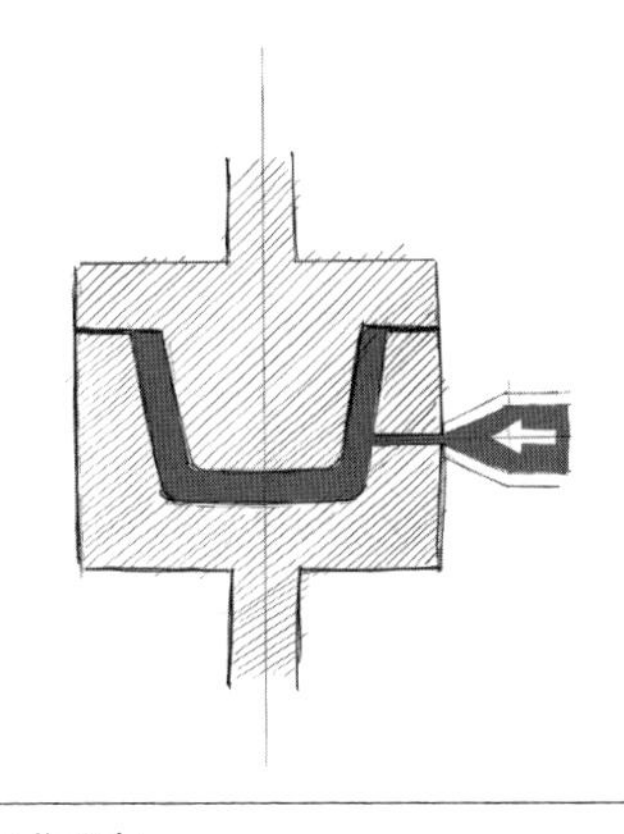

四角い箱の作り方

溶けたプラスチックを流し込み、固まったら型を外すため、少し台形になるアップルはこれをどうやって作ったか。考え方はシンプルで、抜けないなら型をもっと割ればいいいと。この製品のボディを作る型は6つに分かれていました（下の図には4つしか描かれていませんが、これに手前と奥が加わります）。それらをピタッと合わせ、溶けたプラスチックを流し込む。樹脂が固まったら、前後左右上下の6方向に型が静々と退き、最後にビシッと真四角な箱が残っているというわけです。

――すごい……。

これは当時、最先端の加工方法でした。当然、お値段もびっくりするぐらい上がります。でも、スティーブ・ジョブズはドラフト角をゼロにすることにこだわりました。コンピュータは美しくあらねばならないというのは、その後も何度も繰り返される彼の基本哲学だったからです。

スティーブ・ジョブズは、1985年、創業者であるにもかかわらず、会社を追いだされてしまいます。当時は、パーソナルコンピュータを誰もが買うようになって、激安の製品を様々なメーカーが作り始めたので、重役たちも危機感をも

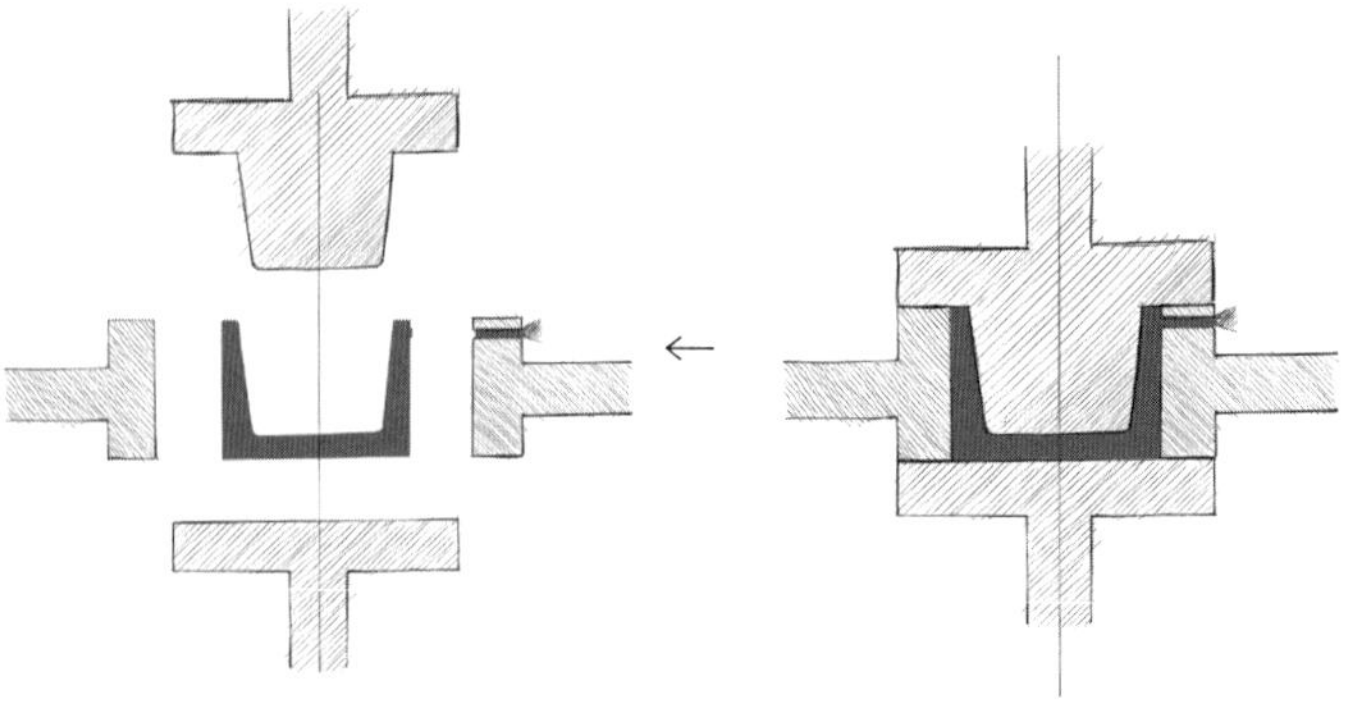

真四角な箱を作るには
固まったら、上下左右に型がスライドする

NeXTが販売したNeXTcube
撮影：Rama & Musée Bolo

見慣れたプラスチック製品感に
ポール・クンケル著『アップルデザイン』（アクシスパブリッシング）より転載

ったのでしょう。「お前のような高コスト体質の経営者はいらない」と解任されてしまった。

その後、アップル製品は、上の写真のように変わります。マックIIに比べると、なんかシンプルじゃない。それぞれの部品が台形になっちゃったからです。

アップルは、安いコンピュータを次々に発売しますが、低価格競争に巻き込まれて儲からなくなり、昔からのファンも離れて、1988年頃には倒産しかかります。

一方、会社を追われたスティーブ・ジョブズは、ネクストという会社を立ち上げて、もっと徹底してスクエアなコンピュータを作り始めました。ああ、またスティーブ・ジョブズがクールなコンピュータを作ったなと、世界中の人が思ったようですが、残念ながら、こちらも失敗します。高価過ぎて売れなかった。この後、ジョブズは、ネクストコンピュータのソフトウェアを買われるかたちでアップルに戻るのですが、この失敗から学んで、効率よく効果的に、製品のクオリティを高める方法を覚えていくのです。

ガラスのようなプラスチック

スティーブ・ジョブズがアップルに戻って最初に作ったコンピュータは、１９９８年に発売されたiMacです。これも画期的なデザインでしたが、なにがエポックメイキングだったかというと、本当に透明なコンピュータを初めて作ったということです。

緑色のパネルはガラスみたいにできているけど、プラスチックをこういうふうに作るのって難しい。そして、透明だから中が見えちゃうけど、こんなふうに内側をきれいに作るのは大変なことです。プラスチックの製品を分解してみると、いっぱい線が入っているのに気づくでしょう。

―― はい。内側に、どうして線や丸がたくさんついているのか、気になりました。

一般的には、材料の節約と軽量化のため、製品の内面に格子状の骨が作られ、そこ以外はできるだけ薄く作られるんです。障子みたいな構造だね。その結果、線ができてしまう。

このコンピュータにはそれがなかった。非常に複雑な型にポリ

iMac。プラスチックがガラスのよう

カーボネートという高級材料をふんだんに流し込み、美しい透明ドームを作りました。じゃあ結局、高コスト路線だって思うよね。この時、ジョブズは別のところでコストを抑えたのです。

当時のアップルは、ユーザーのニーズに合わせて、様々な性能、サイズのコンピュータを十何種類も作っていたのですが、これをジョブズは一般向けとプロ向けの2種類に分け、それをデスクトップとノートに分けるという4種類だけに整理し、商品の種類を絞りました。そして、当時のパソコンは各社で拡張性と多機能を競っていたので、やたらとたくさんの入出力ポートがついていたのですが、iMacは、この頃はまだ珍しかったUSBポートだけに絞った。ラインナップと機能をシンプルにすることでコストを抑え、美しさにだけはお金をかける。この戦略は大成功します。アップルの業績は急回復し、iPadやiPhoneなどの全く新しい製品を開発する余力も生まれて、今では世界最大IT企業5社に名を連ねるようになりました。

あともう少し、具体的に製品を見せながらお話ししますが、アップル製品のあらゆるところは、このような技術革新に支えられています。

2011年にジョブズが亡くなって、誰も見たことのないものがいきなり出てくる場面が少なくなっちゃったねって、往年のアップルファンたちは残念がるんですけど、経営者が冒険できる体質じゃないと、これはできない。たぶんアップルも今後は革新的な企業ではなく、非常に質のいいものづくりができるハイブランドな企業になっていくのだろうと思います。

ミニ講習

きれいにするために、ここまでやる

丸いマウスは手触りがいいから、いろんな製品が存在しますが、大抵のものは、途中に継ぎ目があって、最も幅の広いところで上下に割れています。台形を意識した、射出成形らしい形です。

2005年に発売されたアップルのマイティマウスは、サイドに割り線がありません。おそらく複雑な型を上手に割って作っているはず。

しかも、合わせ型って、どんなに精度よく作っても、型と型の隙間にプラスチックがしみこみ、プラスチック表面に細い線が残るものです。この製品にはなんの痕跡もなかった。どうやったら作れるんだ?って、みんな首をかしげてたんですけど、実は磨いて、その線を消していたのです。

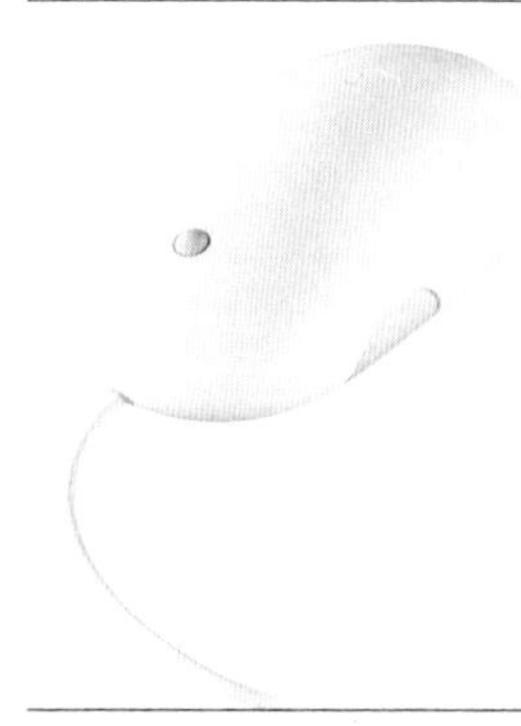

マイティマウス

アップルは新興のアジアの国に製品を作らせるようになっていて、そのうち機械にかわりますが、最初は人海戦術で一個一個手で磨いて残った線をきれいにしていたのです。当時のアジアの安い労働力がないと成立しないものでした。技術的なことだけではなくグローバルな情勢を利用することで、新しいデザインを成立させている。

159ページの写真は3代目のiPhone。この滑らかな表面は、一般的な射出成形では到底作れないレベルのものでした。

通常、樹脂成形品は、内部の格子状の骨格構造や部品を取り付けるための台座などが影響して、表面に微妙な凹凸が出ます。エクボみたいにちょっと凹んだり、うっすら線が見えたり。この製品にはそれが全然なかった。

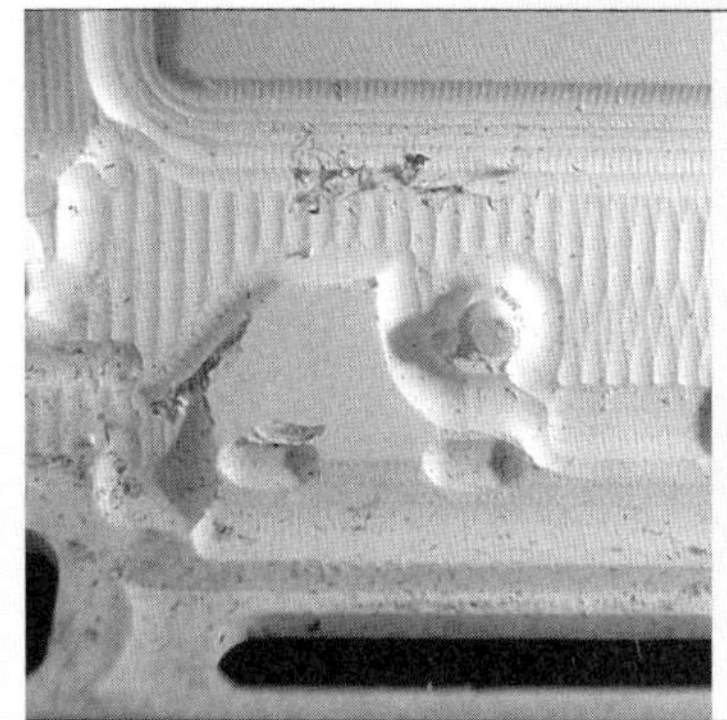

内部の線はロボットドリルで削った痕跡

分解してみてわかったのは、切削加工を併用していることでした。内面もプレーンに作ることによって、表面を滑らかに成形している。そのあと、コンピュータ制御のロボットドリル（NCマシーン、147ページ）で、内面に多数の部品を取り付けるための複雑な構造を作っていました。たくさん入っている細かい線がNCマシーンで削った跡。

当時、これを僕は自力で突き止め、ブログで発表したところ（アップルが切削加工で作ったボディを「ユニボディ」と名づけて宣伝に使うようになるのは、僕が分解で発見してから2年後です）、そんな非常識な作り方があるかというエンジニアによる書き込みで炎上しました。いつもコストと戦っているエンジニアたちにはそれぐらい信じられない作り方だったんです。

下の写真は、2013年に発売されたMac Proというコンピュータ（右の写真）を分解したものです。このコンピュータは、ゴミ箱とか悪口を言う人もいるんだけど、これも恐ろしく手間がかかっています。

この外装は最初に、深絞りと呼ばれるプレス成形が行われています。深絞りは、寸胴鍋などの円筒製品によく用いられる方法なので、その意味ではゴミ箱も間違っていませんが、この製品では、それをNCマシーンで表面を全部削って完璧な円筒を実現し、その上でさらに磨いてる。こんな作り方をするのは高級ブランドのリップスティックや香水のキャップぐらい。だから、ゴミ箱よりリップスティックが正しい（笑）。

しかも、中身がすごくかっこいい。モノトーンで統一されているよね（左の写真）。

――中身の部品の色にまで気を使うなんて、驚きました。

通常、内部部品は見られないものとして製造されます。電子部品は、様々な製品で使われるので、特定のデザインに合わせることなどできないし、間違えないように性能や仕様によって色を変え、それが識別コードとなっている。このコンピュータのように統一しようとすると、専用に部品の色を指定して作ってもらう必要がある。それだけで値段が大幅に上がります。

アップル社の初期の頃から、スティーブ・ジョブズは、中の電子部品の並びや色彩が美しいことを要求しました。このマシンは、ジョブズが亡くなった後に作られたものですが、その美意識を社内のエンジニアたちが共有しているのですね。

最近は、黒いチップや基盤、黒やシルバーのコードを作る会社も増えましたが、これは最初にアップルがやったことなのです。

ものを作るために作り方を発明する

アップルのデザインに関するイノベーションはなんだったかというと、デザイナーが形を考えて、製造技術者がそれを頑張って作るという枠組みを壊したことです。美しいものを作るために、作り方を発明している。

――デザインに対する考えが大きく変わった気がする。アップルの話を知って、美しさを追求してできた製品が、人の心をどんなにつかむかというのを知った気がしました。

アップルのスタイリングは、ジョブズの、シンプルで美しいコンピュータを作りたいという思想がそのまま形になっています。美しさを求めるのも、違うなにかを求めるのも作り手の価値観で、その価値観の表明が明瞭なものにこそ、私たちは魅力を感じるということです。

たとえば、パナソニックのレッツノートは、丈夫で軽いことを売りにしていて、世界中のビジネスマンに愛されています。そのために、どうやって作っているかというと、軽くて丈夫なマグネシウムをたくさんの縦線が入るようにプレス成形している。紙一枚だと簡単に曲がるけど、段ボールはとても丈夫ですよね。その丈夫さの秘密は中に挟まれた波板状の紙にあって、このように加工すると簡単に曲がらなくなる。レッツノートのボディには山折り谷折りの線が成形されていて、それは軽さと丈夫さのためのデザインなのです。

もうひとつの特徴は、意外にぶ厚いこと。ノートパソコンは薄く作ると重くなるんです。薄いボディが曲がってしまわないように、分厚い金属のフレームが必要になるので重くなる。だからレッツノートはシンプルでもないし、薄くもない。

軽くて丈夫なレッツノート
出典:https://panasonic.jp/cns/pc/products/

遠心分離が見えるデザイン
出典:https://www.dyson.co.jp/dyson-vacuums.aspx

薄くて軽くて丈夫なものを作ればいいって思うかもしれないけど、そう簡単には両立しない。デザインが作り手の価値観で決まるというのはそういうことです。

もうひとつの例として、みなさんもよく知っているダイソンを挙げると、この会社の製品のデザインも独特ですが、必ずしもシンプルじゃない。そのかわり、構造や仕組みがとてもわかりやすい。それは、中で何が起こっているのか、わかるようにデザインしているからです。これも創業者であるジェームズ・ダイソン氏のものづくりに対する思想です。

一般的な掃除機はゴミを溜めるボックスの空気の出口にフィルターがあって、ゴミを濾(こ)しています。ダイソンはダストボックスが円筒になっていて空気がその中をびゅんびゅん回ってから出て行く。回ってる間にゴミは遠心力で振り飛ばされて円筒の壁にぶつかり、そこにたまります。透明だから、見ようとすれば見える。この仕組みを遠心分離といいますが、そういう基本原理をちゃんと見せることが、ダイソンデザインの特徴です。

これは、ダイソンさんが、基本原理に素直なデザインこそが価値あることだと思っていて、表面をシンプルに見せることなど本質的な価値ではないと思っているからなのです。

実習

工業製品を分解して、印象に残ったところをスケッチする

30 min

本日最後の手を動かす課題に入ります。工業製品を分解して、印象に残った構造をスケッチしてください。どこか一ヵ所でもいいし、全体でもいい。ここが面白かった、へえ、こんなことになっているんだって興味をもった部分の構造を、記憶に留めるためにスケッチします。よく見て、理解して、その構造を描きましょう。コップを描いた時のように、見えない線、中心軸を発見し、向こう側の線を描きながら「構造を描く」ようにしてください。

……そろそろ30分ですが、だいぶ描けたようだね。観察結果を話し合ってみましょう。

マウスの分解・観察スケッチ

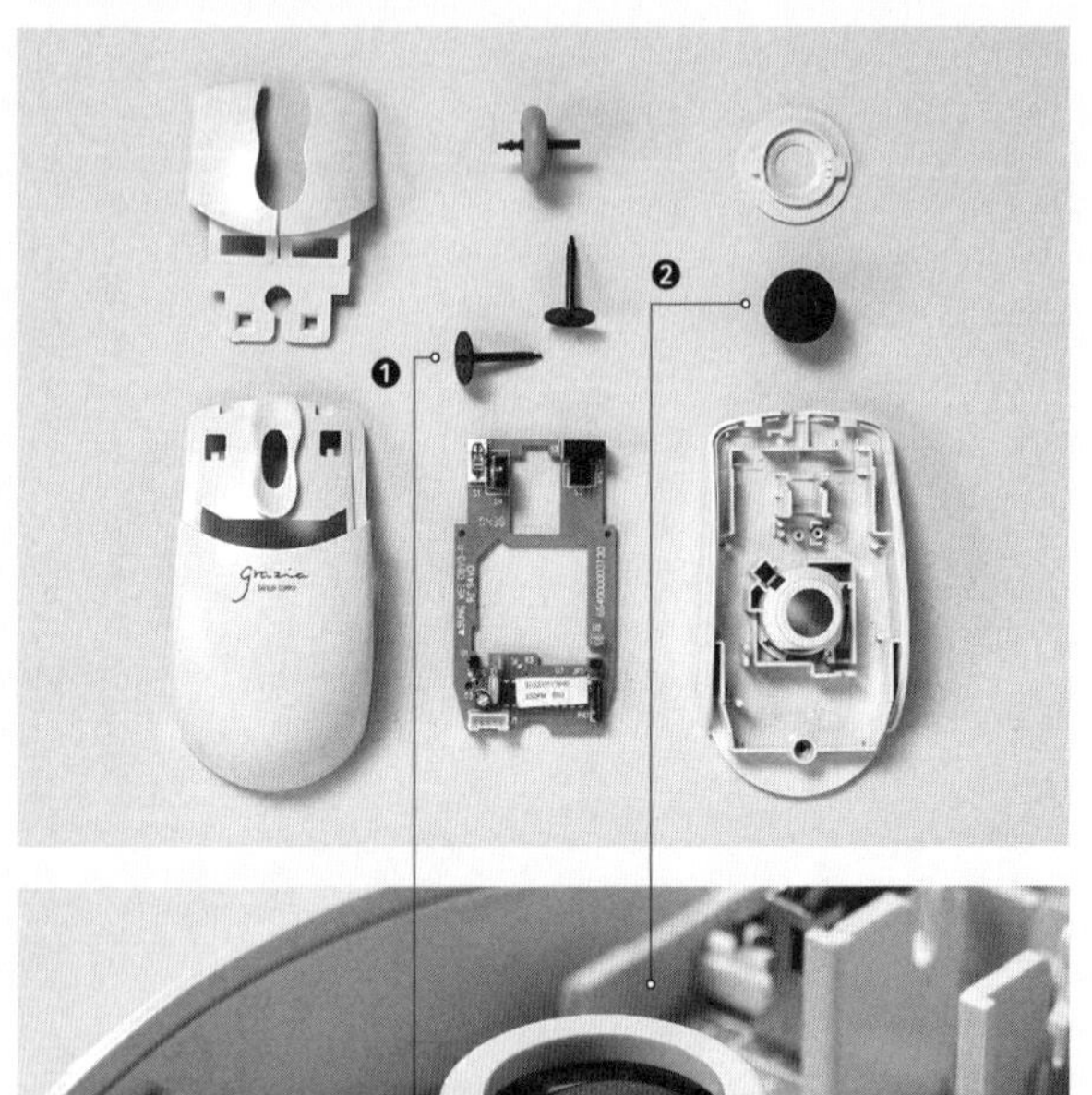

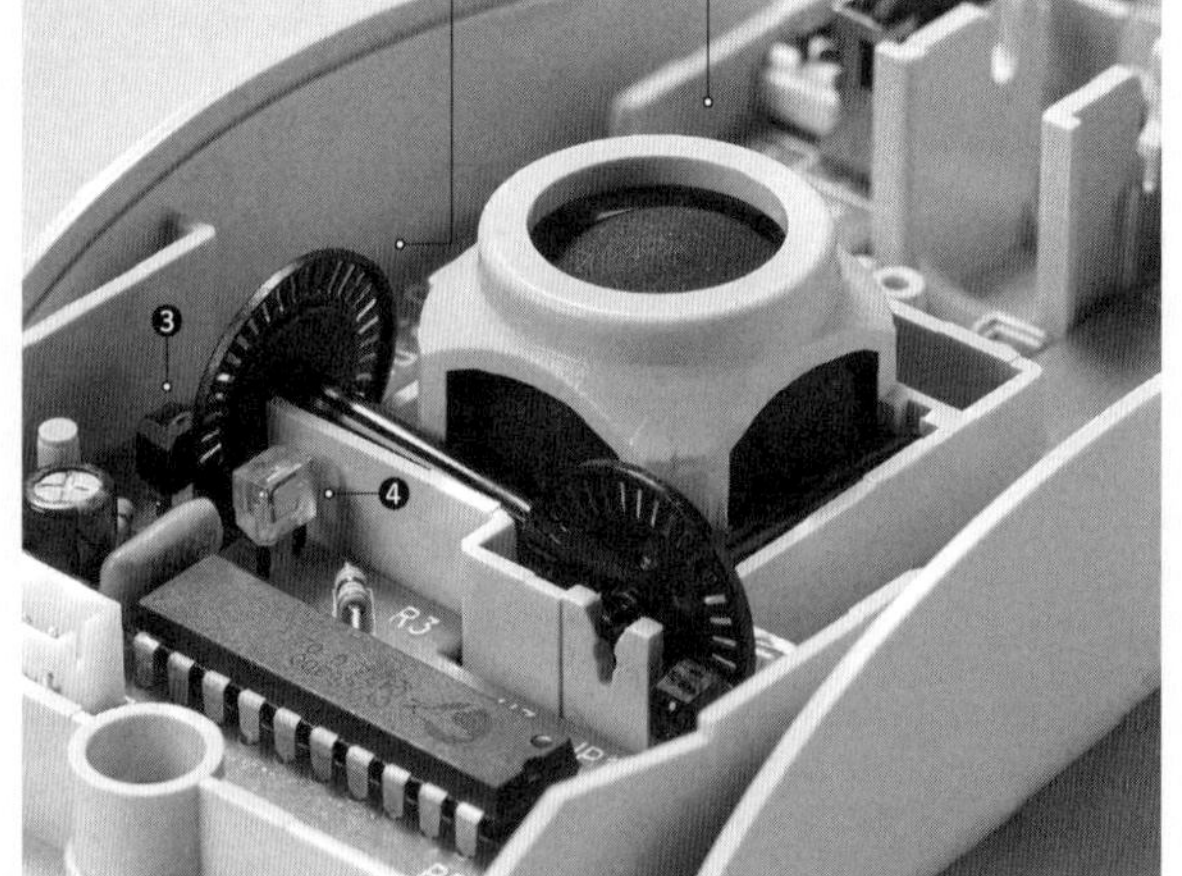

❶ 円盤のついた円筒 ❷ ボール ❸ センサー ❹ LED 光源

ボールの動きを計測する仕組み

① ボールに接する円筒が直角に 2 セット。それぞれボールの動きに合わせて回る。
② 円筒の先にはスポークのついた円盤。
LED 光源から出る光を回転するスポークがさえぎるタイミングをセンサーが計測。
③ 前後左右の回転速度をコンピュータに伝え、それがカーソルの動きになる。

☞ それぞれの部品の動きはどこにつながっているか、
触って確かめながらスケッチしてみよう。

ヒトの手に合う曲線が
きれい

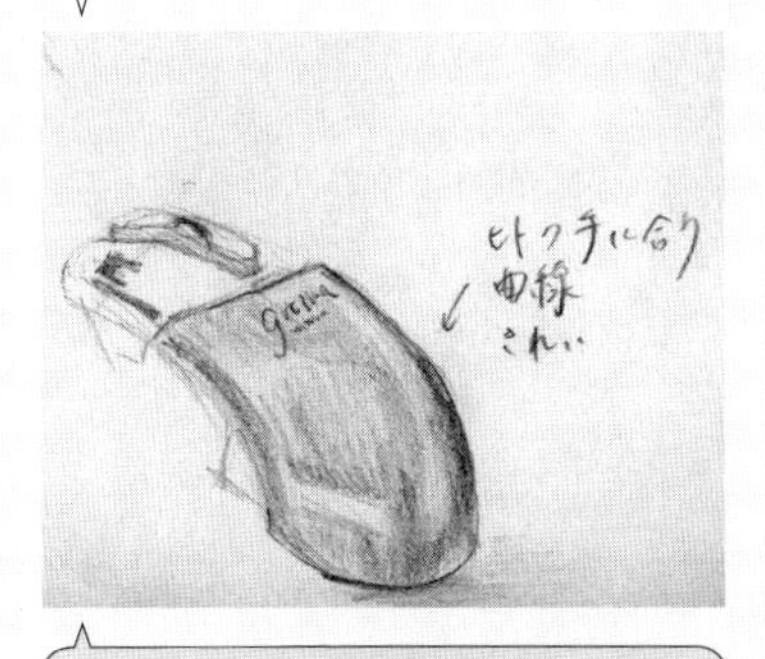

この形にデザインされたのは、
たくさんの人が使うようになってから。
1960年代に考案された時は木の箱!

中にボールが入っている。
向きの違う2つの車輪がまわる

触ってみて、
ボールに接する円筒は滑らかに回る。
マウスを動かしやすくする配慮です

車輪が回って発光器の光をさえぎり
センサーが、その回数を
感知する仕組みが面白かった

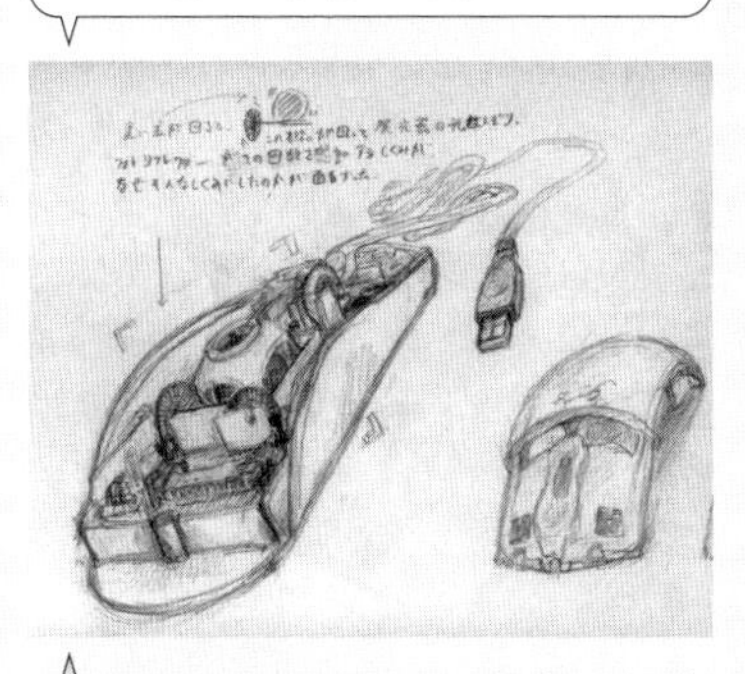

車輪の重要さによく気がつきました。
車輪、光源センサーが
ボールの回転速度を測ります

球をおさめるところは、
球体に合わせない作りにしている

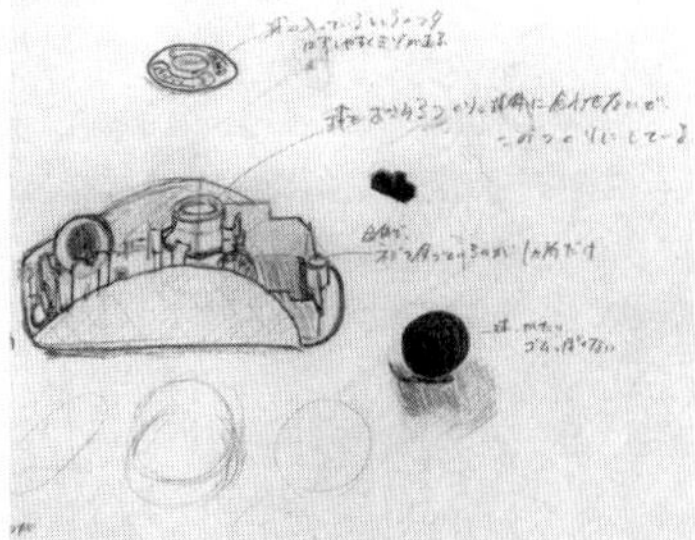

マウスはボールの上に乗って
自由に動ける。
似ている構造はボールペン!

メトロノームの分解・観察スケッチ

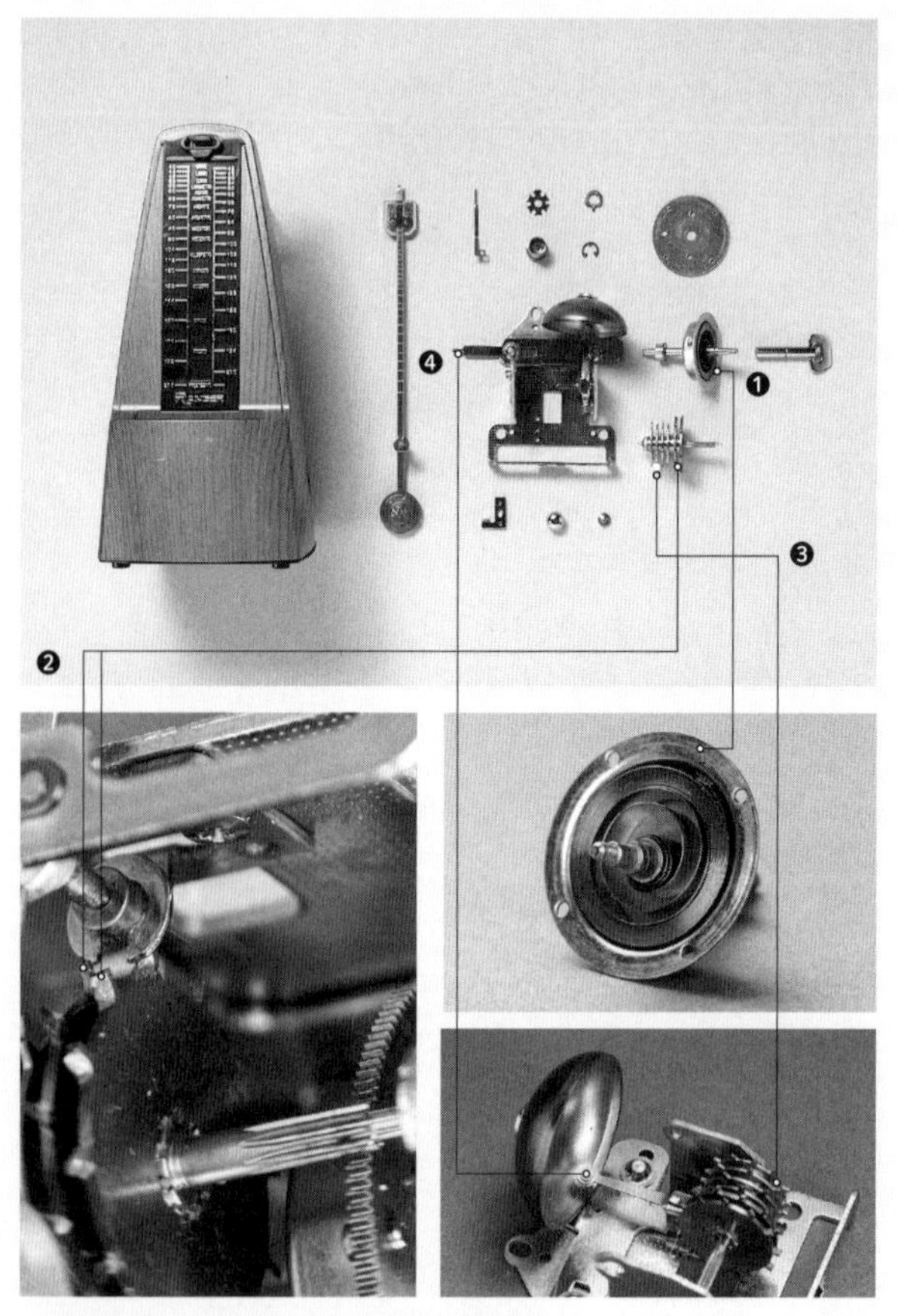

❶ 動力源のゼンマイ　❷ 2つの大きな歯車　❸ 4つの小さな歯車
❹ ベルを鳴らす針源

一定の拍子を刻む仕組み

① 巻き取られた渦巻き状のバネ（ゼンマイ）が元に戻ろうとして軸が回転し、
　歯車に力を伝える。
② 大きな2つの歯車の互い違いにある突起が、振り子を左右に揺らす。カチカチカチ
③ 小さな4つの歯車がまわることで、何拍子かに一度ベルを鳴らす。
　3拍子：カチカチチーンカチカチチーン

☞ 200年前に発明された精密機械。
その精巧な部品と動く仕組みをスケッチしながら観察してみよう。

テンポを指定するメモリの
間隔の幅が違う

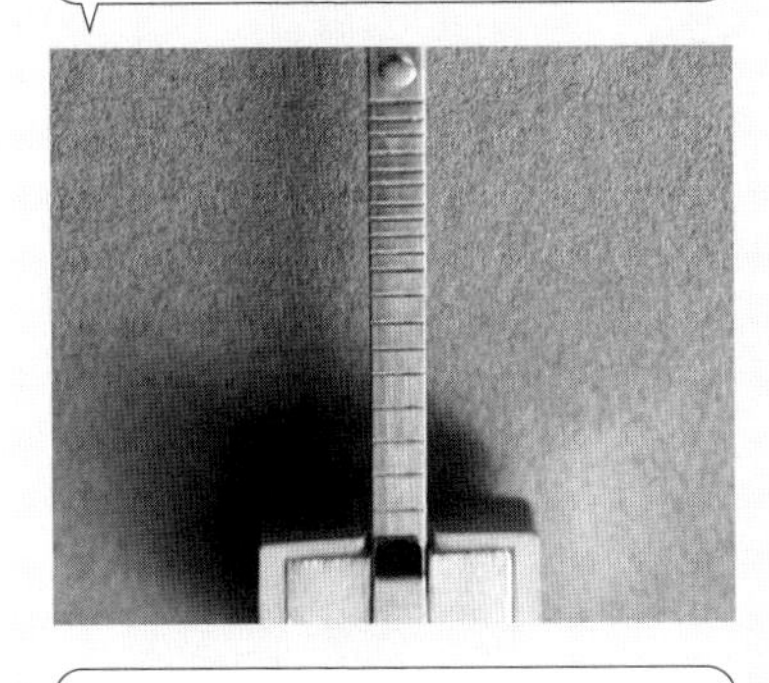

上の重りは押すと動く。
下の重りは削って重さを調節してる?

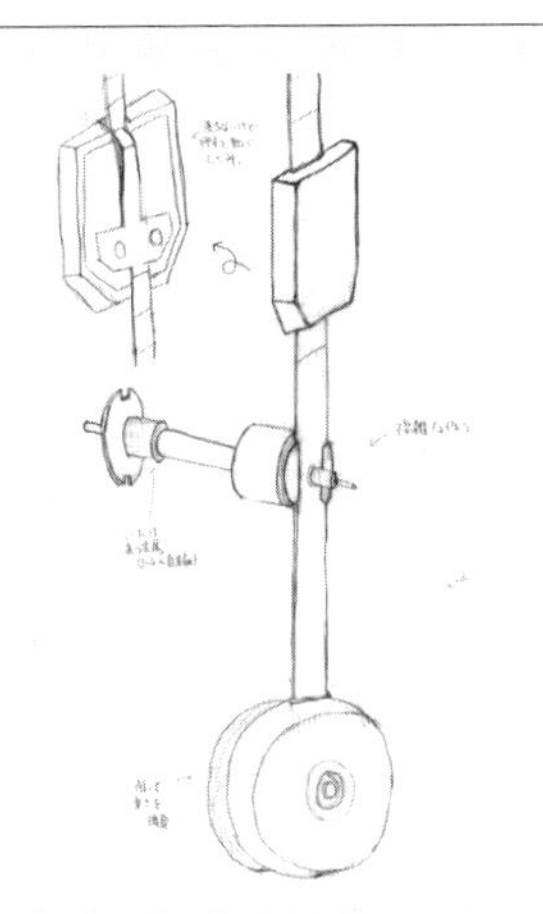

上下に重りのついた振り子です。
上の重りを下げると揺れが早くなります

テンポを刻む歯車と
拍子によってベルを鳴らす歯車が
うまく組み合わされている

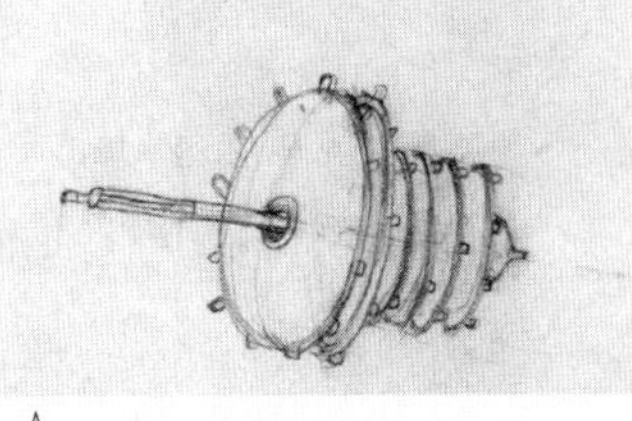

1分間に何回カチカチいうかと、
拍子を打つこと、
両方担っています

ベルを鳴らす針。
スムーズに動くようにてこになってる

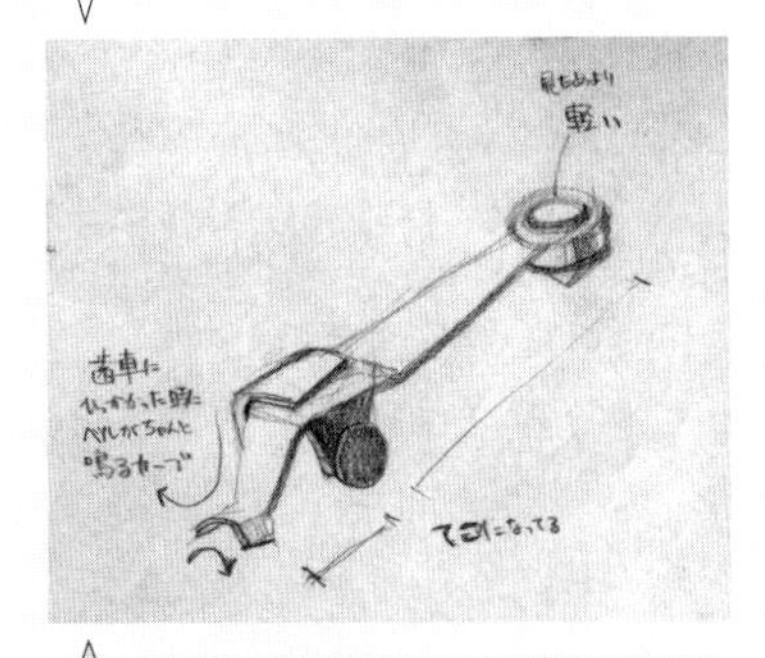

触って、重さを確認するのも大事。
仕組みの肝をとらえています

分解実習

鍵盤ハーモニカの分解・観察スケッチ

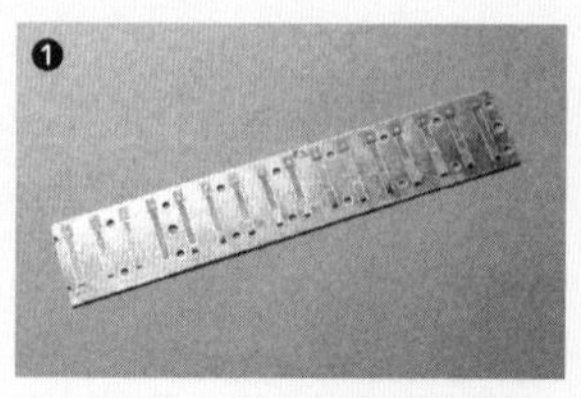

金属のプレートに
鍵盤の個数分貼られる発音体。

空気で振動して音を出す。
ギターの弦や太鼓の皮と同じ

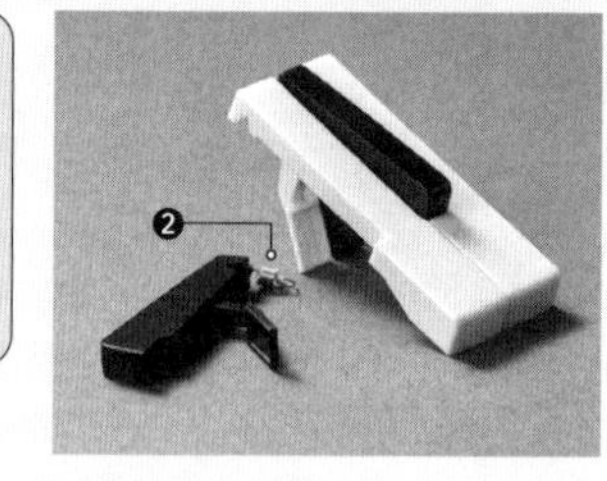

❶ 発音体のリード　❷ バネ

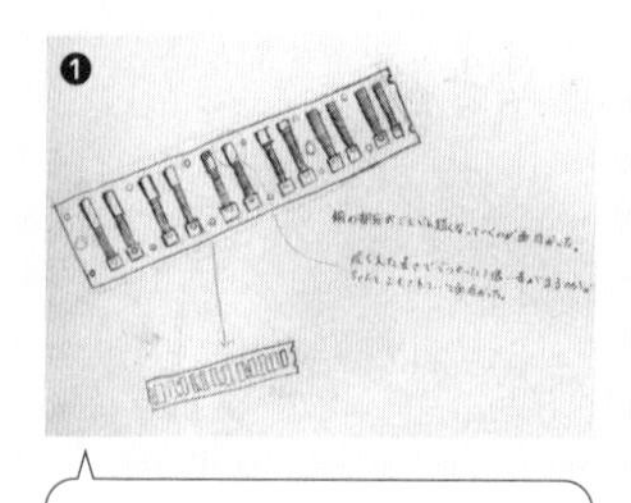

はじくと一本一本、
違う音がします

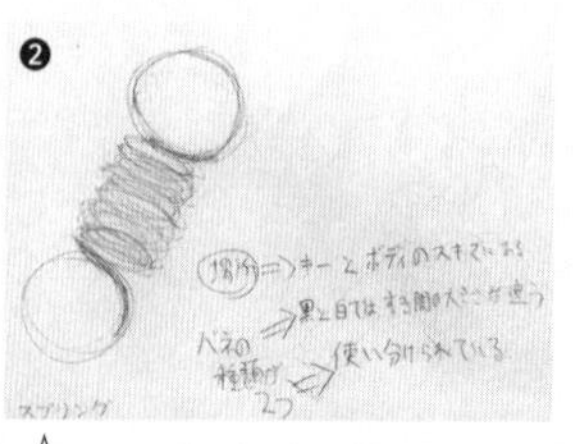

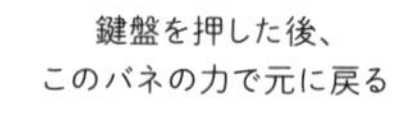

鍵盤を押した後、
このバネの力で元に戻る

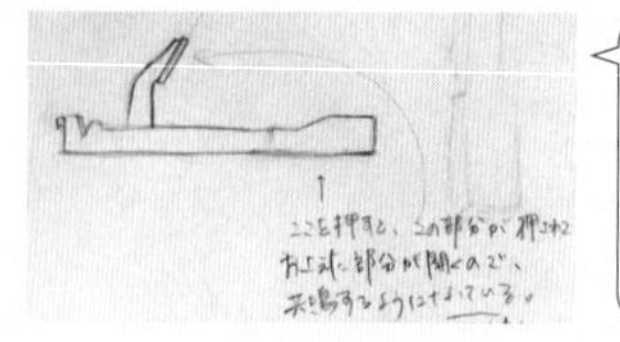

鍵盤を押すと
奥の蓋が開くので
空気が通って共鳴する

空気の通り道と音の鳴る仕組み

鍵盤ハーモニカって何気なく呼んでいたけど、仕組みはハーモニカと同じで、直接的に空気を入れて吹くか（ハーモニカ）、全体に空気を入れてから一つひとつに入れるか（鍵盤ハーモニカ）の違いなんだって。

鍵盤ハーモニカの底にあるネジを緩めて、ケースから鍵盤を取り出したら、もう鳴らなくなってしまったことに気がつきましたか。

実は、鍵盤の下がエア・チャンバー（空気だめ）になっていて、最初にそこに空気が吹き込まれる。鍵盤をひとつ押すと、それぞれの奥にある蓋が開いて、空気の通り道ができる。鍵盤の真下にはリードがあって、空気はそこを通って向こうに行こうとする。ところが意地悪なことに、リードは手前に半開きのドアみたいになっていて、空気が通るとすぐに閉まっちゃう。ここが肝。後から来た空気は、もう一回ドアが半開きになるまで待ってから通る。その結果、このドアは少しずつ空気を通しながら、バタバタ開け閉めを繰り返す。それがとても速く行われるのでピーッという音になるんです。

❷
鍵盤
❶リード
空気
鍵盤を押すと
空気の流れが止まるとリードが開く
この間を繰り返す
空気の流れに引っ張られてリードが閉じる

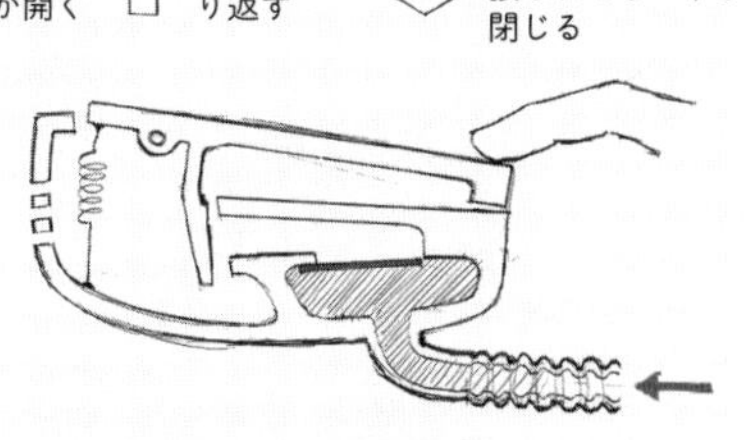

☞部品の関係を記述する断面図も重要です。

分解
実習

部品の形、一つひとつに理由がある

ドライヤーを分解してみると……

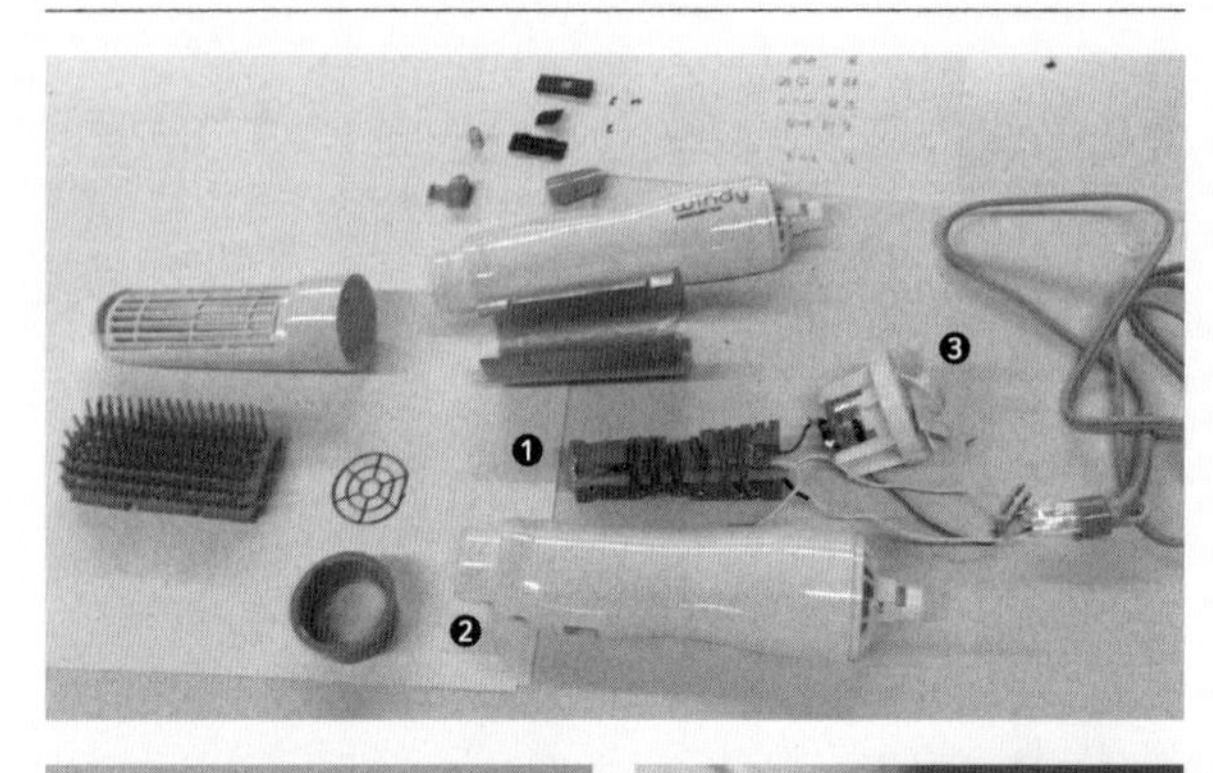

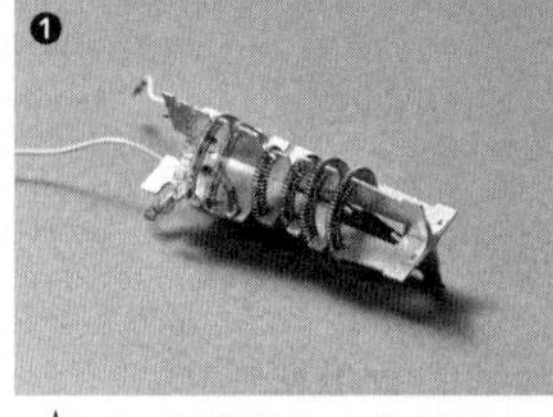

❷

風の方向と平行の形の十字板
に螺旋上にヒーターが巻き付け
られている。できるだけ風を
均一に温められるように配置

ネジを使わずはめているだけ。
合わせ面に
幅1ミリほどの段差。
ホコリが入りにくい

❶ ヒーター　❷ つなぎ目　❸ ファン

☞ 部品をいろんな角度から観察して、どうしてその形をしているのか探りながらスケッチしてみよう。

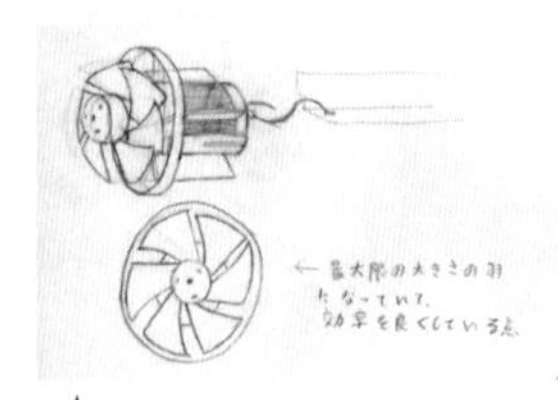

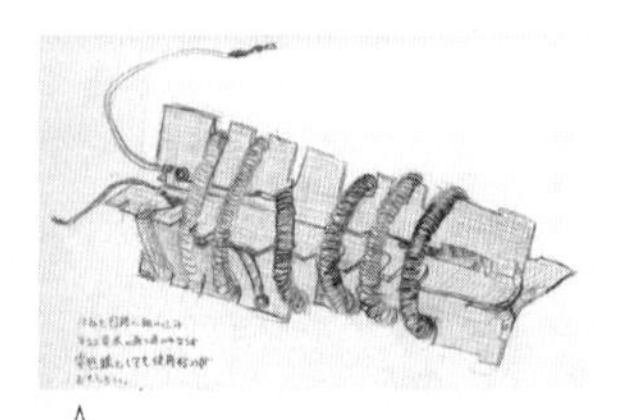

羽を尖らせて
隙間なく効率よく
風を送る

電線をコイル状にぎゅっと集め、
高熱を発生させる。
空気が通ると熱風に

分解実習

部品の形、一つひとつに理由がある

ゲームコントローラーを分解してみると……

押すとペコンと凹み、
ボタンの感触を決める。
光を通すほど薄い。
リモコンの裏にもある

円を半分に切ったような重りで
回転することでプルプル震える。
当たった！やられた！など
いろんな現象を表現

❶ インシュレーター（防振材） ❷ 振動を発生させるモーター

☞ 部品をいろんな角度から観察して、どうしてその形をしているのか探りながらスケッチしてみよう。

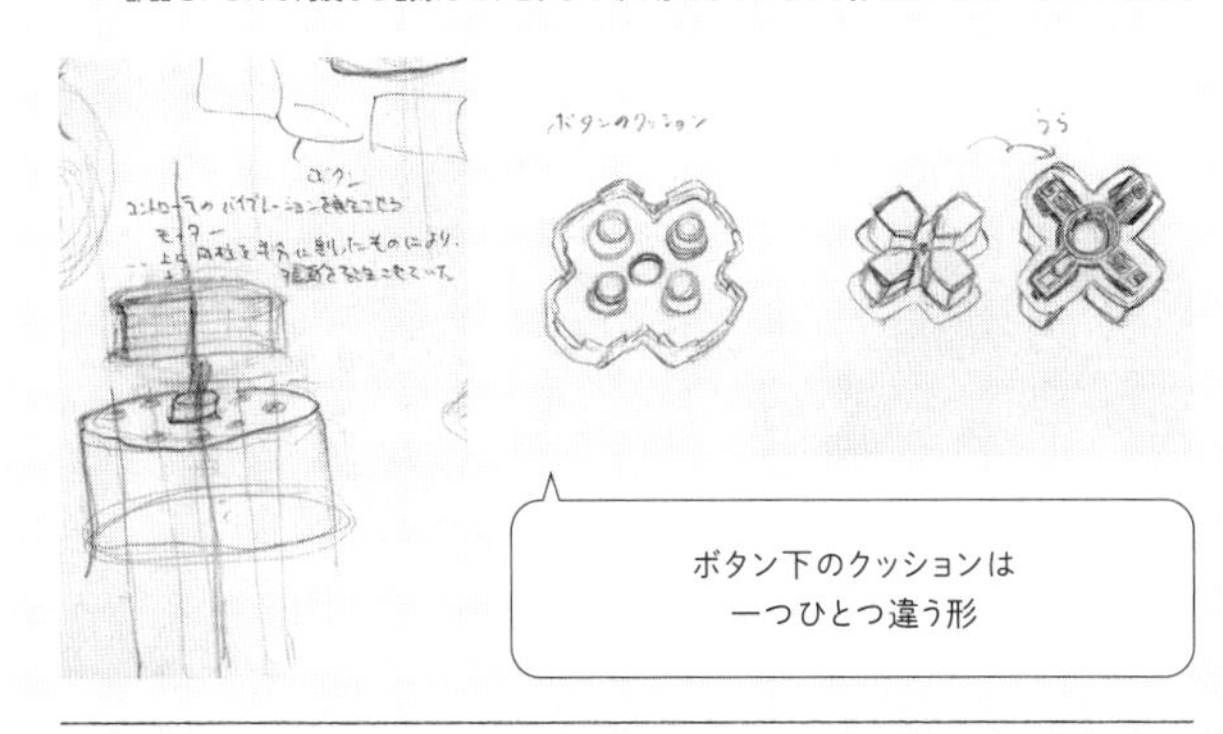

スケッチして覚えた仕組みと知恵が新しいアイデアの素に

さて、そろそろ今日の授業は終わりです。普段、みなさんが使っている工業製品を分解して、ものの仕組みを理解しながら描くということをやってもらいました。描こうとすると徹底的に観察する必要があるね。やってみてどうでしたか。

――前半に教えてもらった中心線、構造線を意識することで、部品のスケッチが格段にしやすくなりました。絵を描く時の技法って、自分で思いつくことはできないな、とも感じました。

こういう絵の描き方は、あまり美術では習わないからね。だけど、ここから先は、自分でもやれます。だって僕自身、ちゃんと教えられたことはないのだし。

ただ、言葉としてのスケッチは才能がなくても習得できるけど、言葉を覚えるのと同じようにたくさんの練習が必要です。アメリカのアートセンター・カレッジ・オブ・デザインという大学のある先生は「何事も1万時間」と言ったそうです。スケッチも1万時間ぐらい描くと本当に自由に描けるようになると。1万時間って、1日に8時間ずつ描いて3年と少し（笑）。僕の経験でもそのぐらいから自由に描けるようになった気がします。もちろんきみたちみんながプロになるわけじゃないからそんなに描かなくていいけど、続けることは大切です。

――私は自然のものが好きで、人工物はちょっと冷たい感じがして、あまり好きじゃなかったのですが、分解した機械のスケッチは楽しかった。部品それぞれの形に意味があって、そこから働きがわかるのが面白かったです。

ものを理解するということは、それを考えた人、作った人の考え方や思いを理解することです。人が作ったものだからこそ、一つひとつの部品から人の声が聞こえてくる。普段はなかなか聞こえない声ですが、分解してみると、よく聞こえたでしょう。

なにかをデザインする時、僕は最初に工場を見に行きますが、そこには様々な工夫が溢れています。ちなみに、大抵の工場は写真撮影が禁止されている。その企業独自の工夫がいっぱいあって、よそに真似されたくないからです。そこで僕はスケッチブックを取り出します。スケッチは案外とがめられない(笑)。そして、製品たちの細部を観察し、記憶するんです。

今回、分解したもののうち、特に自分で描いたところは、もう忘れないでしょう。記録としての精度を考えると写真やビデオにかなうはずがない。でも、描くことによって、ものの仕組み、設計者の知恵が私たちの頭に入るのです。将来、あなたたちがなにかを作りたいと思った時、そういえばこんな仕組みがあったな、という記憶が助けてくれるはずです。そして、それらがアイデアの素になるかもしれない。

必ずしも「作る人」にならなくても、この記憶は、みなさんの毎日をちょっと楽しくしてくれます。テレビのリモコンのスイッチを押すたび、そのボタンの感触を生み出す仕組み（171ページ）を思い出してみてください。

——今日は、デザインと工業の深いつながりについて理解することができた気がします。デザインって面白いって思えるようになったのはうれしかった。

うん、どうやって作るかを知ることも、いいデザインを生み出すためには欠かせないものなのです。

この2日間でみなさんには、なにかを生み出すための準備をしてもらいました。後半の2日間は、それを使って面白いものを考える、面白いものを作る段階へいきたいと思います。

デザインのコアになるのは、アイデアです。1日目にデザインってなに？っていう話をした時、「自分の頭の中をそのまま出したようなもの。それで人の心をつかむこと」と話してくれた人がいました。そのとおりで、自分の頭の中に浮かんだ素敵なものを作ることだけど、それは、ある日突然に生まれるものじゃない。面白いアイデアを生み出す方法はあります。それが必ずしも才能によるものじゃないことはスケッチと同じです。楽しみにしていてください。

5章
アイデアのヒントは、観察の中に、他人の頭の中に

3日目前半

面白いアイデアを思いつく人の共通点

こんにちは。3ヵ月、間があいてしまいましたが、久しぶりです。3日目の今日からは、アイデアを考えるというプロセスに入ります。

突然ですが、みなさんは、自分のことをアイデアマンだと思いますか?

―― 面白いアイデアを考えるのは苦手だと思います。ポスターのデザインを考える時とか、発想がありふれたものになってしまって、アイデアを出す能力がないんだと思ってました。

多くの人に共通する悩みですね。私もときどき、自分はなんて普通の考え方をするんだろうって悩んだりします。

世の中には、面白いことをいろいろ思いつく人と、そうでない人がいるように見えます。高校生活でもアイデアを求められる場面はたくさんあるでしょう。「今日、この後、なにする?」から始まって、遅刻しない方法とか、どうしたらもっとバスケがうまくなるかとか、今度の出し物どうするとか。そんな時、すぐに面白いことを言い出す人って、確かにいるよね。

必ずしも勉強ができる人じゃない。体力もいらなさそう。じゃあ、そういう人に共通することって、なんでしょう。まず、大抵よくしゃべる。黙っていて、いきなりすごいことを言い出す人もいないわけではないけど、くだらないアイデアだとわかっていても話すことを怖がらない人は、少なくとも、その場の雰囲気を活性化させます。他の人も釣られて「だったら……」と、次のアイデアを出すようになる。「場の活性化」、実はこれが大事なことなんです。

それから、いきなり、全然違うことを言い出す人もいるよね。なにして遊ぶか話してるのに、「とりあえず屋上に上がってみない」とか言い出す人。その一言で、話の方向がガラッと変わったりする。これもアイデア出しの重要なスキルのひとつで「視点の転換」と言います。

――そういうの、性格もかかわりそう。

確かにもって生まれた性格も影響するかもしれないけど、それだけじゃない。私も一人で黙々と考えていた頃は、アイデア出ないなぁって悩んだものです。でも、ある時から思いついたことを人にどんどん話すよう心掛けたら、急にいろんなことを思いつくようになりました。

私の職業であるデザインは、アイデアが命です。美しさ、便利さ、快適さ、どれもアイデアがないと新しい魅力は生み出せない。だから、アイデアを生むための手法や手段は、デザインの重要なスキルとして、たくさんの人たちに研究され、開発されてきました。今日は、そのやり方と、僕自身がアイデアとどうやって出会ってきたかをお話ししたいと思います。

さて、前回までは、講義するための教室を使っていましたが、今日から部屋を変えてみました。くつろげそうな部屋でしょう。机はベニヤ板で、椅子の種類はバラバラ。パーテイションは手作りでメモがいっぱい貼ってある。作業場もあって、いろんな工具が置いてあります。

――いつもは、この部屋って、どんなふうに使ってるんですか?

ここは、イギリスのロイヤル・カレッジ・オブ・アートという美術学校と東京大学が一緒に使っているデザインの研究室です。ロイヤル・カレッジ・オブ・アートは1830年代に生まれた美術学校で、今、そこと一緒に、先端技術がもたらす未来を考えるという研究をしています。最近ではイスラエルやシンガポールの大学との連携も始まりました。

東京大学生産技術研究所には、様々な分野の研究者がいます。乗り物やロボットを研究している機械エンジニア、インターネットやAIが専門の科学者、エネルギーや都市計画、住宅の研究者もいる。僕らデザイナーは、そういう研究者の話を聞いて、未来のヒントを得ます。

たとえば、視覚メディア工学の佐藤洋一先生は、人のちょっとした仕草や視線から、その人の意図を推定する研究をしています。AIが、カメラに写ってる人がどこを見ているか、なにをしようとしてい

ロイヤル・カレッジ・オブ・アートと一緒に使っている部屋

るかを、過去の行動パターンから推定し、予測してくれるんです。さて、その技術は、どのようなことに使えるか。私たちはアイデアを出しながら議論して、「そっちを見て手をあげるとオンになる家電製品」を思いつき、そういう装置を作ってみました。ライトのほうに手を突き出すと明るくなる、スピーカーを見ながら手を上下させると音量が変わる、みたいなものだね。そういう話し合いや試作品作りをこの部屋でやっているんです。今回の授業でみなさんが体験することは、いつも私たちがやっていることのコンパクトヴァージョンです。

前半の授業で、工業製品を分解して、その仕組みを勉強するところまでやりました。今日からの後半では、その仕組みからアイデアを考え、面白いアイデアが手に入ったら、実際にそれを作ってみるところまでやります。これはデザイナーたちが、いつもやっていることです。

もちろん、実際にデザインする時は、アイデアを実現するために長い時間をかけます。電気製品でも1年以上、車のような複雑なものだと3年から6年ぐらいかかっちゃう。だから、ここでやることは、デザイナーたちの仕事のほんの触りに過ぎないけれど、でも、やってみたことがないのと、やってみたことがあるのとでは大違いのはずです。

ロボット×3Dプリンター

研究者とアイデアを出し合いながら試作品を作った話をしましたが、別の例ももうひとつ紹介しましょう。3Dプリンターを使って作られたロボットのお話です。

3Dプリンターには、いくつかの種類があります。ひとつは、熱く溶けた材料を、歯磨き粉のようにチューブの先から押し出して積み上げていく方法（FDM）。10万円以下の手頃な価格のものもあり、このやり方が今のところ最も普及しています（最近のものは、かなり滑らかな表面が作れるようになりましたが、冷えて固まる際、歪みやすいのが難点）。

次に、紫外線を当てると固まるプラスチックを使う方法（光造形、SLA）。液体の樹脂の表面にレーザー光を当てて、一層ずつ固めていく。かなり精度はいいですが、材料が限られているので強度が必要な実用品には使いにくく、模型製作などによく使われます。

それから、粉をレーザーで溶かして固める方法。プラスチックや金属の粉を薄く引き、その上に高出力のレーザーを当て、粉を溶かし合わせて1枚の板にします。それを繰り返して一層ずつ造形する（粉末焼結〔積層〕造形、SLS）。精度もいいし、材料も選べて非常に実用的ですが、大変高価。マシンは1台数千万円ぐらいします。

これから紹介するロボットは、3番目の方法で作っているので、けっこう高くつく。今のところ、誰でもどこでも作れるものではありません。

このロボットの特徴は、構造全体が組み立てなしで、いっぺんにプリントされることです。大抵の工業製品は、一つひとつの部品を別々の素材から作り、最後にそれらを組み立てる。でもこいつは、からだ全体を丸ごと、仕組みをそのままプリントアウトするんです。で、それに

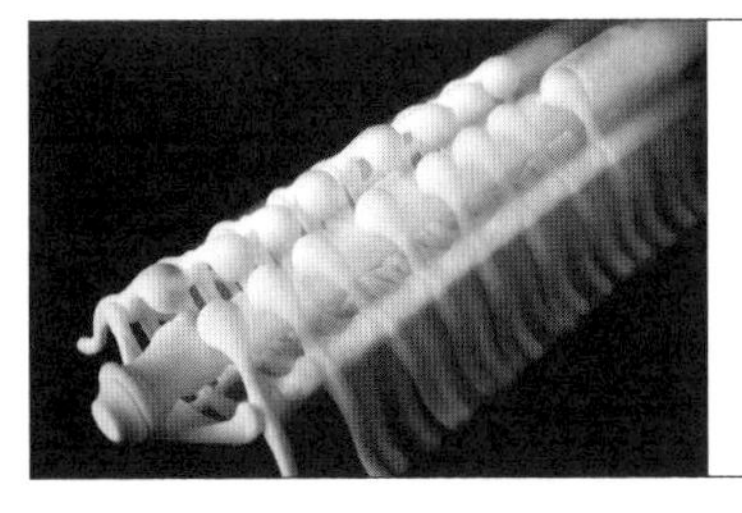
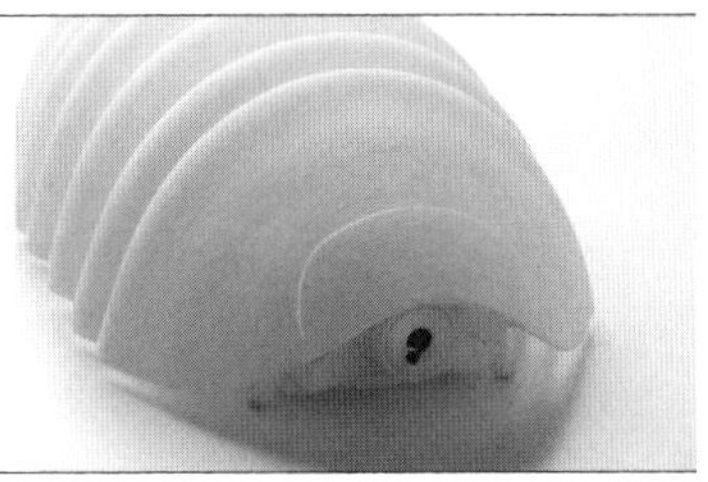

からだ全体を丸ごと作るロボットシリーズ

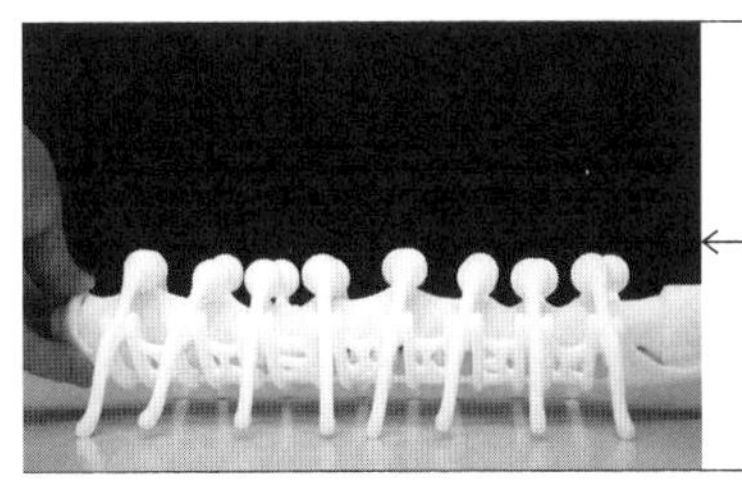

3Dプリンターから出てきたばかり（写真右）、
モーターをはめ、電源を入れると動き出す（写真左）

モーターをはめこんで電源を入れると、いきなり歩き出す。ＱＲコードの動画を見てください。

――わあ、本物の生き物みたい。

これを作った学生の杉原寛（すぎはらひろし）君は、「生き物みたいにそのまま生まれてくるロボットを作りたかった」と言っています。このロボットシリーズの名前はReady to Crawl。３Ｄプリンターから出てきて、「すぐにハイハイできる」という意味。

３Ｄプリンターは２０１０年頃から安いものが出てきて、学校にも設置され、なんでも作れる魔法の箱みたいに未来を変えるんじゃないかって話題になりました。でも、前に話したように（１４９ページ）、僕ら

Ready to Crawl
https://www.youtube.com/watch?v=G0-lJKOgTuo

が普段使っているものを３Ｄプリンターで作っても、いまいち動かなかったり、弱かったり、表面がザラザラで使い心地が悪かったりする。

このように、新しいテクノロジーが注目される時、夢が極端に伝わって大騒ぎされることはよくあります。大抵、しばらく経つと、案外なんにもできないねって、ブームが冷え込む。そういう浮き沈みを嫌う研究者たちは、そんなに期待しないでくださいって火消しするけど、なかなかちょうどいい具合にはいかない。今、３Ｄプリンターは、ブームが一段落してちょっと冷えこみつつあります。そういうなかで、３Ｄプリンターでできること、もっというと３Ｄプリンターじゃないとできないことってなんだろうって、研究者と一緒に考えているんです。

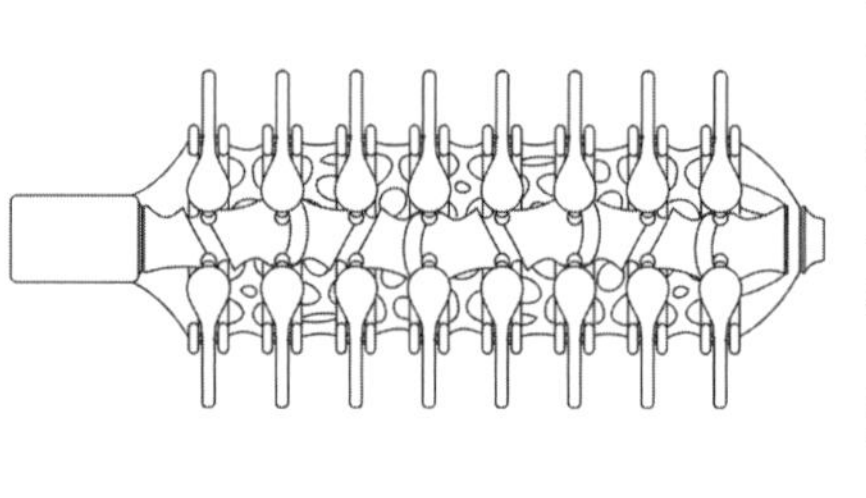

背骨の溝をなぞるように足が動く

はい、上の図のロボットの背骨に注目！　斜めに歪んだ形の溝があって、それぞれの脚は溝をなぞるように動いてる。１個のモーターでぐるぐる回っているだけですが、ちゃんと滑らかに歩くのは、その溝の形が、歩く時の脚の動きを生み出す複雑な曲線になってるからなんだ。

——ムカデみたいな虫も、こういう仕組みで歩くんですか？

いや、残念ながら違います。虫の筋肉や神経系をたくさんのモーターとコンピュータで再現するのは大変なことです。この背骨は、たとえて言えば、虫の脚の動きをなぞったレコード盤のようなもの。レコードは、CDより昔のアナログ録音機ですね。

人の声を出す仕組みはとても複雑で、もし、人の声を再現するのにその仕組み、声帯や喉や舌を真似ようとしたら、最先端のロボット工学を使っても難しい。でも、声を記録して再現することはできてるよね。それと同じように、レコードを針で再生するみたいに、この背骨は虫の脚の動きを記録し、再現しています。昔のからくり人形には、少し似たものがあるけど、こんなに複雑な曲線のものはありませんでした。

なぜ今まで、この仕組みが作られなかったかというと、答えは簡単、作れなかったからです。前回、製造技術には様々な限界があると知ったでしょう。「型が抜けない」「ドリルが入らない」とか。3Dプリンターは、そういう限界を軽々と飛び越える可能性があるんです。これまで作れなかった形を作れる可能性がある。そうしてできたものは確実に、今までと違うものなので、新しいものになります。

新しいアイデアを生み出すコツのひとつで、「今までにない方法でやる」。大事なので、覚えておいてください。

このデータを公開すれば、世界中どこでも同じものがプリントアウトできる。これを杉原君が作ったのは修士1年の時だから、きみたちより5つ上くらいの人が作ったことになるね。

——すげえ。

「誰も見たことがないもの」を描く

デザインの作業では、いつも「誰も見たことがないもの」を描きます。これは想像以上に難しい。ゼロから組み立てるんだからね。でも実はその方法を、みなさんは少し習ってるんだ。「構造から描く」ってやったよね。円筒の中心線や底面を描く。これらは、立体の3次元的な位置関係を把握して伝わりやすく描くための手法だけど、同時に、新しいものを生み出す時の描き方でもあります。新しいものは、おおざっぱな仕組みから考えるしかない。

車をタイヤから描いたのを覚えていますか。4つのタイヤの配置と背の高さだけで、軽自動車なのかSUVなのか、セダンかスポーツカーなのかが決まります。その上でだんだんと細かいところまで決めてゆく。このプロセスはまさに「構造から描く」ことに他ならないんです。関西のほうでは、計画することを「絵を描く」っていう言い方をします。「どんな絵（えー）描いとんのや?」って。デザイナーにとっての「構造から描く」スケッチは、まさにプランニングそのものなのです。

ところで、アイデアにはいろんなレベルのものがあって、当然、スケッチにならないものもたくさんあります。ゲームコントローラーのスイッチの形もアイデアですが、私が研究者と一緒に先端技術を利用してなにか作ってみようと考えたことそのものも、アイデアのひとつです。こういう考え方のフレームのことをコンセプト（概念）といいますが、こういうアイデアは、スケッチにはなりません。

みなさんにも、絵に描けないかもしれないレベルで考え続けてほしいことがあります。それは、なにを作るのかということです。このことは、最終日にまたお話しします。

いちばん難しいのは、いいアイデアに「出会う」こと

さて、今日の授業の内容に入っていく前に、なにか質問はありますか。

――デザインのセンスを、どんなふうに磨いているのか知りたいです。

うん、センスというものは、なんとなく才能のように思われてるけど、実は知識と経験が大半です。いいものを見ることも大切ですが、それだけで作り手になれるほどのセンスは手に入らない。流行感覚を手に入れるには、流行のものをたくさん買って使う必要があるし、常に新しいものを追いかけ続ける忍耐力もいる。美的感覚を磨くには、美しいものを見たり使ったりするだけじゃなく、自分で作ってみて、思ったほど美しくならずに苦しむ経験が欠かせない。

これらの経験は短期間では手に入らないので、まあ、長い努力は必要かな。でも、覚えておいてほしいのは、経験は誰でも積み上げられるものだから、諦める必要はないってことです。

——デザインを考えるうえで心がけていることや、いちばん難しいことってなんですか？

それはまさに今日のメインテーマですね。なにかをデザインする時に大事なのは、まず、既にあるものや、それを使ってる人をよく観察すること。アイデアのヒントは、いつも観察の中にあります。そして、手を動かしながら考えること。スケッチを描いたり模型を作ったりしながら考える。要するに、じっと考えてちゃダメ。出かけるか作ってみるかしなくちゃ。

それから、多様な人間が集まっていること。工業製品はひとりじゃ作れないから、いろんな人が集まって作るのが基本なんだけど、多様性が足りないことはよくあります。みんな同じ会社の人だったり、同じ地域に住む人だったりね。ここにいるみんなは、同じ日本という国の高校生で、全く多様とはいえない……。そこはちょっと残念だけど、幸いなことにきみたちは女子校と男子校の生徒だったりする。普段、交流のない人種と一緒に授業を受けているわけだ（笑）。そういう意味ではいつもより多様性があるといえるかも。

デザインを考えるうえで、いちばん難しいことは、まさに、いいアイデアに出会うことです。今、「出会う」って言い方をしたけど、ほんとそんな感じ。

これから、いろいろなアイデアを得るための方法を紹介しますが、正確にはそれは「いいアイデアを得る」方法そのものではないんです。たくさんのアイデアを出す方法と、いいアイデアを逃さない方法の2つでしかない。たくさんのアイデアを出せば、いいアイデアに出会う確率が上がるし、それを逃さなければ、いいデザインに至る確率も上がる。でも、そもそも、いいアイデアがひとつも出なかったら、どうしようもない。

だから、毎回とても不安です。今回のプロジェクトで、全くいいアイデアに出会えなかったらどうしよう……って。みなさんも、その不安には、これから2日間でたっぷり向き合えるから、期待していていいです（笑）。

情報を「入れ」て「つなぎ替える」

「アイデアを出す」っていうけど、実際にはその材料となる情報を「入れる」ことが、すごく大事なんだよね。なにもないところからは、なにも生まれない。

脳科学者の茂木健一郎（もぎけんいちろう）さんは、アイデアを思いつくのは、思い出すのに似てると言っています。「なんだっけ、なんだっけ……ああ、あれだ！」っていうのと、「なんかいいアイデアないか……あ、ひらめいた！」っていう瞬間がとても似ているって。

「思い出す」というのは、脳の中にある過去の情報が、今、意識している情報と結びついていない状態なのをたぐっていってつなぎ直すことですね。「茂木さん」という名前を聞いて、茂木さんの顔の情報は元から頭の中にあるけど、それがすぐにはつながらない。いろいろ聞いてるうちに、あ、テレビにもたくさん出てる人だ……って、その大きな体を思い出す。

「アイデアを思いつく」というのも、目の前に問題があって、なんかいい方法ないかな……って頭の中を探っているうちに、あ、こうすればいいんだ！って思いつく。その思いついた情報は、頭の中に元からあったものなんです。今、直面している問題とそれを初めてつないでみて、なにかできるかもって発見することがアイデアなのだと。つまり、アイデアは、記憶のつなぎ替えなんです。

ネーミングという商品に名前をつける仕事があるけど、あれも全く誰も知らない文字列を考えることではなく、いろんな言葉をつないでみて、面白い組み合わせを考えることなんです。たとえば、「激落ちくん」っていう商品があるね。きっと、画期的に汚れが取れることをなんとか言い表そうとしているうちに、「激辛」って言い方があるけど、それになぞらえて「激落ち」はどう？　でも、言葉が強すぎて引かれそうだから「くん」つけてみようか……とか。本当にそう考えたかどうかは知りませんが、どれも知っている言葉なのに、妙に新鮮でした。

——激落ちくん、なんか親しみを感じます。ガリガリ君も同じくんづけだ。

親しみやすく新鮮な名前

洗剤用品って、だいたい片仮名の名前だったからね。アイスの「ガリガリ君」は、「ガリガリ」って食べた時の食感まんまなんだけど、「君」をつけたら面白い印象になった。これは社長さんが考えたらしい。パッケージのキャラも良かったし、組み合わせの勝利ですね。

ネーミングはわかりやすい例ですが、画期的なアイデアと呼ばれるものでも、その要素自体はよく知られていて、既にあるものを全然違うところに使ってみた結果であることが多い。

2日目に、ダイソンのことを少し話しましたが（162ページ）ダイソンの羽根のない扇風機もそうなんです。あの扇風機の特徴は、リングの細い隙間から出てくる高速の空気が、後ろの空気をたくさん巻き込んで大きな風の流れになるところ。実際、リングから出ている空気の15倍もの空気が前に向かって流れていくそうです。この、細いところから出た高速の空気がまわりの空気を巻き込んで強い風になることは、よく知られた現象です［下の図］。たとえばドライヤーの説明書には「20センチ以上頭から離してお使いください」と書いてあるけど、あれは熱で髪の毛を痛めるからだけではありません。少し遠くから当てたほうが先端から吹き出した空気がまわりの空気を巻き込み、たくさんの風を髪の毛に送ることができるからでもある。

ダイソンのデザインエンジニアたちは、高速空気のふるまいをよく知っていて、誰かが、「あ、この仕組みを扇風機に使えるんじゃない？」って、思いついたことから始まっているのです。なにが言いたかったか

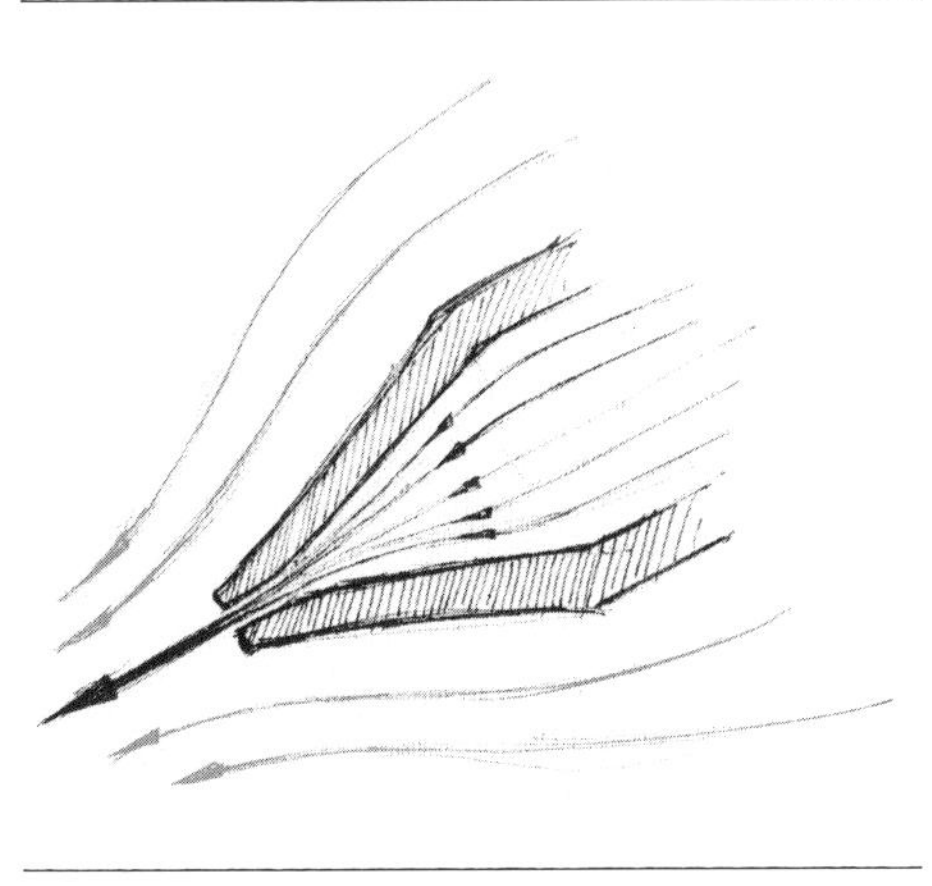

コアンダ効果
細いところから出た空気は、
まわりの空気を巻き込み強い風に

というと、扇風機から羽根をなくそうとしてアイデアを捻り出したわけじゃない。元々、ドライヤーの空気の巻き込み現象を知っていて、それをなにかに使えないかな、という順序で考えた。そして、全然違う仕組みのものだけど、ドライヤーの原理で扇風機を作ったら面白いものができた。そのつなぎ替えが、アイデアそのものなんです。

「アイデアとは既存の要素の新しい組み合わせ以外の何ものでもない」。そう言った人が、ジェームス・W・ヤングという人で、80年ぐらい前に書かれた『アイデアの作り方』（原書は1940年。日本版は1988年、CCCメディアハウス）という名著は、たくさんのクリエイターに読まれてきました。彼はこの本の冒頭で、アイデアって机の前でうんうん唸って、ポンと出てくるイメージがあるけど、そうじゃない、まずは情報を集めに出かけなさい、と言っています。

大切なのは、いろんな情報に接する機会を増やすこと。歩き回る、調べる、人と会う、作ってみる。頭の中の関連情報を増やしていくことで、新しい情報の組み合わせが見つかるのです。

左ページの図が、これから行う「アイデアのための作業」のサイクルです。

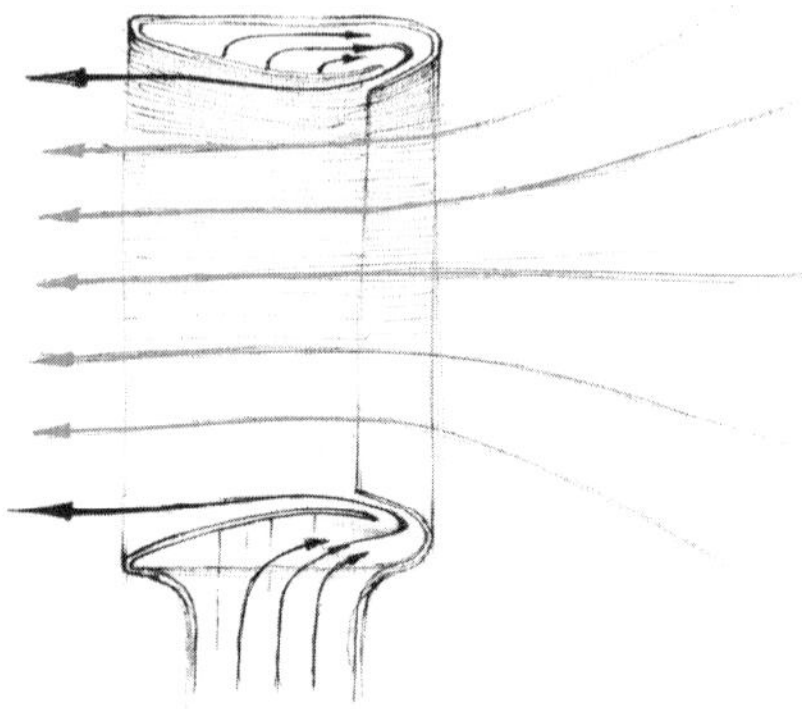

ダイソンの扇風機の仕組み
細い隙間から出てきた空気が
まわりの空気を巻き込む（コアンダ効果）

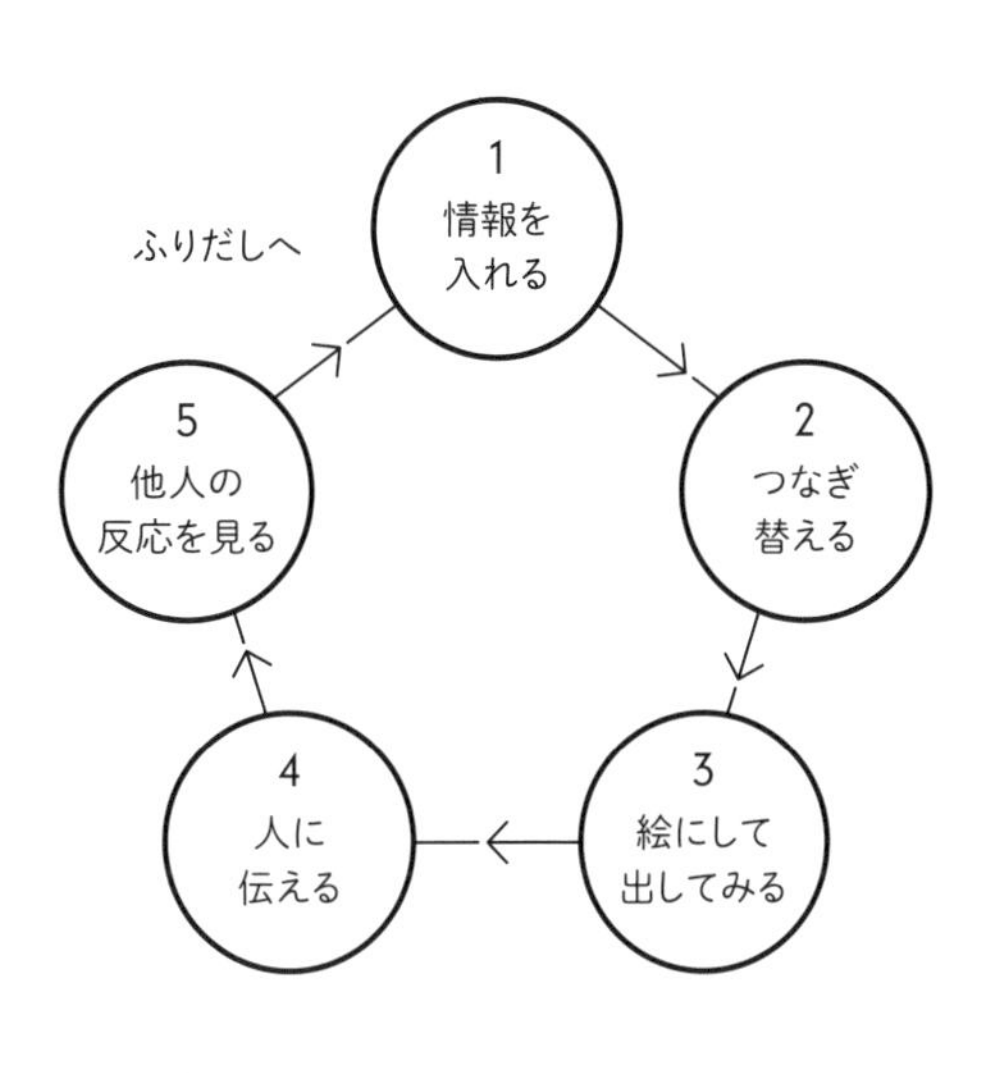

アイデアのための作業
このサイクルを繰り返す

まず、情報を頭の中に入れる。それから、その情報を一見関係がなさそうなものと結びつけてみる。それを絵に描いて人に見せる。そして他人の反応を見る。ここで新しい情報が生まれ、それをもとに、また組み合わせを考える。

この作業を通じて、頭の中に「入れる」情報で重要なもののひとつが、他人のアイデアです。他人のアイデアを見ることで、「だったら、こうもあるかな？」って、新しい組み合わせの可能性に気づく。このサイクルを何回か繰り返していると、きっと面白いアイデアに出会う機会がやってきます。

実習

情報を入れる

10 min

さて、情報を「入れる」からはじめますが、実はもうみなさんは、前回からそれをやっています。製品の分解と観察スケッチを体験してもらったのも、ものに関する大量の情報に触れてもらうためでした。前回、分解した工業製品と、自分が描いたスケッチを机の上に出してください。……あれ？　前は2日間続けてやったから、だいぶほぐれてきてたけど、また人見知りからやり直しみたいだね（笑）。

――（笑）。

ま、しょうがない。アイデアを出すためには、お互いに思ったことを自由に言い合える関係を作ることが大切です。そのためにも、今から10分間、チームの中で、前回のおさらいと情報交換をしましょう。ひとり1、2分で、自分が面白いと思った構造を他のメンバーに伝えてください。いいことを言おうとする必要はありません。ともかく私はこれが面白いと思ったんだ、で構いません。情報の質より、大量に交換することのほうが重要です。

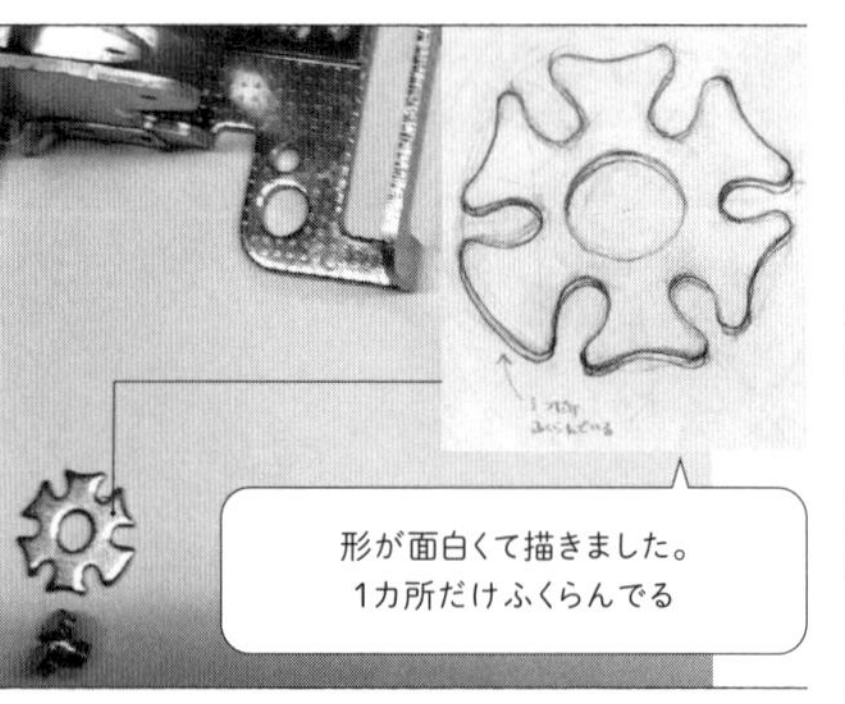

メトロノーム班のおさらい

……はい、おさらい終わり。

――前回から時間が経っているのに、スケッチした部分の構造を覚えていて驚きました。

言ったとおりでしょう。スケッチは記録のためだけでなく、記憶のためにするものなのです。では、ここから、インプットしたものをつなぎ替えていきます。

鍵盤が長さ1メートルだったら？　トイレについてたら？

これから、工業製品を分解して見えてきた仕組みを使って、別の生活用品を考えるっていうことを、僕がちょっとだけやってみます。

――別の生活用品？

え、どういうこと？　そもそもこれが生活用品じゃんって思うよね。

まずは鍵盤ハーモニカ。これは、鍵盤を押すと音が鳴る構造をしていますね。じゃあ、この構造を他のなにかに使えないか考えてみようっていうのが、これからの課題です。たとえば……鍵盤の、すげえでっかいのを作ったら、なにに使うと思う？

――でっかい鍵盤？

そう、長さ1メートルぐらい。それが目の前にあったら。まあ……とりあえず押してみるかもしれないけど（笑）。たとえば、座れるかも。

――ああ。

鍵盤が30センチ幅だったら座れるし、乗ることもできる。そうすると、踏むと音の鳴る階段があると面白いんじゃないかなって思うかもしれない。実際、銀座のソニービルというところには、下からドレミファソラシドって、音の鳴る階段があった（２０１７年3月閉鎖）。意外に楽しいもので、何度も往復する子どもを見かけたりもしました。

あとは、場所を変えて、違うところに持っていく。普通は教室で使うけど、これがトイレの壁についていたら、なんだと思いますか？

――ええ……？　なんだろう……。

トイレの壁に鍵盤がくっついている状況を想像しよう。押したらなにが起こるか。

――音が鳴る。

ザーッていう、いわゆる音消し機のかわりに音が鳴るかもしれない。

――（笑）。

もしかしたら、鍵盤で水を流せると便利かもしれない。ドの鍵盤が大、レの鍵盤が小、ウォシュレットもありか……とかね（笑）。いや、鍵盤が並んでいたら間違えるよ、ぜんぜん便利じゃないやって感じるよね。だけど、まずはこうやって、いろんな場面にずらしてみることが大事なんです。いいアイデアかどうかを考えるのは後でいい。ともかく広げてみる。

ちょっと鍵盤を押してみて。ぐにゃって、へんな感触だよね。この感触のスイッチって、他には意外とない。じゃあ、なんのスイッチにしたら面白いと思う？

——……自動販売機のボタン。

なるほど。でも、どうして自動販売機がいいと思った？　他にもいっぱいあるよね。

——自動販売機のボタンって、単調で、なんか面白みがないから。

いいね、すごくいいこと言ってる。絵に描いてみると、自動販売機にピアノのキーが並んでいて、押すとガコンと、なんか出てきます……。

——……。

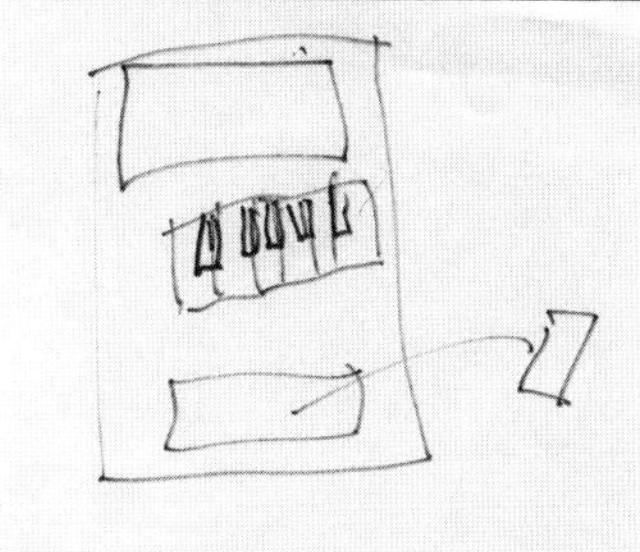

自動販売機に鍵盤がついていたら

「で？」って、それでかまわない（笑）。どこがすごくいいことなんだ？って思うかもしれないけど、偉大なアイデアは、しばしば「面白いかも？」から生まれます。

僕たちは日常的に、様々なボタンを押していますが、それぞれに理由があって感触が違う。電気のスイッチは押してあるかどうかわかるようにシーソー型で、しっかりした感触がある。リモコンは間違えてもあまり問題ないから簡単に押せる。電子レンジはうっかり押さないでほしいので、けっこう手応えがある。自動販売機のボタンは、手の塞がってる人が指以外でも押せるように、ちょっと大きい。

――確かにちょっとボタンが大きい……理由を気にしたこと、なかったです。

押し心地は自販機によって違うけど、ペコっとへこむものが多いかな。でも、本当にそれがベストなんだろうか。へこまないのはどう？　大きくへこんでグニャッと押せたら、カチッと押せたらどう？って考えてみると、今までとは違う生活体験ができるかもしれない。

鍵盤ハーモニカの鍵盤を他のなにかに使うなんて考えたことないけど、聞かれたのでしかたなく自動販売機って言ってみたのかもしれない。でも、大きさは案外合ってる。偶然でもいいんです。その偶然を重ねていくことが大事。数打ちゃ当たる。

アイデアが出たとか降りてきたとか言うけど、「作った」ってあまり言わないのは、偶然の要素が大きいからです。僕たちにできるのは、その降りてくる確率を上げることだけなんだ。

その確率を上げるために、今やってみせたのが「ずらし」で、これにはいくつかのパターンがあります。まず、仕組みや形を全然関係のないものに使ってみる。これを「用途の変換」といいます。次に、無闇に大きくしてみたり小さくしてみる「スケールの変換」。それから、使う場所や時間を変えてみる「環境の変換」。教室で使うものを山で使ってみるとか、夜寝る時にベッドで使ってみるとか。あとは「材料の変換」、かたいものが柔らかいものでできていたら、とかもある。

ずらし方にもいろんなバリエーションがあるので、自分で広げて編み出してみてください。

郵便はがき

料金受取人払郵便

神田局
承認

4356

差出有効期間
2023年10月
25日まで
(切手不要)

101-8796

507

東京都千代田区
西神田3-3-5
朝日出版社
だれでもデザイン
編集部 行

ご住所 〒 TEL		
お名前(ふりがな)	年齢 歳	性別 男 女
Eメールアドレス		
ご職業	お買上書店名	

※このハガキは、アンケートの収集、関連書籍のご案内、書籍のご注文に対応するためのご本人確認・配送先確認を目的としたものです。ご記入いただいた個人情報はご注文の書籍を発送する際やデータベース化する際に、個人情報に関する機密保持契約を締結した業務委託会社に委託する場合がございますが、上記目的以外での使用はいたしません。以上ご了解の上、ご記入願います。

001255

だれでもデザイン

ご購読ありがとうございました。みなさまのご意見・ご感想をお聞かせいただきたいと思います。ぜひアンケートにお答えください。

1. この本を何でお知りになりましたか?

□書店で見かけて
□書評を読んで（新聞・雑誌名　　　　　　　　　　　　　　　　）
□広告を見て（新聞・雑誌名　　　　　　　　　　　　　　　　　）
□ウェブサイトを見て（サイト名　　　　　　　　　　　　　　　）
□その他（　　　　　　　　　　　　　　　　　　　　　　　　　）

2. ご意見・ご感想をご自由にお書きください。

3. 機会があれば、ご意見・ご感想を新聞・雑誌・広告・弊社ホームページなどで匿名にて掲載してもよろしいでしょうか?

□はい　　□いいえ

ありがとうございました。

ビジュアルも一緒に、次から次へと

アイデアを考える時には、ビジュアルも一緒に考えてみましょう。言葉だけで考えても曖昧なままだったりするけれど、考えたことを絵にしてみると、途端にくっきりするし、自分自身でも、それがどういうアイデアなのかを確認することになる。描いてみると、案外つまらなかったりすることも少なくないけど、意外な面白さに気づくこともある。

そして、スケッチには、アイデアを他人に伝える役割もあります。絵にして人に見せれば、そのアイデアの輪郭みたいなものを共有しやすくなります。人に伝えようとすると自分の頭の整理にもなるし、他人のアイデアを見せられると、急に新しいアイデアが浮かんだりもする。

今回は、うまく描くことにこだわらなくてかまいません。形を描くことに手間どると、元のアイデアが変質したり消えてしまったりします。アイデアは曖昧で儚(はかな)いものなので、「あ！面白いこと思いついた」っていう瞬間に、ささっと描いて人に伝える。そういう即興性を手に入れるためにも、普段からスケッチの練習をしてほしいけど、道具として使い始めたら、あまり道具のほうを見ないほうがいい。練習でラケットの振り方を研究するのは大事だけど、試合が始まったら相手とボールを見なさいって話です。

実習

分解したものから、どんな日用品を作れるか描いてみよう

10 min

じゃあ、やってみましょう。今、手にしている部品たちを眺めながら、これを全然違うことに使ってみたら、大きさを変えてみたら、違う素材でできていたら、違う場所で使ってみたらって想像してみる。工業製品の一部、あるいは全体。触わり心地、素材感、仕組み、なにを使ってもいい。そこからヒントを得た日用品、椅子でも建物でも乗り物でも文房具でも、これがなにかに使えるんじゃないかなっていうアイデアを、スケッチしてみてください。

できる限り簡単なスケッチで、でも、見た瞬間、「ああ、そういうことね」ってわかるということだけは意識して描いてみてください。

── 漫画みたいな簡単なスケッチで、アイデアを描くっていうことですか。

そう。小さな紙にサインペンで描きましょう。絵を描く時は大きいほうがいいって1日目に言ったけど、それは練習の話（56ページ）。対話用の絵は小さいほうが、ささっと描けていい。鉛筆だと薄くてパッと伝わらないから、サインペンでガシガシと描く。

今から10分間で、できる限りたくさん描いてみてください。3枚は必ず。できれば5枚、10枚描いてくれるとうれしい。色もたくさん使っていいよ。

── うーん、なにを描けばいいんだろう。メトロノーム以外の使い道が全然……。

役に立たなくていい。こういうのがあったら面白くない？って。メトロノームに人が乗ってたら、メトロノームが紙でできてたら、海の中にあったら……それでいいんです。

アイデアを考える時の基本は、あまり長くひとつのことを考えず、次々に出すことです。そうじゃないと比較できない。たとえば、どこに行こうかと相談した時、その人が1時間じーっと考えて「ディズニーランド」って答えたらもうそこに行くしかなくなる（笑）。最終的には行き方や予算、なにをするかを詳しく計画するとしても、最初は時間をかけないほうがいい。たくさんのアイデア、突拍子もないアイデアを次々に出してみる。

普段、勉強をよくしている人たちは、時間内に正しい答えを出すための方法を考えるのに慣れていると思う。でも、ここでは正解はありません。バカな答えでいい。くだらない答えでいい。目標はへんなアイデアを出すこと。極端に言うと、人の笑いをとることでかまいません。

それから、スケッチでアイデアを伝えるコツをひと

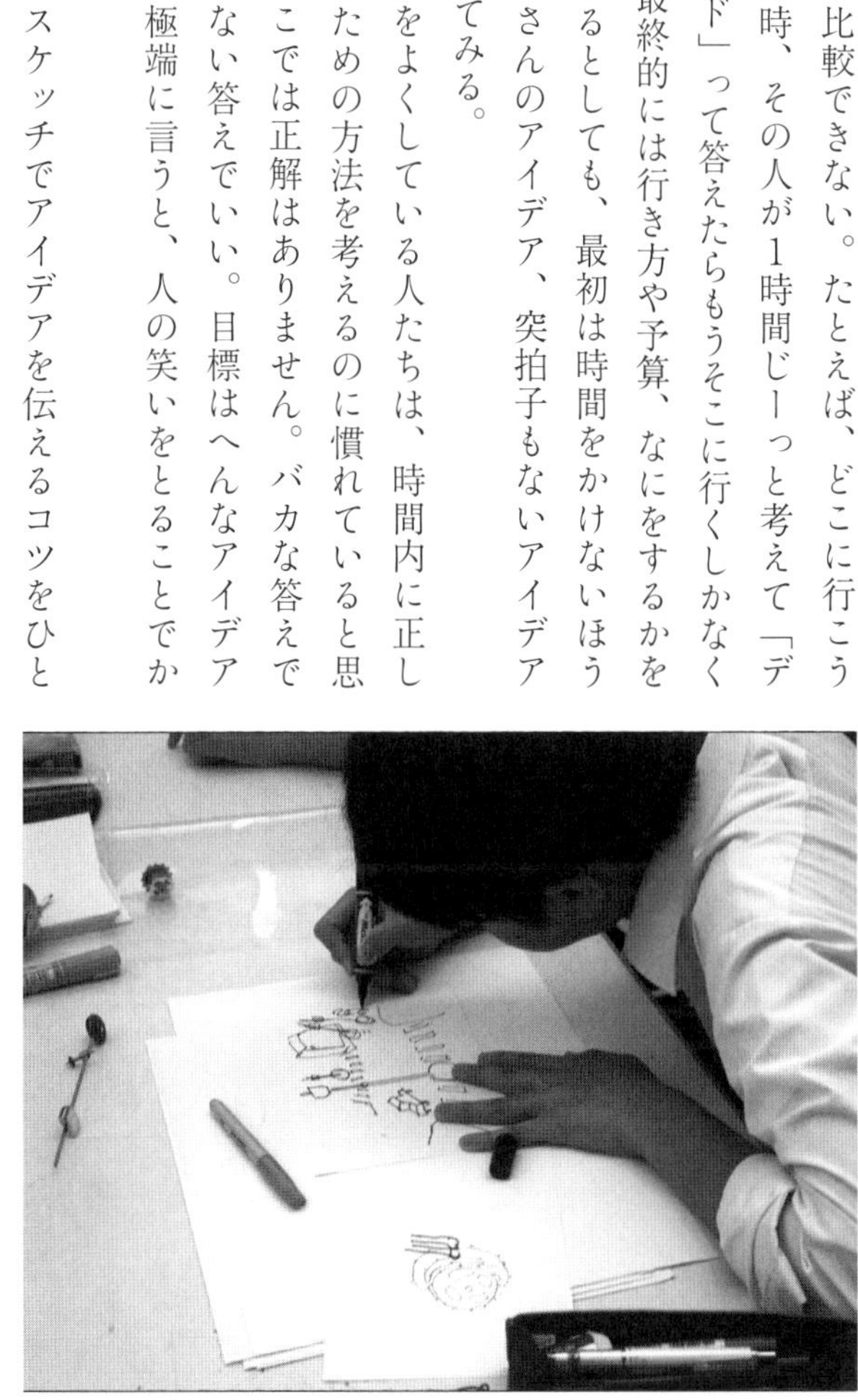

メトロノームでなにを作るか……

つ伝授すると、シーンを描くことです。思いついたものの形だけじゃなく、使っている情景を描く。一緒に人や人の手を描いてごらん。だいぶ伝わりやすくなるから。

……さて、そろそろ描けたかな。じゃあ、描いたものを全部、見えるように並べよう。

――ちょっと思い浮かばなかった。

――私も……無理やり描いただけで。

最初はそんなもんです。でも、僕が予想してたより、ずっとアイデア出てるじゃん。

実習

アイデアを人に伝え、人の話を聞いてスケッチを増やす

10 min

では、これから、他のメンバーに自分のアイデアを説明してください。できるだけクイックに、1枚、30秒ぐらいで簡単に説明する。グダグダでもかまいません。

他のメンバーは、その話を聞いて、わからなかったら、どんどん質問してください。なにか思いついたらすぐに絵を描いてみて、スケッチを近くに増やしていきましょう。

ひとつだけ気をつけてほしいのは、他人のアイデアを批判しないこと。ネガティブなことは言わない。あんまり面白くないとか、不便かも、とか余計なことは言わない。この段階では次につなげることだけを考える。だから「だったらこうしたら？」は大歓迎です。

じゃあやってみようか。スタート。

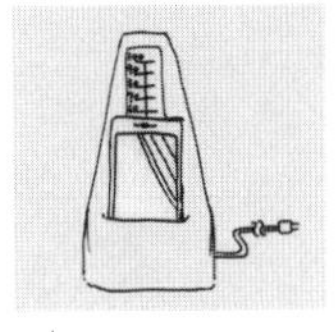

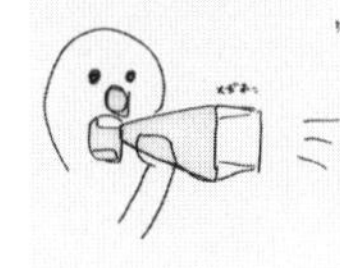

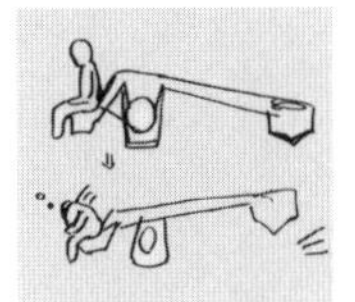

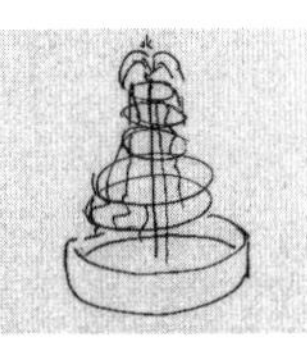

スマホの充電器。
何パーセント
充電できたか
メモリでわかる

メガホン
だったら
すごい大きい声
出せそう

ベルを鳴らす
ところを大きくして
バランスを崩すと
チーンと鳴る

歯車を
噴水にする

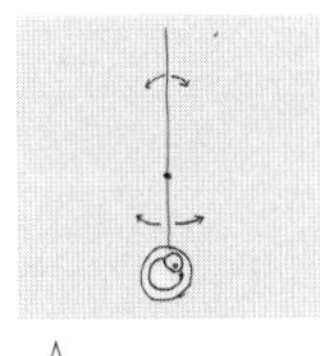

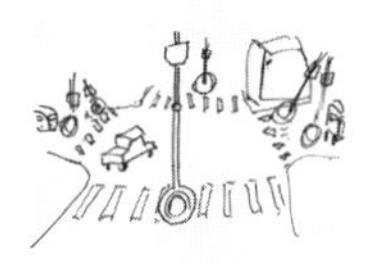

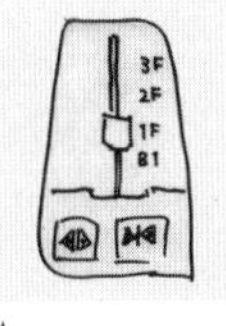

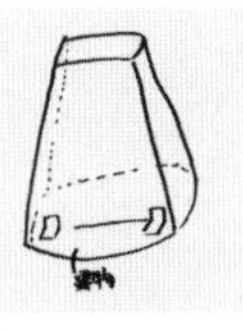

輪の中にミロと
牛乳を入れて
好きなテンポで
かきまぜる

横断歩道で
信号のかわりに
振り子が振れる

エレベーターの
階を指定して、
着いたらチーン
って止まる

音が響くように
作られているから
コンサートホール
みたいにする

メトロノームでなに作る？
自分のアイデアを人に伝え、人の話を聞いてスケッチを増やす……はい、おしまい。時間短かったねえ。でもそれでいいんです。

これは、絵を使ったブレーンストーミング（脳のかき回し。以下ブレスト）といわれるもので、アイデアメイキングでよく行われる方法です。ブレストは、他人の頭を借りて考えることでもある。ひとりで考えるより、いいアイデアが降りてくる確率がグッと上がるから。

実習　アイデアに投票する

では次に、たくさん出たアイデアに投票します。今から配る、ハートの形に穴が空いたプラスチックのコインを、ひとり2枚ずつ、手にとってください。

――こういうのがあるんだ。かわいい。

このコインは、今いる部屋を一緒に作った大学、ロイヤル・カレッジ・オブ・アートで開発されたものです。さすが美術学校で、自分たちが使う道具を自分たちで作っちゃう（読者のみなさんは、手作りでコインを作ってもいいと思いますが、付箋などで代用してもいいです）。

ハートのコイン

さて、このコインを、「これが好き」「このアイデアが面白い」って思うアイデアスケッチの上に置いていってください。すごく良いアイデアに絞り込む必要はないです。自分のアイデアでも他人のアイデアでも、なんか好き、なんか印象に残ったっていうものに置いてみて。

……だいたい投票できたかな。ちなみに、自分のアイデアに投票されなくても気にする必要はありません。ここで出てくるアイデアはチームの共有財産だし、この時点でいっぱい投票されたものが良いアイデアとは限らない。ただ、これでみんなの関心を確認することはできました。それを軸にアイデアを整理してみましょう。

実習

アイデアの地図を作る

人気のあったアイデアを真ん中に置いて、それと似ているアイデアを近くに置きます。そうやってグループを作る。関連のないアイデアは少し遠くに、それに似たアイデアがあれば同じように近くに置く。これをマッピングといいます。机の上がアイデアの地図になるんです。

地図ができると、いろんなことがわかってきます。まず、

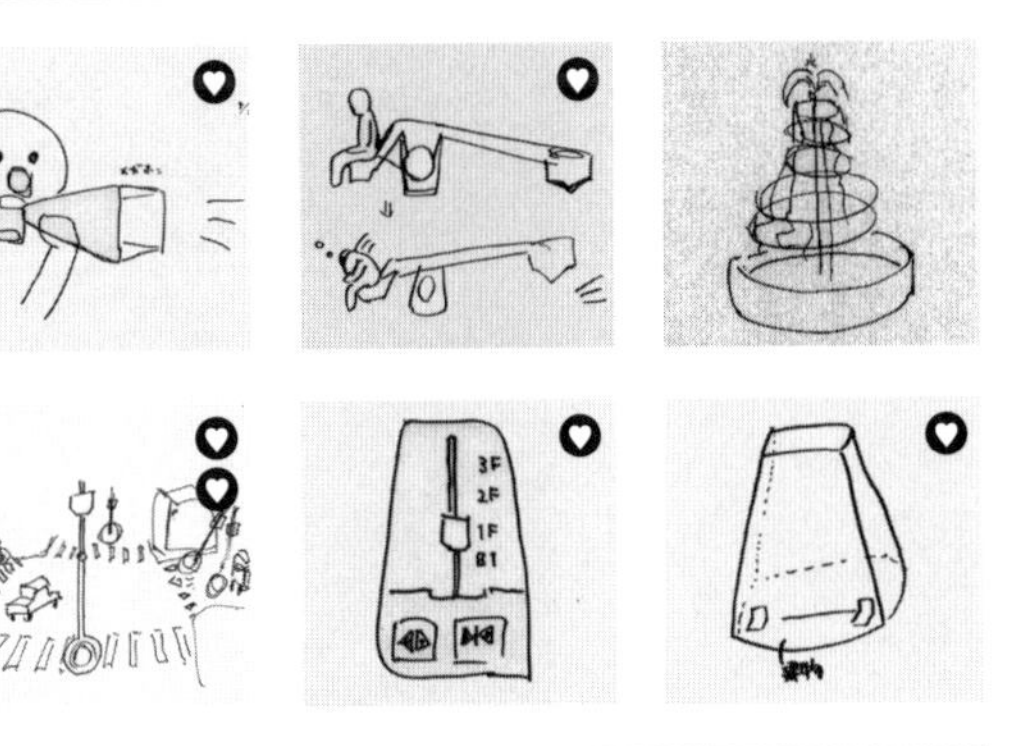

「なんか好き」に投票してみよう
ハートのコインを気に入ったアイデアの上に置く

自分たちが、なにに注目してきたか。一番アイデアが集まっているところが、チームメンバーに共通する関心事です。「みんな○○好きだなー」「やっぱり、これは気になるよね」って確認できる。

それから、アイデア同士の距離や関係が見えてくる。「近いところばっかり」とか、「このアイデアは他と全然違う」とか。そして空白地帯。この部分については、まだ誰も考えていないんだって見えてくる。

ここで作った地図が、みんなのアイデアの領土です。これから領土を広げていきましょう。

——……？　広げるってどういうこと？

アイデアの領土を広げる方法は、2つあります、ひとつは街を発展させること。みんなが票を入れたもの、関心が集まっているところがアイデアの「街」です。そこを充実させましょう。似たアイデアをさらにどんどん出して、街を大きくしていく。

もうひとつは、空白地帯となっている未開の地の探索です。まだ誰も関心をもっていないところに着目して、アイデアが見つからないか考えてみる。もしかすると石油を掘り当てられる

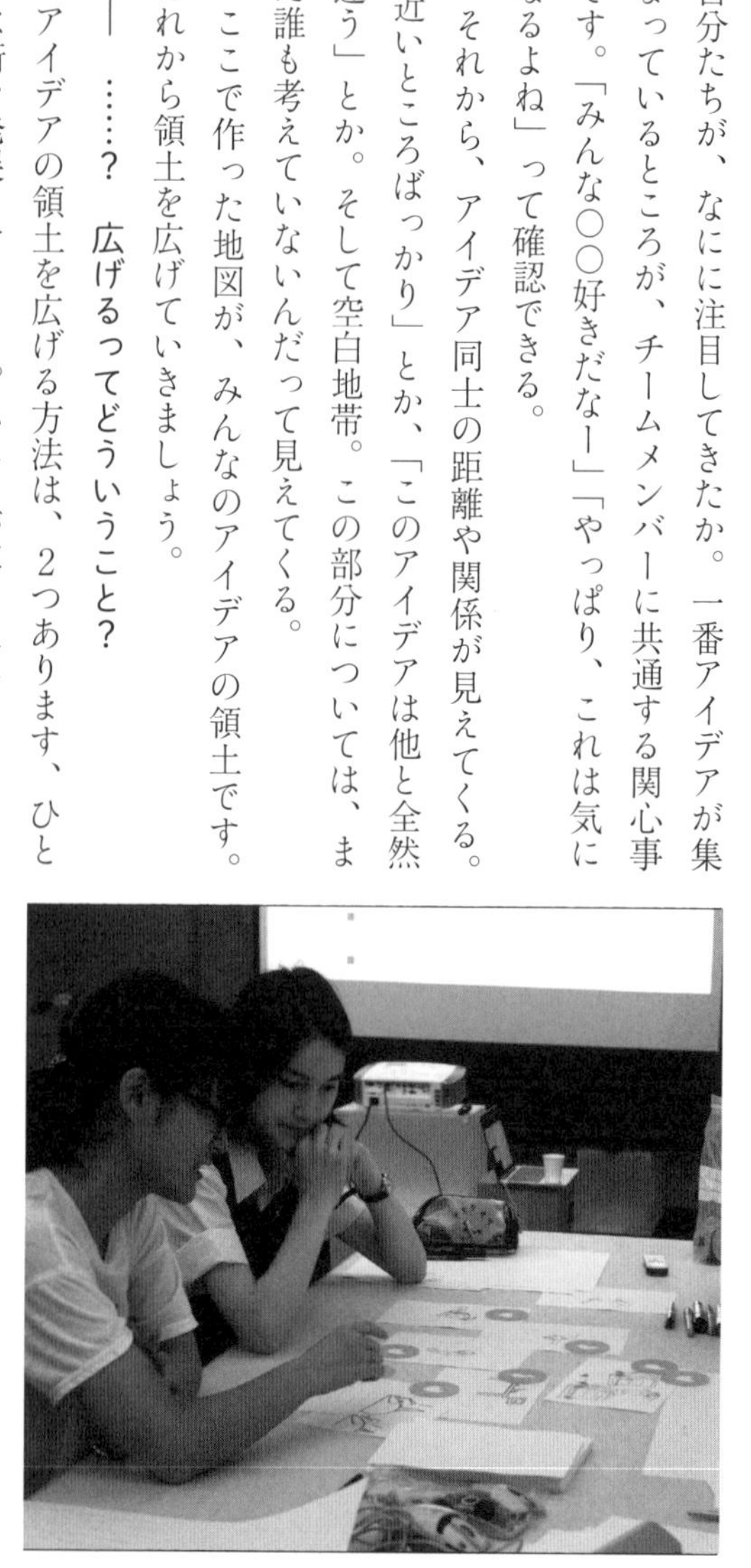

投票で、みんなの関心を確認する

かもしれません。そうしたら、その周辺でいくつもアイデアが湧いて、たちまち「街」になる。

　誰も投票しなかった案も大事にしてね。後で生きてくることもあります。他と関係のないポツンとしたアイデアがあってもいい。すぐできそうとか、役に立ちそうって思えるアイデアは票を集めやすいけど、実はどこかで誰かがもう考えていて、既にあるものに行きつくことも少なくない。だからこの段階では、突拍子もないアイデアも大事にしたいんだ。突拍子もないということは、新しいものを生み出す可能性もあるということです。

　メトロノーム班［下の図］は、けっこう票が割れたね。メモリと音響空間、

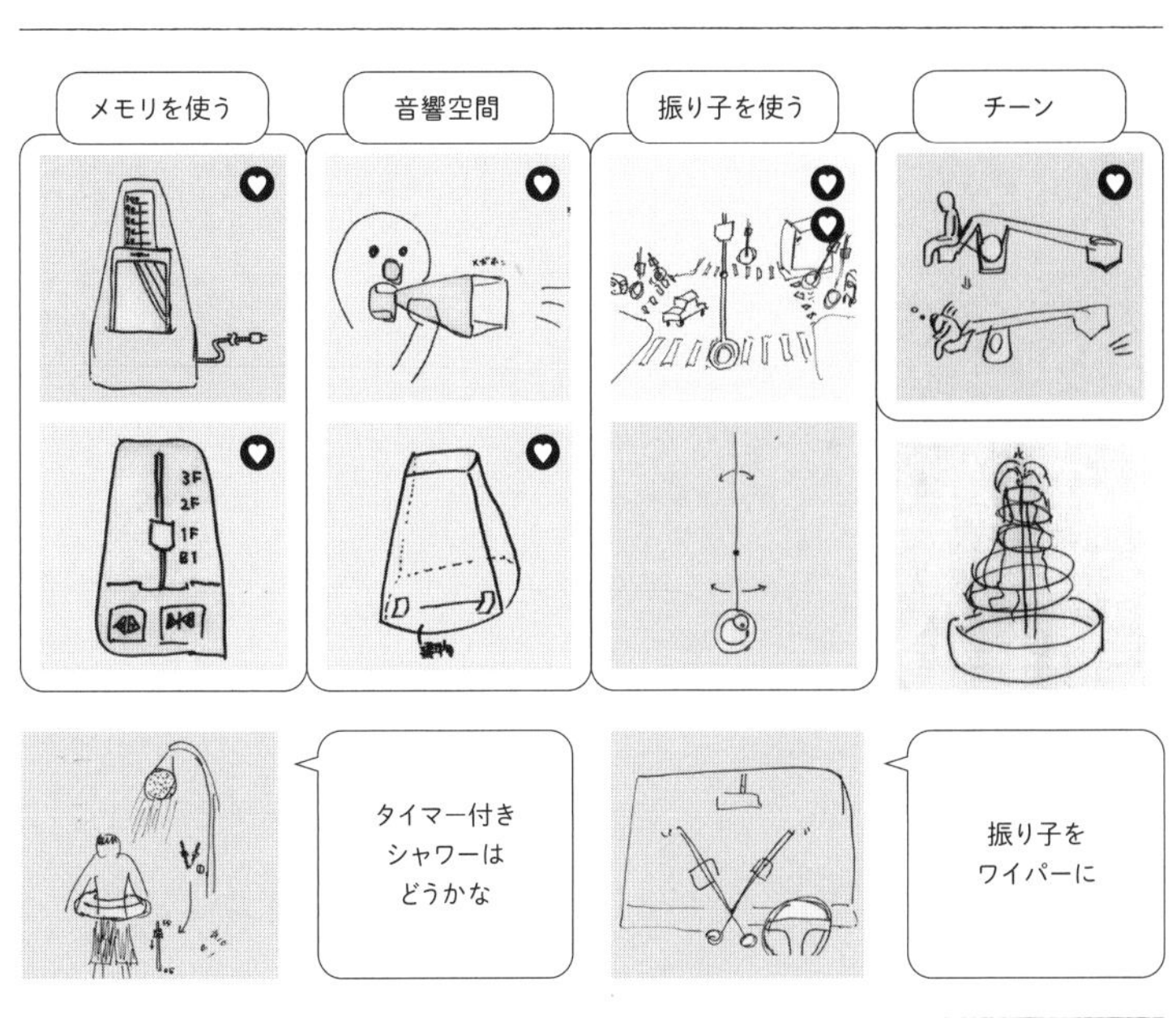

アイデアの地図を作る
票の集まったアイデアがなにに着目しているかを整理し、
それに近いアイデアを増やしていく

振り子を使ったアイデア、それからチーンと鳴るものと……。大まかに整理して、そこから、それぞれのアイデアをふくらませて、領土を拡大してみよう。

場所を変えるカード

行き詰まったら、こんなものを使ってみるのもいいよ。Think context、状況を考えてみようっていうカードで、車やオフィス、地下、キッチンとか、いろんな場所が書いてある。このカード、それぞれのアイデアとでたらめに組み合わせて、場所をずらしてみる時に使う。

――シチュエーションごとに。

そう、偶然を引き起こしてゲームみたいに考える。カードをひいてみると……宇宙だ。

――ええ？

宇宙だったらどんなことがやれるだろうって考えてみる（笑）。

場所の変換の実例として、またダイソンの製品の話をしましょう。この授業ではダイソンがよく出てくるね。まあ、僕のお友達でもあるので詳しいことを知ってるんです。

宇宙だったらどうする？
Context Cards
©2015 Yoon Bahk and Miles Pennington

創業者であるジェームズ・ダイソンさん（ちなみに、ロイヤルカレッジ・オブ・アートの卒業生です）が、4章（162ページ）で話した、遠心分離の仕組みを使ったサイクロン掃除機を思いついた場所は、若い頃にたまたま通りかかった製粉工場でした。

ダイソンさんは、小麦粉を作る工場の中でも一際目立つ、すり鉢状の構造に興味を持ちました。それは、小麦を殻ごと挽いた茶色い粉から、小麦粉だけを取り出す仕組みでした。挽いた茶色い粉を空気ごとポンプで送って、漏斗みたいな大きな器の中に壁に沿って送り込む。すると、粉と空気は一緒になって、ぐるぐる渦になるのですが、殻より重い粉だけがまわりに振り飛ばされ、壁に激突して、白い粉になって降りてくる。殻は空気と一緒に出て行っちゃう。

その仕組みを見て、掃除機に使えるんじゃないか？って、ダイソンさんは考えたんだ。それが、従来の網目でゴミをとるのではなく、グルグル回して遠心力で取り除く画期的な掃除機の開発につながった。それが目詰まりが原理的にない「吸引力の落ちない世界で唯一の」サイクロン掃除機の発明。典型的な「ずらし」の成功例です。

ミニ講習

アイデアをふくらませる

鍵盤ハーモニカでなにを作る？

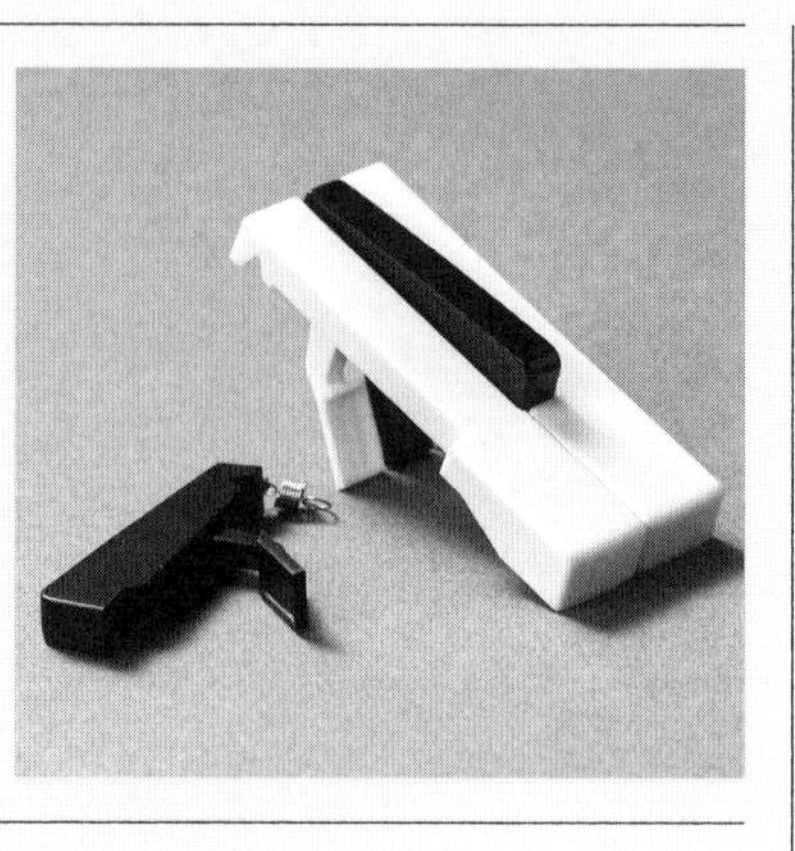

この班で票が集まったアイデアは、鍵盤の形のペンと、パソコンのキーボードが鍵盤だったら、というアイデアですね（下の絵）。

鍵盤がへんなところについていたらっていうアイデア、もうちょっと増やしてみよう。

他のものを見てみると……鍵盤がくっついているものが多いけど、僕、けっこう水道（下の絵）は好きだな。

——**水道の蛇口で、押したら水が出てくるみたいな。**

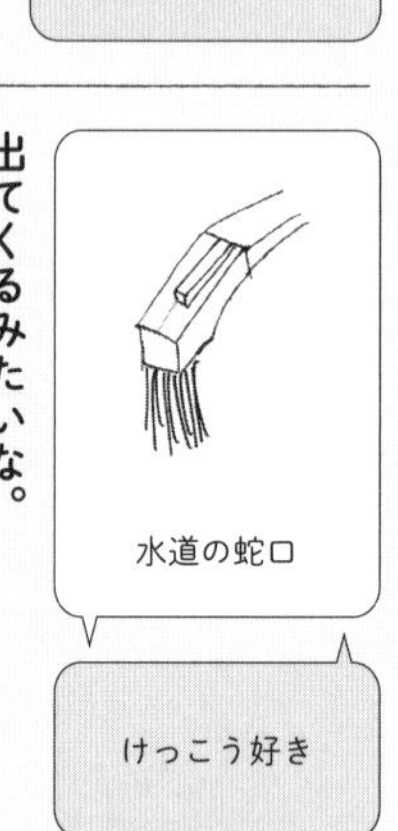

鍵盤ハーモニカと水道って「流れ」を扱ってる点で同じなんだ。空気と水の流れ。だから両方に「バルブ」と呼ばれる、流れを止めたり開いたりする仕組みが存在する。このアイデアを出した人はなかなか科学的なセンスがいい。

ペンは想像してなかったけど、形から違うものにしてみるのも重要な「ずらし」の手法です。黒鍵の形が魅力的だなっていうのは着眼点として悪くない。……こうやって並べると、ちっちゃい鳥と大きい鳥みたい。このこと自体がピアノや鍵盤ハーモニカの隠された構造のひとつで、鍵盤の下の部分を支点にしたテコだよね。

あるものが他のなにかに見える、あるいは意識的になぞらえる。これはアイデアを得るための基本思考のひとつでアナロジーと呼ばれます。

――**描けないんだよなあ……。頭の中に出てるんだけど、描けない。**

いろんな細部を丁寧に見てみて。場所をスイッチするThink contextカードを引くと……バス。バスで使えるものを思いつく限り出してみよう。

――**バスのボタンをキーボードにして、いろんな音が鳴る。**

バスとか電車にこういうふうに線を引いただけでかわいいかも（笑）。

次のカードは……オフィス。

オフィスは、一般的に楽器とは相性が悪いけど、なにがあるだろう。

――**鍵盤のマウスとか。**

これ、単純に売れるかも。ツーボタンが黒鍵になってるマウスはかわいい［下の絵］。

鍵盤ハーモニカの図像や構造、いろんなものを拾ってみて、シチュエーションが変わるたびに、なにかに使えないかなって考える。

仕組みにも戻ってみて。2日目に一緒に見た（169ページ）鍵盤の下に空気が入る仕組みや、バネが一個ずつについていて、押した鍵盤を戻している機構をなにかに使えないかなって考えてみよう。

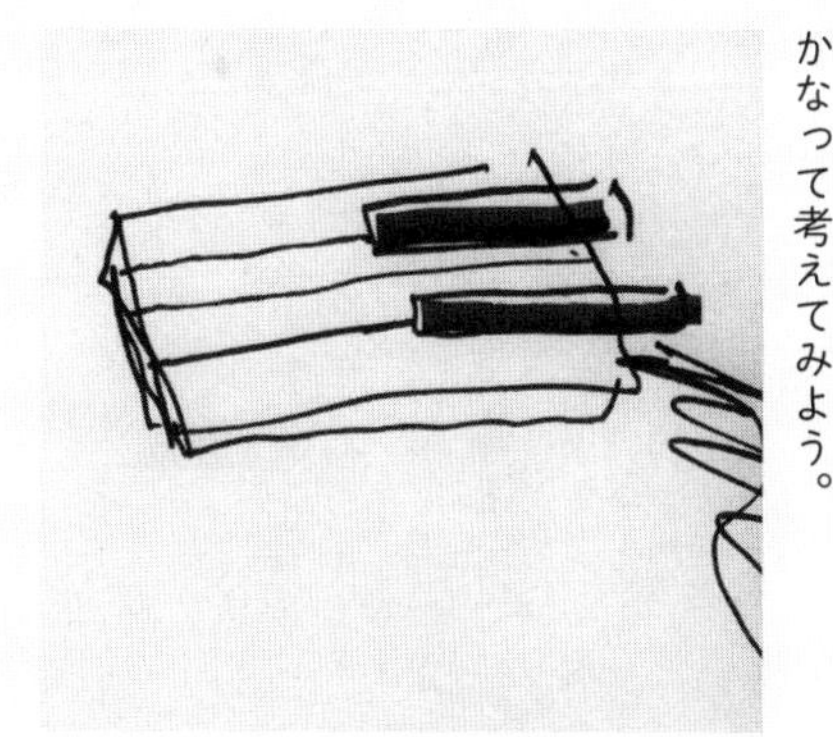

思い思いの方向に走って違いを楽しむ

ここまで、ぎりぎりと頭を使ってみました。まあ、短時間でアイデアをたくさん出せって言われるのは、ある意味苦行だよね。頭をかきまぜる努力はしてみたと思うけど。

——ある仕組みを、他のものにつなぎ替えるというのが、すごく難しかったです。どうやったらそういうことが得意になれるのかな……。

まさにそれが訓練だからなあ……。あえて言うと、画期的なことを考えつく人っていうのは、大体変人に見えます。なぜなら、みんながスルーするところに引っかかって、興味をもったり疑ったり、その先のアイデアを考えたりするから。その結果、へんなところで立ち止まったり、うわの空だったり、急にいなくなったりする。独創的なアイデアを生み出す人は、普段の行動も独創的なのです。みんなも変人になることを恐れないでください（笑）。

——はじめはコントローラーの部品を見ても、ただ、ボタン、モーターとしか見れなかったけど、感触、形だけを取り出してみると全く違うものになったり、様々なジャンルのアイデアが出せることに驚きました［左ページ］。アイデアって、日常に隠されているのかなと思いました。

そうです。その、なんでもないところにアイデアがあるっていう意識をもつことができれば、あなたも変人、じゃなくて独創的な人の仲間入りです。

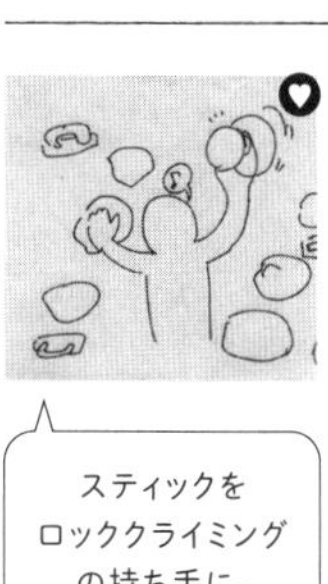

スティックを
ロッククライミング
の持ち手に。
ちょっとグラグラ

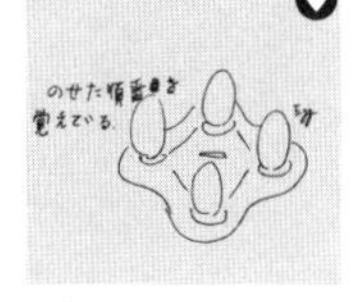

ボタンの裏側が
くぼんでいるから
卵ケースに

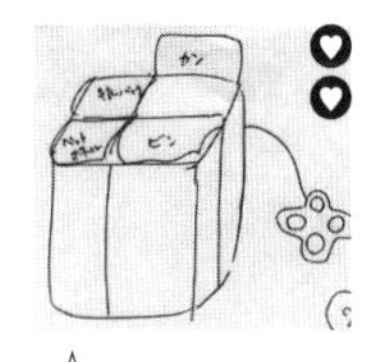

ボタンをふむと
分別できる
ゴミ箱

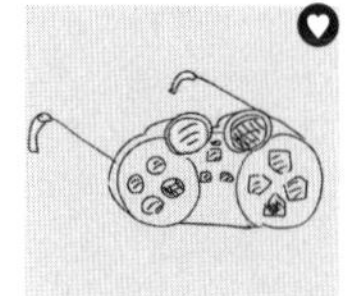

メガネにしたら
良い形かなと。
いろんな世界が
見える

持ち手の曲線が
座ったら
気持ちよさそう

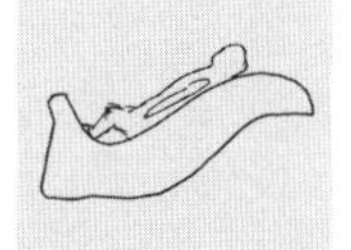

持ち手を反対にして
ソファベッドに

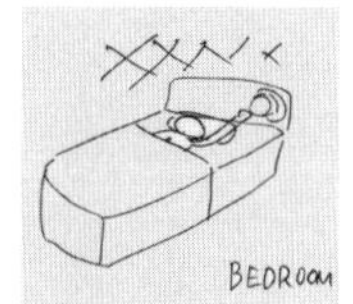

ベッドの中に
振動するモーターが
入っている

スティックを
イスにして
姿勢よく座る

コントローラーでなに作る？
どこに着目しているアイデアか整理し、話し合いながらスケッチを加える

――行き詰まると、話し合いがはじまって進んでいくのが面白かった。他の人と話し合う時のコツみたいなものがあったら知りたいです。

人のアイデアは、その人の価値観や願望に基づいていて、それは、大体自分とは違うものです。その違いを「なに言ってんだこいつ」って否定しないで、「おもしれー」って思ってください。その人が、どうしてそんな考えに至ったのかを考えてみましょう。それはある意味、他人を尊重するということでもあります。

それから、決して人に勝とうとしないでください。ここでは、同じ方向に走って競争することは求められていません。思い思いの方向に走って、それぞれの人が見つけた場所を共有して、面白そうだったら一緒に走る。そういうプロセスなんです。

これまでやったこと、アイデアを絵にするのも、人と話し合うのも全部、頭の中をつなぎ替えるためのプロセスです。脳内だけでは広がらないアイデアを外に出すことで拡散させます。

企業でも、デザインチームはいつも、自分のアイデアスケッチをメンバー全員がよく見えるところに貼ります。慣れないと気恥ずかしいけど、デザイナーたちは、それを見た人とあれこれ言い合うことから、次のアイデアが生まれることをよく知ってる。だから、くだらないアイデアでも堂々と貼る。で、通りかかるたびに人のスケッチについてもあれこれ口を出す。

だから、みなさんもウケなかったアイデアをしまい込まないでください。机の上に広げたままにしておく。それが「創造的な場」につながるんです。

賢そうなロボットって、どんなもの？

今日は冒頭でロボットを紹介しましたが、後半のレクチャーに入る前に、僕がデザインしてきたロボットたちを紹介しましょう。どんなふうにアイデアと出会ってきたかを思い出しながら話します。

これは2001年、僕が最初に作ったロボット、「Cyclops（サイクロプス）」です。サイクロプスというのはギリシャ神話に出てくる一つ目の巨人で、人を喰っちゃう恐ろしい怪物（神）ですが、このロボットは、突っ立っているだけでなにもしません。副題は「睥睨（へいげい）する巨人」。睥睨って「（威圧するように）周囲を睨（にら）みまわす」という意味で、僕は時代劇の戦記物で、強い武将が名乗りを上げた後、敵を威圧するように睨むシーンでこの言葉を覚えました。人が来るとそっちをじっと見るロボットなんです。

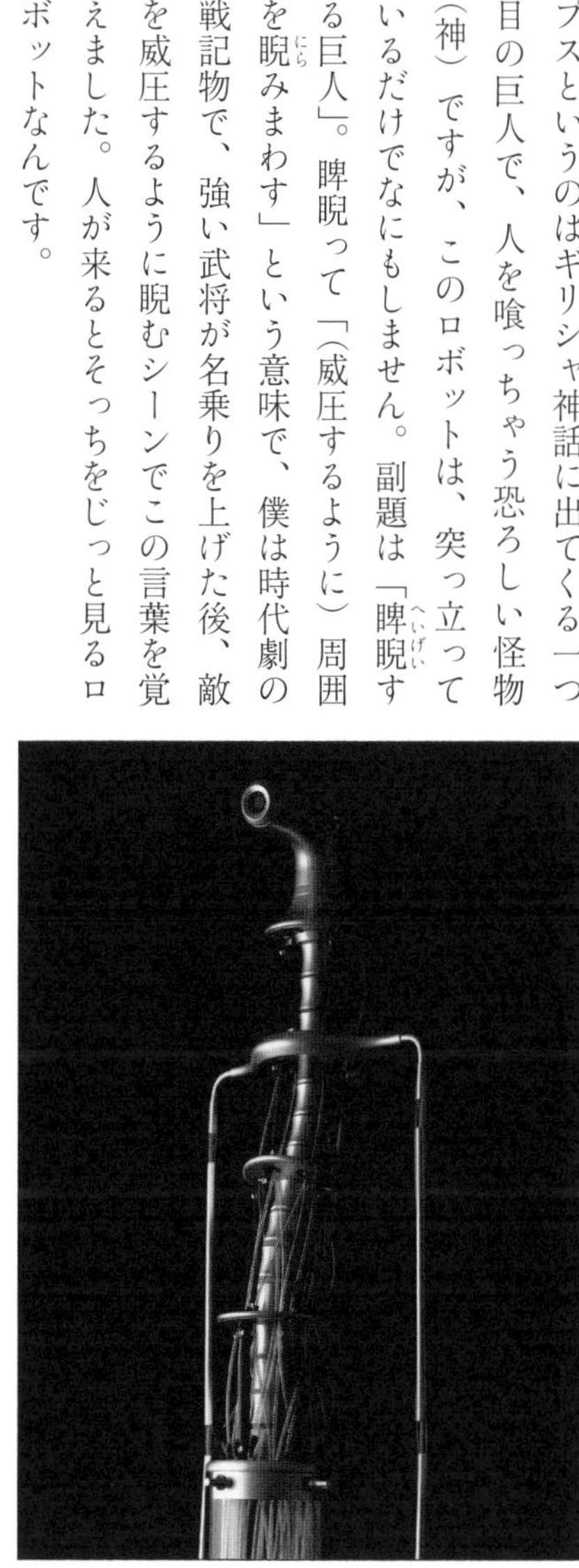

Cyclops

このロボットを作るきっかけは、お台場にある、日本科学未来館のオープンでした。オープニングイベント用にロボットをデザインしてくれないか、「今までにないロボットであれば、どんなロボットでもいい」という依頼があったんです。めっちゃ難しい依頼ですよね。

まず、世の中にどんなロボットがあるかを調べるところからはじめました。当時は、アシモの原型となる、歩くロボットが世の中に出始めた、最初のロボットブームの頃です。展示会を見に行くと、様々なロボットが歩いたり手を振ったり、話したりしていました。そんなロボットたちを見て、僕はなんか違うって感じてた。「あんまり賢そうじゃないな」って。

それから、ロボット研究者にも会いに行きました。そのひとりが、東京大学の情報システム工学研究室（井上博允・稲葉雅幸研究室）の稲葉雅幸先生です。稲葉先生の研究室でも最新鋭のヒューマノイドロボットをはじめ、様々な「よく動く」ロボットを見せてもらいましたが、僕が目をつけたのは、ちょっと違うものでした。

研究室の棚の一角に、人の骨格模型の背骨の部分と、そのまわりにたくさんの黒い紐のようなものを取り付けた不思議なオブジェを見つけたのです。ＳＦに出てくる人造人間の成長途中のような異様な迫力があった。「これはなんですか？」って聞いてみると、背骨をもったロボッ

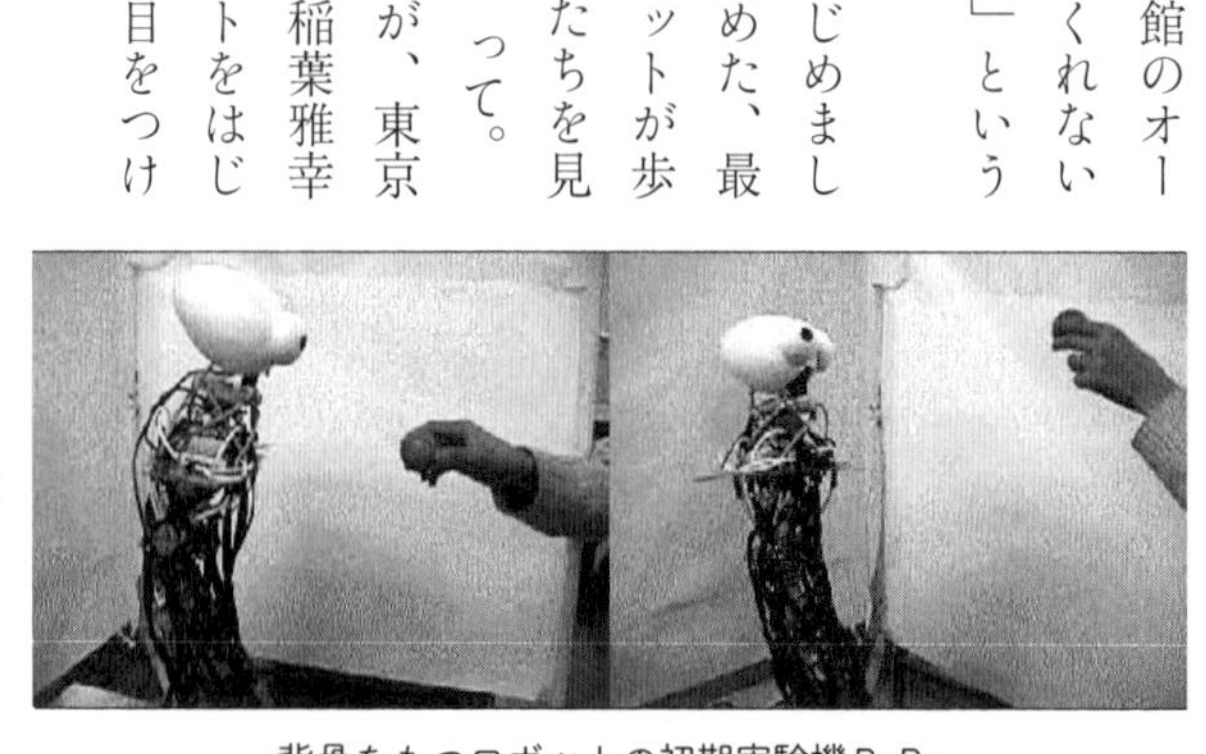

背骨をもつロボットの初期実験機BeBe
赤い色が視野の中心に来るように背骨を変形させる
写真提供：東京大学 大学院情報理工学系研究科 情報システム工学研究室

トの研究段階の実験機だと［右ページ写真］。頭部にはカメラがついていて、赤い色を抽出し、それを追うように背骨を変形させる。実験体のまわりに巻きついた黒い紐は、空気圧で駆動する人工筋肉でした。少し前の研究で埃をかぶっていましたが、僕には宝物に見えた。

それと、稲葉先生の過去の研究で、もうひとつ、僕が面白いと思ったものがありました。それは、人のほうを向くカメラです。今でこそ監視カメラなどに使われているので珍しくありませんが、当時は最先端の技術でした。カメラが人のほうを向く、それだけのことですが、人が来たことに気がついたって感じがして、とても賢そうに見えた。

そこで、その背骨に、人のほうを向くカメラを組み合わせたものを作ろうと思ったんです。で、下のスケッチを描いた。人間の背骨は球体関節がいっぱい重なり、そのおかげで自由に曲がりますが、それと同じような構造の背骨の上にカメラ乗っけただけのロボット。もちろん、歩くことはでき

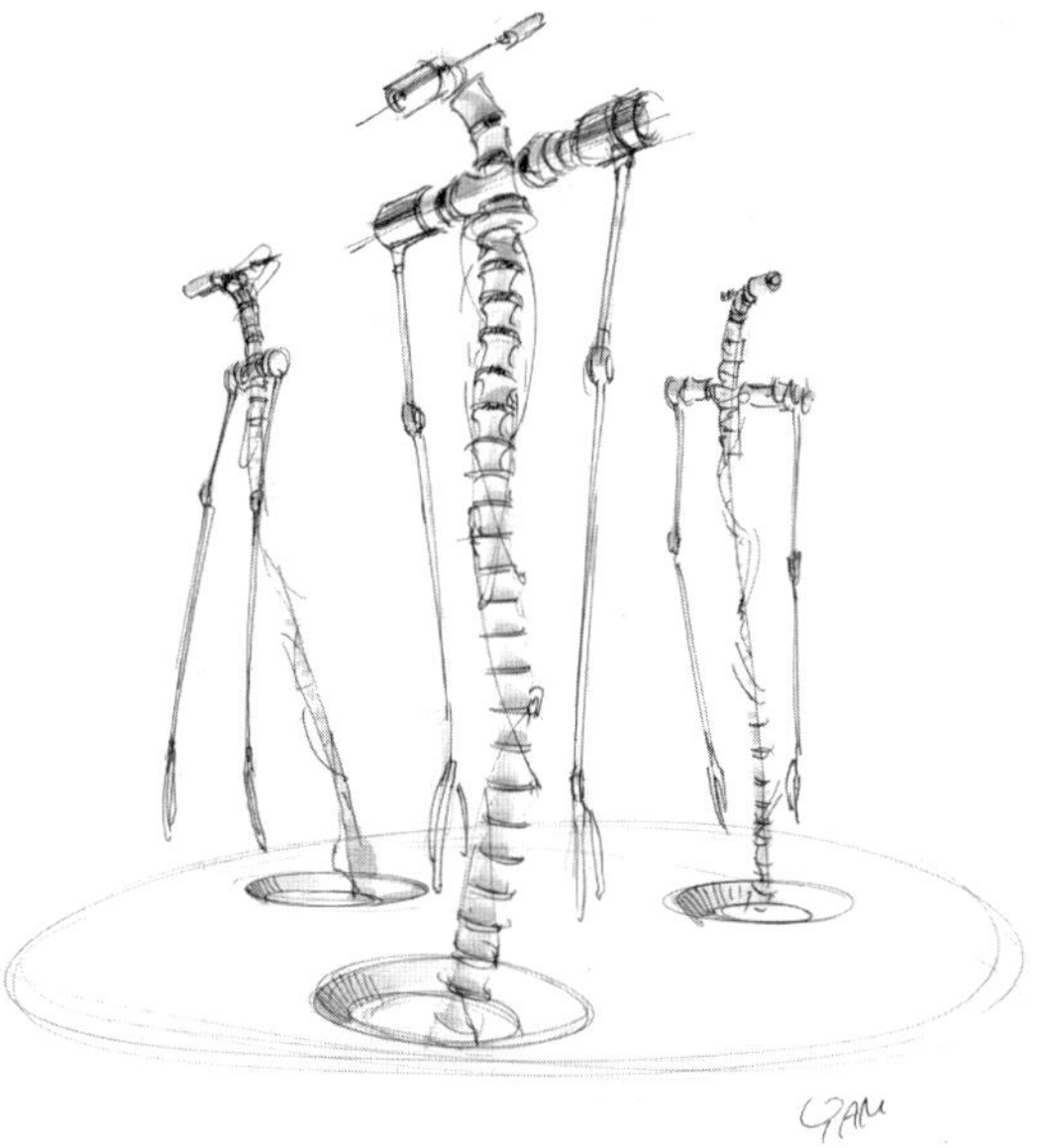

背骨の上にカメラを乗せたロボット

ません。

このロボットは、なにもしないで突っ立っていて、人が来ると体を捻ったり曲げたりしながらそっちを向く。人が動けば目で追う。日本科学未来館の展覧会で、来場者たちは、サイクロプスが動くものに反応するとわかると、彼に向かって手を振ったり、歩き回ったり、時には踊ったりしました。通常の展示会では、ステージ上でロボットが手を振ったり踊ったりするのを人々が眺めるものですが、サイクロプスがもたらすシーンは全く逆だった。多くの人は、こいつはどうも賢そうだと感じたようです。私たちはロボットの視線からもなにかを読み取ろうとするのですね。

車がロボットだったら

その後、僕も飛んだり跳ねたりするヒューマノイドロボットを作っています。左ページの写真は古田貴之（ふるたたかゆき）さんというロボット博士に出会って、２００２年に一緒に作ったロボット、morph3（モルフスリー）です。

下の絵が最初のスケッチ。やや前屈みで両足を少し曲げ、手を前にぶらりとしている。ロボットアニメによくあるような、胸を張った仁王立ちじゃない。ちょっと姿勢が悪いと思うかもしれないけど、これはスポーツ選手の構え、ボールを待つサッカーのゴールキーパーや野球の内野手、レスリング選手などにも共通する、直ちにどの方向にも動ける姿勢です。

スケッチで形を伝える時は「姿勢」も重要で、そこから伝わる存在感が、その装置の性能も印象づけます。これを古田さんと共有することで、俊敏さ、柔らかさなど、身体能力の目標がはっきりしていきました。このロボットは、でんぐり返りをしたり、空手の演舞をしたり、(今のロボットはその程度の動きは簡単にこなしますが)当時、それまでにない可動域の広さと俊敏さを併せ持ったロボットでした。

身長38センチ

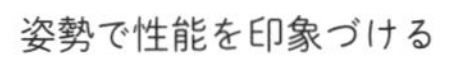

姿勢で性能を印象づける

morph3は、最近身近になったロボット（たとえばペッパーくん）などと違って、ロボットの筋肉であるモーターを隠さないようにデザインされています。だから脚などを見ると、モーターだらけであることがわかる。人間も筋肉だらけですけどね。morph3は人間に比べれば遥かに単純なことしかできないけど、それでも38個のモーターが入っていました。

それにくらべて、私たちが日常的に使っている乗用車の場合、基本性能の走るためのモーター（エンジン）は、たったひとつです。止まる（ブレーキ）、曲がる（ステアリング）もモーターがサポートしているから、せいぜい3つぐらいで動き回ってる。まあ高級車はドアやらシートやらいろんなところが動きますが、基本性能である走りにかかわるものはごくわずか。ここで、ひらめいたんです。車をロボットみたいに、たくさんの小さなモーターで動かしたら、もっと面白いことができるんじゃないかって。

イメージしたのは、たくさんの小さなモーターが支える台車みたいなものがベースになっていて、どんな場所でも自由に走り回る車。乗せる人数や荷物の量によってタイヤの数も変わる。そういうイメージを描いたのが下のスケッチです。

このスケッチを古田さんに見せたら、それは面白いって言ってくれ

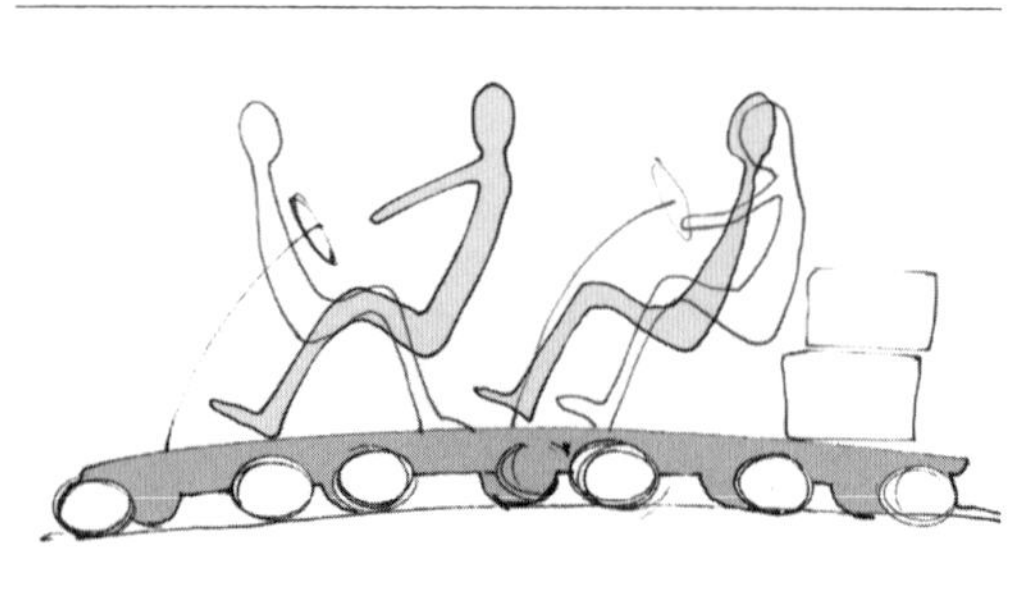

普通運転（グレー）と、向き合う白い人型は自動運転の様子

て、直ちに「ハルキゲニア・プロジェクト」という共同製作が始まりました。で、1年後に完成したのが、ロボットカー、Hallucigenia 01です。

それぞれの脚にはタイヤを回すモーターに加え、股関節、膝、足首と合計4つのモーターがあり、自由に曲げ伸ばしできる。車はタイヤが4つあれば支えられるけど、いきなり違う方向に走り出したり、階段を登ったりするなら、余分な脚があったほうがいいので8本脚にしました。

220ページの写真は2015年に公開したHallucIIx（ハルクツー・カイ）です。さらに複雑な動きのできる脚になっていて、1本の脚に7つのモーター、合計56個のモーターが協調して動きます。QRコードで動画を見てください。

Hallucigenia01

── 脚の動きがすごい！

古田さんのソフトウェアチームがいい仕事してる。このロボットは、たくさんの筋肉が共同で滑らかな動きを作り、そのおかげでいろんなことができるっていう生物の特徴を備えてる。昆虫のように脚を左右に広げてがしがし歩くことも、猫のように狭いところをそろりそろりと歩くこともできる。

今の自動車って、道路を整備して、その中をスイスイ走るものとして設計されているけど、このぐらい動けると、道路がなくても走れるし、電気自動車だから排気ガスを出さないので家の中でも入ってこられる（笑）。自然にも優しく、私たちにも寄り添ってくれる車になるんじゃないかって考えた。道路と駐車場を中心とした、車が走りやすい街を作るんじゃなくて、車のほうを賢くする。そういう未来もあるかもよっていう提案なんです。

自律走行もできる

HalluclI χ　8本の脚で段差をのぼり、どの方向にも走ることができます

HalluclI χ
https://www.youtube.com/watch?v=-GGF9EsxUiA

ロボットビークルの開発は今も続けていて、右ページ上の写真は2018年に開発したCanguRo（カングーロ）。ひとりで自律走行できるから、離れた場所にいても、スマホで呼べば迎えに来てくれる。人がまたがって走る時は自動的にカーブの内側に傾いたりして、乗り物と一体感が得られることを目指したバイクです。

生物っぽさをデザインする

それから、触るとびくっと動く機械を作ったこともあります。先端にタッチセンサーがついていて、触ると、カタツムリの触角みたいにぴゅっと引っ込む。名前はエフィラ［左の写真］。見た目は生き物っぽくはないけど、これに触れた人は生きてるみたいだって思う。

ロボットの見た目を人間そっくりに作るっていうのは、いろんな研究者が目指している、ひとつの目標です。みなさんも人間とよく似た、受付のお姉さんのロボットなどを見たことがあるかもしれません。でも、なんか怖い、ちょっと気持ち悪いと思った人も少なくないでしょう。そっくりなんだけど、動きや表情が微妙にぎこちなく、どこを見てるかわからない。

触るとビクッとして引っ込む

Ephyra
https://www.youtube.com/watch?v=F8foLFwAKGU

僕はロボットをデザインする時、早々とその方向は捨てました。ＣＧの動物みたいに、本当にそっくりで見分けがつかないロボットも、将来はできるかもしれない。でも、そっくりだけがリアルじゃない。だから、視線や反射などの生物らしさの特徴を抽象化してシンプルにデザインすることで、かえって生き物みたいだって思えるようなロボットを作ってみています。

――ロボットは生き物じゃないのに、生き物っぽさを組みこもうと考えるのは、どうしてですか？

たぶん、未来の生活はロボットだらけになります。ロボットたちに、いちいち、なにしてるのか確認して命令していたら大変でしょう。その時、ちゃんと動いているか、こっちに気がついているかなどが一瞬でわかったほうがスムーズだよね。

僕たちは、たとえ犬とであっても、お互いがなにをしようとしているか、大体すぐにわかる。そういう無意識のコミュニケーションのヒントが、生き物っぽい動きなんだと思う。近づいたり触ったりすると反応することで、ああ、このロボットは僕がいることがわかってるって思う。視線を交わしたり、ちょっと身震いしたり、考え込むような仕草をしたり。そういう何気ない仕草によって、人とマシンが言葉以上に互いの状態や意図を伝え合う。そういう未来をデザインしたいと思っているんです。

6章

使いやすいものを作る

3日目後半

「ともかく実験してみましょう」

　これから話すテーマは、「使えるものをデザインする」ということです。役に立つものを考える時も、最初は、きみたちが今やってるように、目的もなく観察して、一見どうでもいいことをたくさん考えることからはじめます。

　これから3つのプロジェクトを紹介しますが、そのどれもが、ある日突然、仕事の依頼がやって来た、というところからスタートします。余談ですけど、デザイナーの仕事って、営業してもあんまりいいことないんです。「デザインの仕事ありませんか」って電話がかかってきても困るでしょう。かといって、日頃から付き合いのある人に仕事くださいって言いに行くと、無理やり仕事をつくってくれちゃうんで、なんか安くて達成感のない仕事になっちゃう。だから苦しいけれど、ひたすら依頼が来るのを待ちます。

　宮崎駿（みやざきはやお）監督の『魔女の宅急便』は観たことあるかな。映画の中盤、主人公のキキが、空を飛べるという特技を生かして宅急便屋をはじめます。彼女は宅急便屋の看板をパン屋の軒先に出させてもらい、パン屋の店番のバイトをしながら仕事を待っている。でも、なかなか仕事は来ない。あくびをしながら、ずーっとこのままパンを売り続けるだけだったらどうしよう、ってぼやいています。するとある日、「すみません、宅急便ってここですか」って人が頼みに来る。

来たーと思って応対していたら、そこへ電話がかかってきて、これも宅急便の依頼。そこへまた、もうひとつ荷物が運びこまれ、もう、てんやわんやの大忙しになる。

あのシーンって、フリーランサーにとって、すっごい「あるある」なんです。どういうわけか仕事ってやつは、待ってる時は、このまま一生来なかったらどうしようって思うぐらい来ないのに、ある時、ドカドカドカッと来る。もう少し満遍なく来てくれればいいのにね。

さて、今から紹介する仕事も、1995年、僕が暇だなーって不安になっていた頃、突然ドカドカとやってきた仕事のひとつ、1日目に少し話したSuicaの改札機の話です。ある日、JR東日本の人が、僕のところに相談にやってきた。

当時、JR東日本の総合技術開発推進部は、既に10年以上、切符のいらない改札機を研究していました。そして、ようやく、ソニーが開発中の近接通信システム「フェリカ」を使えば実現できるかもしれない、というところに漕ぎつけていた。近接通信システムとは、みんなが今、改札機やコンビニで使っている、読み取り機に当てて、ピッていったりシャリンっていったりするカードのことです。今では様々な電子マネーの決済システムにも使われていますね。

1日目に話したように（29ページ）JR東日本が作った試作機を社内の人たちに使わせてみたところ、カードの当て方がわからなくて、3割ぐらいの人しか通過できなかった。こういう改札は、もっと技術が進歩するまで使えないかもしれないと言われていた状況でした。

そんな時、これを「デザインで解決できませんか」という依頼があったんです。JR東日本とは、試験車の運転席や座席のデザインで仕事をしたことがあったので、思い出してくれたんだと思う。「デザインで」っていうところがミソ。なんとか形で解決できませんか、と言うんです。

僕の答えは「いや、全くわかりません」でした。それまでのものづくりを通じて、新しい技術と人との間でなにが起こるかについては、うまく予想できないことを知っていたからです。

そもそも開発にかかわっている人たちの使い勝手に関する直観って、大体あてにならない。これを開発のジレンマといいます。開発している人は、開発中の「なにか」について、とても詳しい人です。だから、当然使える。毎日カードを使っているみんなも、そんなの簡単じゃんって思うでしょう。その人たちには、どうしてそれを使えない人がいるのかわからない。

「全くわかりません」に続けて僕が言ったのは、「ともかく実験してみましょう」でした。実際に動作するプロトタイプを作り、この技術のことを知らない人を集めて試験してみる。その状況を観察しながらヒントを見つけ、また実験する。そうやって実験を重ねて使いやすいものを作る。こうした方法は後にユーザビリティ・エンジニアリングとして広く知られるようになると、1日目に話しましたね（31ページ）。

当時、こういう考え方はまだ一般的ではなく、道具や製品の使いやすさは、経験的に設計されていた時代でした。1988年、ドナルド・A・ノーマンという認知科学者が『誰のためのデザイン？』（*The Design of Everyday Things*）という本で、使えない製品はユーザーのせいではなくデザイナーのせいだって、はっきり宣言してから、使い勝手の本格的な研究が広まっていきます。そして、ヤコブ・ニールセンという工学博士が、使い勝手のデザインを、実験を主体とする科学的な手法として体系づけました。93年に彼が書いた『Usability Engineering』（日本版は『ユーザビリティエンジニアリング原論』）は歴史的な名著です。

さて、その頃、僕はわりと暇だったので、日本デザイン学会という研究者の集まりを、しょっちゅう覗きにいってました。学会はいいですよ。製品開発の現場とは違って、少し浮世離れしてるともいえるのですが、とても深く考えている人たちの集まる場所でもある。

僕はそこで、須永剛司（すながたけし）さんという人に会います。須永さんは、アメリカでユーザビリティ・エンジニアリングを学んで帰ってきたばかり。日本で数少ない「科学的に使い勝手をよくする方法」の研究者だった。後に多摩美術大学の教授になり、東京藝大の教授にもなった人です。須永さんの話は面白くてしょっちゅう聴いていました。そういうインプットがあったから、僕は実験することを提案したのです。

正直にいうと、その実験を自分でやる気はありませんでした。まだその頃はユーザビリティに関しては知識ばかりで経験はなかったし、うまくいくとは限らない。デザイン学会の論文などを読みながら、こんな実験をしたらどうですかと提案書を書いて渡しました。そうしたら「やってください」って。その時、念を押したのを覚えています。「うまくいく確率は決して高くないですよ。少なくともどうダメなのかは、はっきりすると思いますが」。

「うまくいかなさ」をいくつも発見する

ユーザーテストの基本は、できるだけ本物に近い環境で実験することです。自動改札機を製造している東芝と、ICカードを開発しているソニーに協力してもらって、本物の改札機に、開発中の近接通信システムのリーダーライター（カードの読み取り書き込み装置）の実験機を取り付け、実際の駅で実験することにしました。

同時に、どんなデザインのもので実験するかを検討します。リーダーライターの真ん中が凹んだもの、差込口のような形状の凹みがついたもの、通る人の手前に傾いたもの、通路側に傾いたもの。加えて比較用にフラットなものも作りました。全部で5種類です。

――その5種類は、どうやって絞ったんですか？

思いつくままに（笑）。5種類では足りないかもしれない。でも、こういう実験はあまり探究モードになってもいけない。まずは簡単にやってみて、うまくいきそうな目があったらそこから徐々に精度をあげていきます。

それらの形にリーダーライターが入るように設計して、知り合いの大工さんに木で作ってもらいました。木製にした理由は、電波に影響を与えないように（金属を使うと電波を遮ってしまう）ということと、もうひとつは簡単に改造するためです。実験中に新しいことを思いついたら、すぐ作り直して試してみる。そういう臨機応変さが新しいアイデアを生むのです。

5種類の木で作った粗末なマシンを田町駅の改札口にセットして、この技術を知らない人を集めて通ってみてもらいました。

テストに参加してもらった人たちの半数は、ＪＲの人の家族やお友達。残りは田町駅で声をかけて協力してくれた一般の人たちです。「この改札機は、切符を投入しないで通れる改札機です。詳しくは説明しませんが、このカードで通ることができます。まずはやってみてください」とだけ説明して、カードを渡してトライしてもらいます。

ひとつのデザインにつき30人、5種類で１５０人ぐらいの人に通ってもらいましたが、気分よくさらりとやってもらえるように、集合時間や順番を分単位で計画しました。こういう実験は、嫌々だったり、焦った状態でやってもらうと、正しい結果が出ないのです。

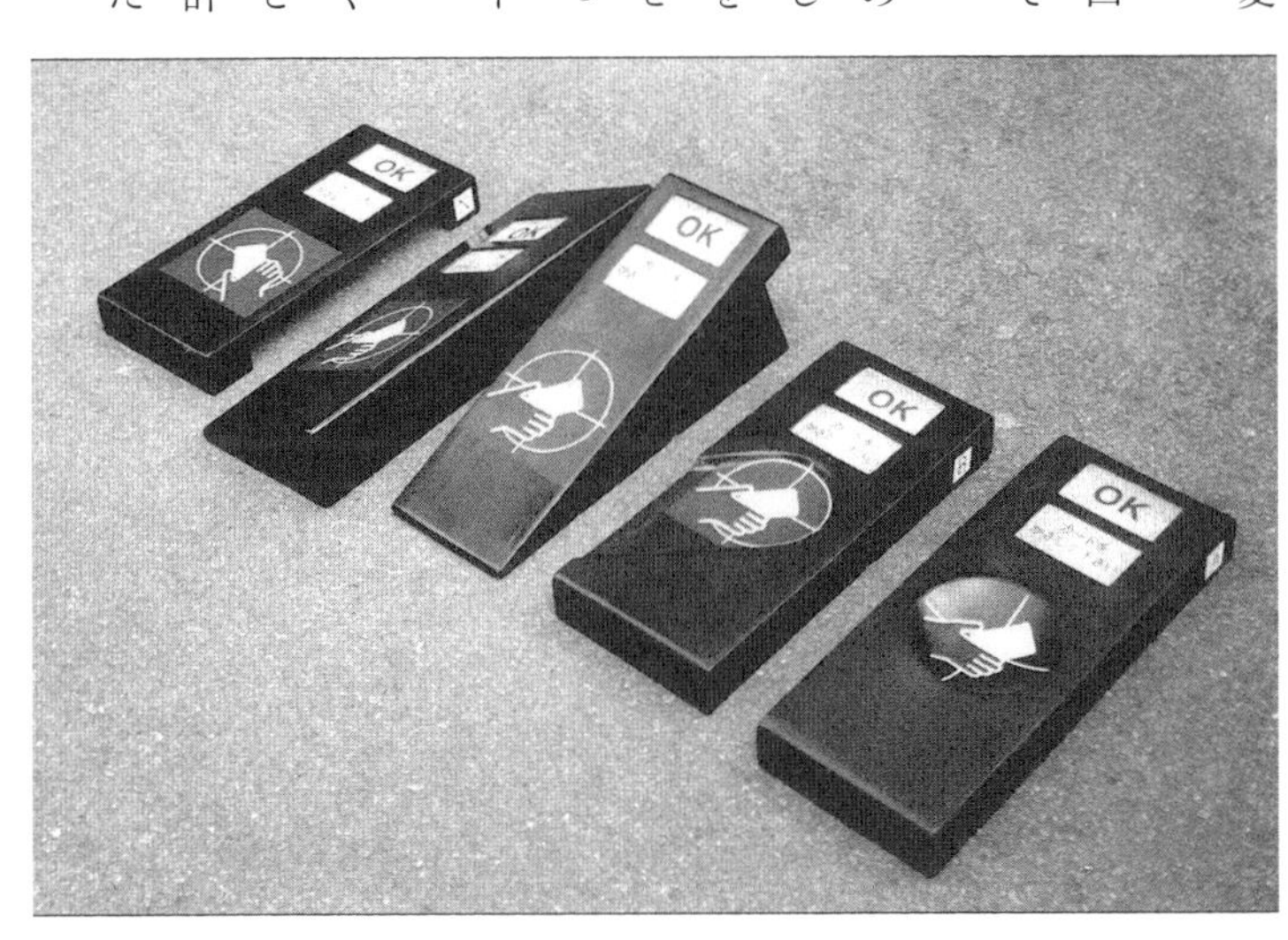

実験に使った5種類の形

記録も大事で、前方と真上の2ヵ所から撮影しつづけました。その動画を何度も巻き戻しながら被験者一人ずつを観察し、5種類の改札機にどんなふうに接したか、どこでつまずいたか、その時どうしたかなどをじっくり観察します。そうやって観察してみると、うまく通れない人にはいくつかのパターンがあることがわかる。

一番多いエラーパターンは、読み取り装置の上にカードを当てる時間が足りていない人。このカードが一瞬待たないと反応しないことを知らないから、すーっと通ってしまう。

――エラーにならない時間って、どのくらい必要なんですか。

うん、カードが改札機とどのようにやりとりしているかを説明しましょう。カードにはアンテナとICチップが入っています［左ページの図］。改札機のリーダーライターは常に電磁波を発していて、カードが改札機のすぐそばまで来ると、その電磁波を電源にカード内の小さなコンピュータが起動し、カードとリーダーライターの通信が始まる。まず改札機は、カードがこの改札機用のものかどうかを確認する。それが確認できたら、駅通過記録を読み取り、この改札までの料金を計算します。それをカードのチャージ残高と比較し、足りればそこから減額、新しいチャージ金額と通過記録をカードに書き込み終了。このプロセスに0・1秒から0・2秒かかる。

東京の人の平均的な歩行速度である、時速6キロぐらいで全く止まらずにカードを動かすと、リーダーライターの通信範囲（上面中心からの距離5センチほどのドーム状の空間）にカードがいる時間は0・1秒ぐらい。それだと少し足りないのです。その結果、プロセス未終了でエラーとなり、改札ゲートが閉まってしまう。

次によくあるのは、カードとリーダーライターの距離が離れすぎている人です。本当は、カードをポケットやかばんに入れたまま通れたらいいよね。でも、今のところ、強い電波を公共の場所で流すことは法律で規制されていて、そう簡単じゃない。カードの側に電池をもたせれば、ブルートゥースみたいに弱い電波でも通信可能になるけど、そうするとスマホぐらいの厚さがないとバッテリーが切れちゃう（今なら、それも可能にはなっています。スマホをポケットに入れたまま改札を通れる未来は、すぐそこまで来ている）。

3つ目のエラーパターンは、カードを当て

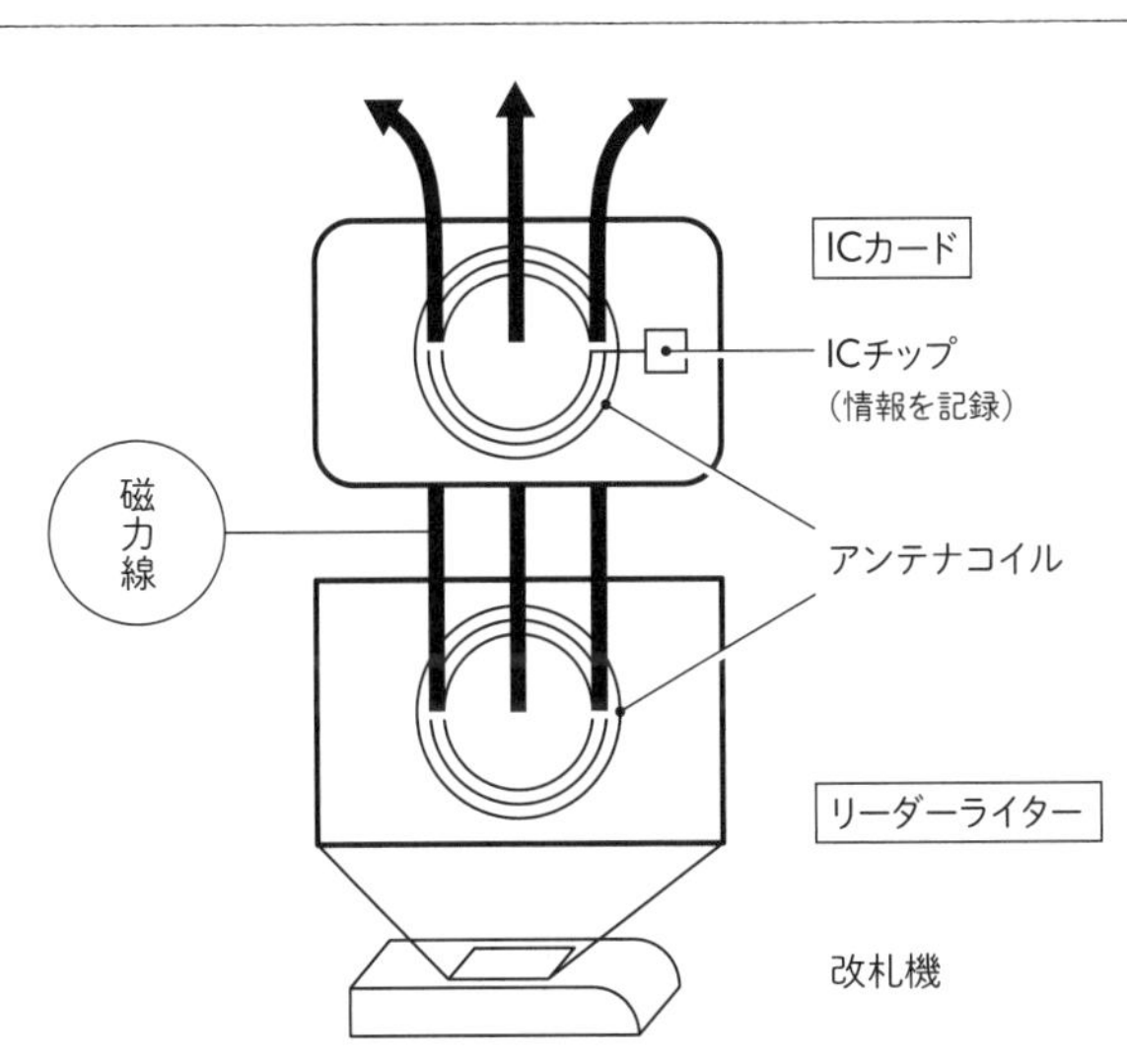

ICカードと改札機
ICカードのアンテナコイルに磁力線が通ると電気が発生し、
カードのICチップが作動する

離れすぎている

光っている場所にかざしてしまう

る場所を全く間違える人。この実験では「電源が入っていて使えるよ」という意味で、緑のOKランプ（ダメな場合には赤に変わる）をつけておいたのですが、20人にひとりぐらい、光っているところにカードを当てようとするのが観察されました。

以上の3つが、主なエラーパターンでしたが、5種類の形を比較すると、劇的にエラー率の低い形がひとつあった。それが、リーダーライターのアンテナ面を、通る人の側の手前に傾けたものだったと話しましたね（31ページ）。

――通ろうとする時、自分のほうを向いていると、自然に、一旦、手を止める。

そう。中には、自分が通り過ぎても手だけを後ろに置いていく人もいたし、カードをタッチさせる人も増えていた。通信時間の問題と、通信距離の問題が同時に解決されていたのです。よく観察すると、この形では事前にカードを構える人が多いこともわかりました。手前に傾いたアンテナ面は、遠くからも見えるので準備ができる。

このように、形が人々に使い方を示して誘導している状況のことを、アフォーダンスといいます。ドアノブがあると、人はとりあえず回してみる。ドアに平らな板が貼ってあったら押そうとするでしょう。アフォーダンスをデザインすることが使い勝手向上の鍵になると唱えたのが、先に紹介したドナルド・A・ノーマンさんでした。

私たちは、カードをリーダーライターの近くに、少しの間置いてもらうためのアフォーダンスを発見したということです。ちょっと手前に傾いていること、読み取り範囲を光るリングで明快に示すこと、それ以外に近くに光るものを置かないこと、この3つがポイントです。

早速、新しい実験機を作り、これを複数台使って実験を行ったところ、この試作機では100人にひとりぐらいしか失敗しなくなりました。この時には、タッチ画面にどんな言葉を入れるかも調べました。「あててください」「かざしてください」など、いろいろ試

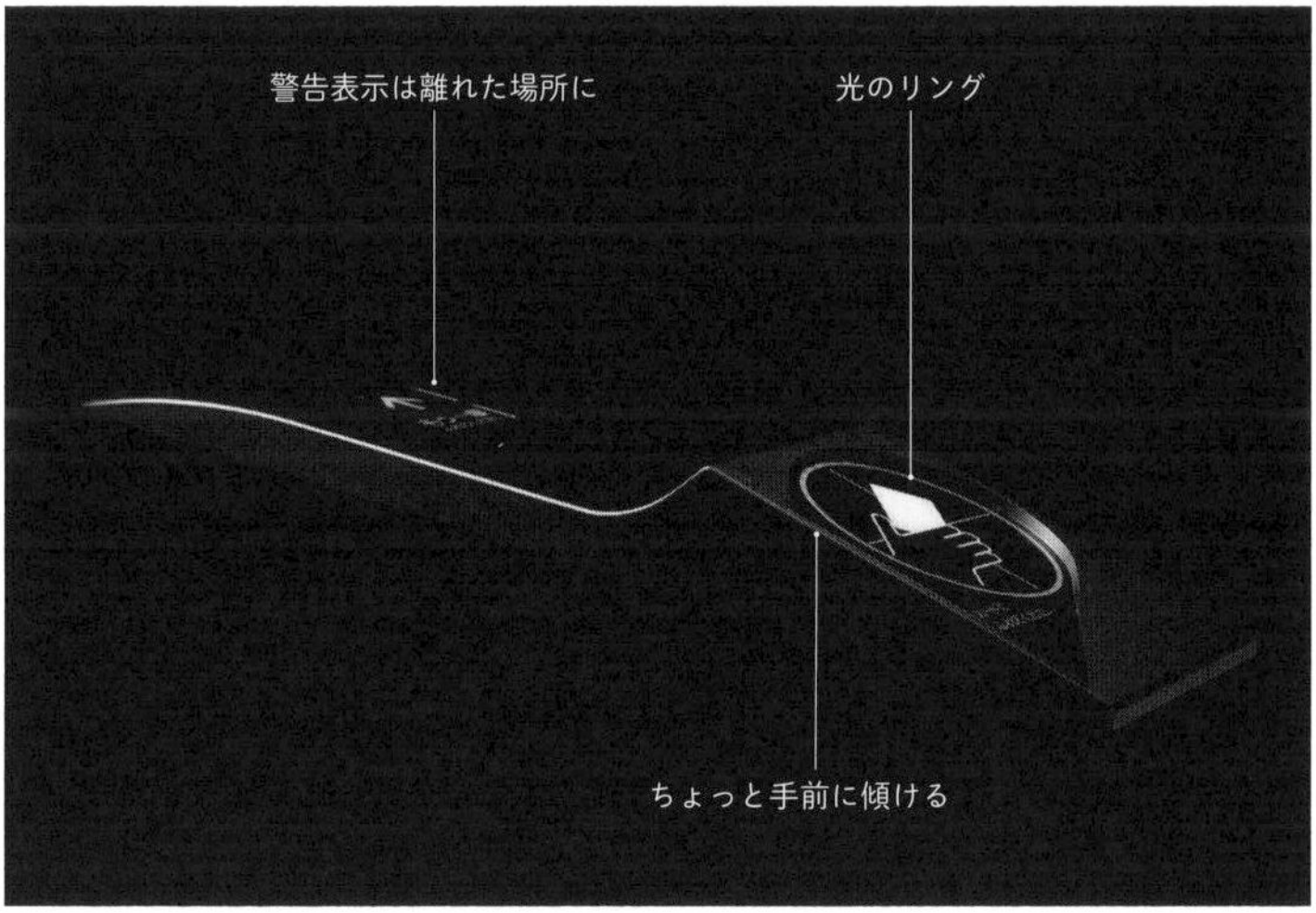

問題を解決した形

したのですが「ふれてください」という言葉が最も通信時間を長くすることもわかりました。

この結果を受けて、99年、モニターの方に実際に通勤してもらう大規模実験が行われ、その成功を受けて2001年から、世界に先駆けて首都圏に導入することが決まりました。

デザインって、偶然に頼るところもあって、たとえばカードと改札機の通信が0・1秒よりずっと短かかったら、あるいは電波の到達距離が50センチあったら、たぶん、こんな実験は必要がなかった。法律や当時の技術の進展、駅の状況などが複雑に絡み合った中で、偶然、最適の形を見つけたということだったのです。

だから、この時に発見した形も、当然、ずっと使えるものではありません。たとえば、ここ数年の中国では、駅でも買い物でも2次元バーコードが主流でしたが、最近では顔認証に置き換わりつつある。通るだけで口座に課金されちゃう。Suicaももはや過去の技術で、もうすぐいらなくなるでしょう。使いやすいものを作るって、そういうことだったりするんです。

――最近では、スマートウォッチもよく見かけます。

この実験の時点では、スマホの使用さえも全く想定されていませんでしたが、スマートウォッチはさらに想定外ですね。ウォッチを左手にしている人が多いのに、改札機は右側にあることからしても全く最適化していない。……左利きの人もいるので左右どちらでもいいというふうになるのが理想なのかもしれないけれど、なかなか難しいことです。

さて、Suicaの改札機の話に戻ると、「ちょっと手前に傾ける」という解決策は、実験を通じてしか見つけられませんでした。形自体は、実験前に思いついていたのですが、その時点では少しもいいアイデアだと思っていなかったのです。

そもそも、新しい技術を使ってもらうためのユーザビリティテストは、なにが問題点なのかもわからない中でのスタートになります。当然、その実験結果は、多くの場合、予想外です。だから失敗は大歓迎。うまく使ってもらえたら成功ということじゃない。むしろ、「あ、こんなうまくいかなさがあるんだ」っていうことをいくつも発見することが大事なのです。

いろいろうまくいかない中で、なぜうまくいかないかが見えてくる。じゃあ、こうしたらどう？って、アイデアをその場で考え、思いついたらすぐ実験する。そしてさらに考える。そういうサイクルをぐるぐる回して、思いつきのアイデアを実用的なアイデアに育てるのです。

同じ道具でも「どう握るか」が違う

次に紹介するプロジェクトは、大根おろし器のお話です（２００６年発売。グッドデザイン金賞をとり、それなりのヒット商品でしたが、諸般の事情により２０１７年に生産が終了しました）。この商品の開発ストーリーも、２００５年のある日、オクソー・インターナショナルというアメリカの台所用品を作っている会社の社長が、私の事務所にやって来るところからはじまります。

キッチンツールには、有名なブランドがたくさんあります。ドイツのヘンケルスや日本の木屋みたいに包丁の伝統的なメーカーからキッチンツール全般を扱うようになった会社をはじめ、百年を超える歴史の会社がたくさんある。

オクソー社は比較的新しく、1990年にアメリカで生まれました。サラダスピナーという、サラダの水切りのためのボールを使ったことはあるかな。器の中に網が入っていて、真ん中のボタンを押すとびゅーんと網が回り、野菜の水をきってくれる。今では様々な会社から販売されていますが、これを最初に商品化したのはオクソー社です。

オクソー社の社長、アレックス・リーさんは、「まず、山中さんがどんな仕事をしているのか紹介してほしい」と言いました。先ほど話したSuicaなども含めて、一通りこんなものを作っていますって社長さんに見せたら、彼が「やっと見つけた」って私の手を握りました。

1日目に話しましたが、欧米では、エンジニア系の設計者と美術系のデザイナーの境界線が薄く、デザイン会社とい

オクソー社と開発した大根おろし器

われる小さな企業でも、両方をやる会社が少なくない。これに対し、当時の日本では、フリーランスのデザイナーはほとんどが美術系のデザイナーで、エンジニア系のデザイナー、つまり設計者は、大企業の中か町工場に所属しているのが普通でした。

アレックスは言いました。「あなたなら使い勝手や製造方法なども一緒に考えてくれるに違いない。ぜひ日本向けの商品開発を手伝ってください」と。

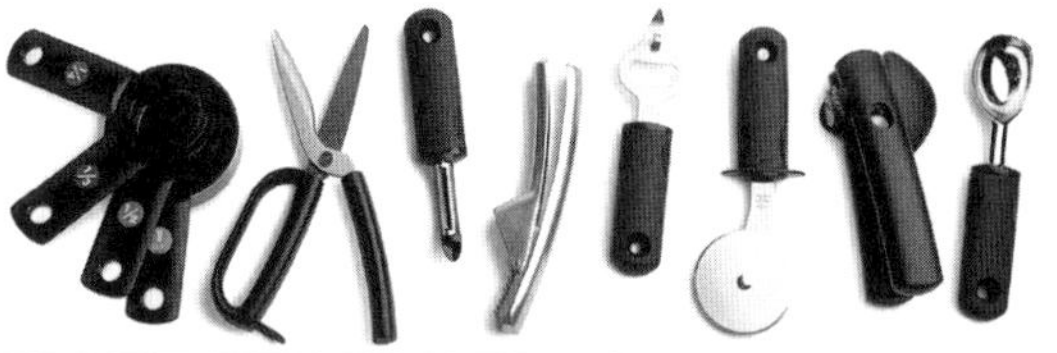

オクソーの「グッド・グリップス」
写真：Oxo

大根おろしの話に入る前に、アレックスがなぜ日本人デザイナーに協力を求めようと思ったのか、その理由に少し触れておきましょう。オクソーは、「グッド・グリップス」というシリーズの、とても握り心地のいいキッチン道具をいっぱい作っています。

――握りやすい形って、どういうふうに作るんですか？　ゲームのコントローラーの部品を見て、持ち手が握りやすくできているなと思ったんです。

手を自然に握ると、4本の並んだ指と親指が卵を少し細長くしたような丸い空間を作るでしょう。これを基準に握りやすいサイズを作る。包丁の柄も、テニスのグリップもあまり太さは変わらないよね。ゲームコントローラーは両手で握って、握ったまま指先を使いますが、実験を繰り返せば、みんなが使いやすい形や大きさを見つけることができます。

オクソーのキッチン用品も、実験と試作を繰り返し、丁寧に握りやすい形を作ってきました。でも、それはアメリカ人を対象に開発してきたものです。実際、商品を手に取ってみると、持ち手がごつくて、がっちり握るものが多い。日本人の感覚からすると、台所用品というより大工道具みたいに感じるんです。確かに平均で比べると、アメリカ人のほうが日本人より少し手が大きいのですが、それほどの差を生んだ理由は、そもそも持ち方が違うからなのです。

たとえば、アメリカのアニメには魔女が大きな鍋をかき回すシーンがよく登場するのですが、その時、魔女は大きなスプーンを両手の指全部を使って握ります。ほうきを握る時みたいに。片手で持つ場合にもテニスのラケットを握る時のようにガッチリと握る。

でも、日本の台所で、こんなシーンはお目にかかりません。そもそも、そんな大きな鍋やお玉がない。東洋人はお玉をペンを持つように、親指と人差し指、そして中指の3本で持つ。このことにアレックスたちは、けっこうショックを受けていました。どうやら日本で販売するキッチンツールは日本でデザインしないとダメだ、そう気づいたアレックスは、日本にデザインパートナーを求めてやってきたのです。

日本のお味噌汁と西洋のスープとを比較してみると、まず、食器の大きさが違いますね。お味噌汁の汁椀は持ち上げることが前提で、高台という輪っか状の足がついていて、そこを中指と薬指にのせ、お椀の縁に親指をかけて持ち上げる。熱いものを持ち上げる時には、一度、箸を持つ手の中指と親指で真上から挟んでちょっと持ち上げてから、反対の手で下から支える。だから、大体直径12センチ以下になるし、味噌汁の量も限られちゃう。

一方、欧米では、お皿を置いたまま、スプーンで口に運びます。最後のほうは少し傾けてもいいことになっていますが、決して持ち上げない。マナー違反だからです。そのため、スープ皿の重さには制限がありません。こういう大きなスープ皿にスープを注ぐためには、それなりに大きなお玉（西洋式にはレードル）が必要になる。

こういう食文化の違いが、道具のサイズの違いになり、持ち方の違いにもなる。米国の文化に最適化した道具は、日本のキッチンには合わなかったんです。

そこで、私たちも観察からはじめ、日本人の扱い方に合わせたグリップの形を考えました。多くの日本の

ペングリップでお玉を握る

お玉は、真っすぐな金属の棒そのものでしたが、私たちは3本の指に合わせた小さなゴムのグリップをデザインしました。

さらに、トングも作りました。アメリカのトングの最低限の能力は、ニワトリ一羽を挟んで、ぐいっと持ち上げられること。大きく、真ん中あたりに握るところがあって、そこを4本の指と親指でぐっとつかんで使う。

一方、日本では、トングは菜箸の代わりに家庭に浸透してきたので、焼き魚がひっくり返せればいいし、お惣菜を盛り付けたり、取り分けたりするのに使います。小さなトングのジョイント部分を小指の側の3本の指で握り、親指と人差し指で挟む、つまりピンセットのように使っている。そこで、ピンセットと同じような握り方をするトングを考えてみました。左ページの絵が初期に描いたスケッチ。海苔1枚でも挟めることを目標にデザインしました。プレシジョントング

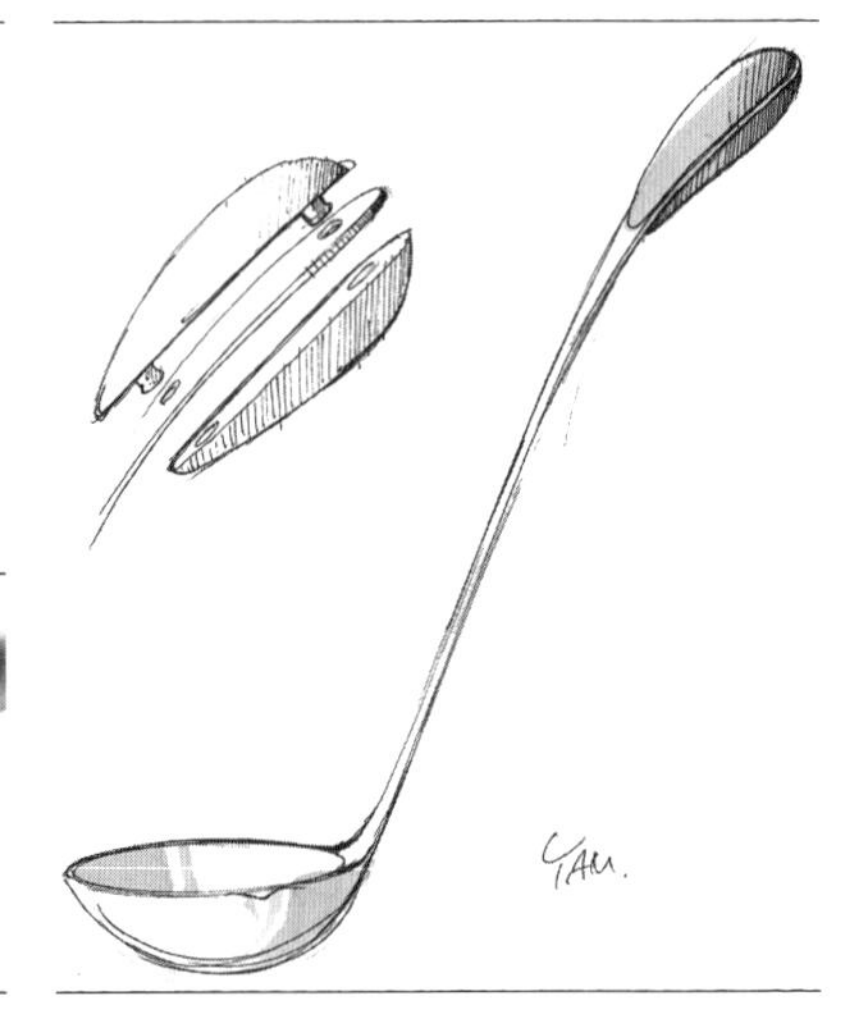

3本指に合わせたゴムのグリップを

プレシジョントング

（精密トング）という商品名で、アメリカでもけっこう売れたそうです。

――文化によってデザインが変化するのが面白いです。

そこが重要です。世界の誰にでも通用する普遍的なデザインというのは、意外に少ない。大衆車などは、世界中で同じ形のデザインが売られていることも珍しくないですが、それは、誰でも同じ作法で世界中の車を運転できるように道路のルールや操作法を政治的に共通化させる努力をしてきたからです。実は車も、国によって売れるサイズ、カラー形式などが違います。

――携帯電話は、世界中で同じものが使われていますか？

うん、iPhoneは今や10億人が使っているそうです。でも、実はこの商品は、ひとつとして同じものがない商品でもある。その証拠に、他人のスマホを借りても、電話をかけることすら持ち主の協力がないとできません。外観は同じに見えますが、ソフトウェアの視点で見れば、一人ひとりにカスタマイズされたものになっているのです。

調理器具や食器のような道具は、どういうふうに握るかひと

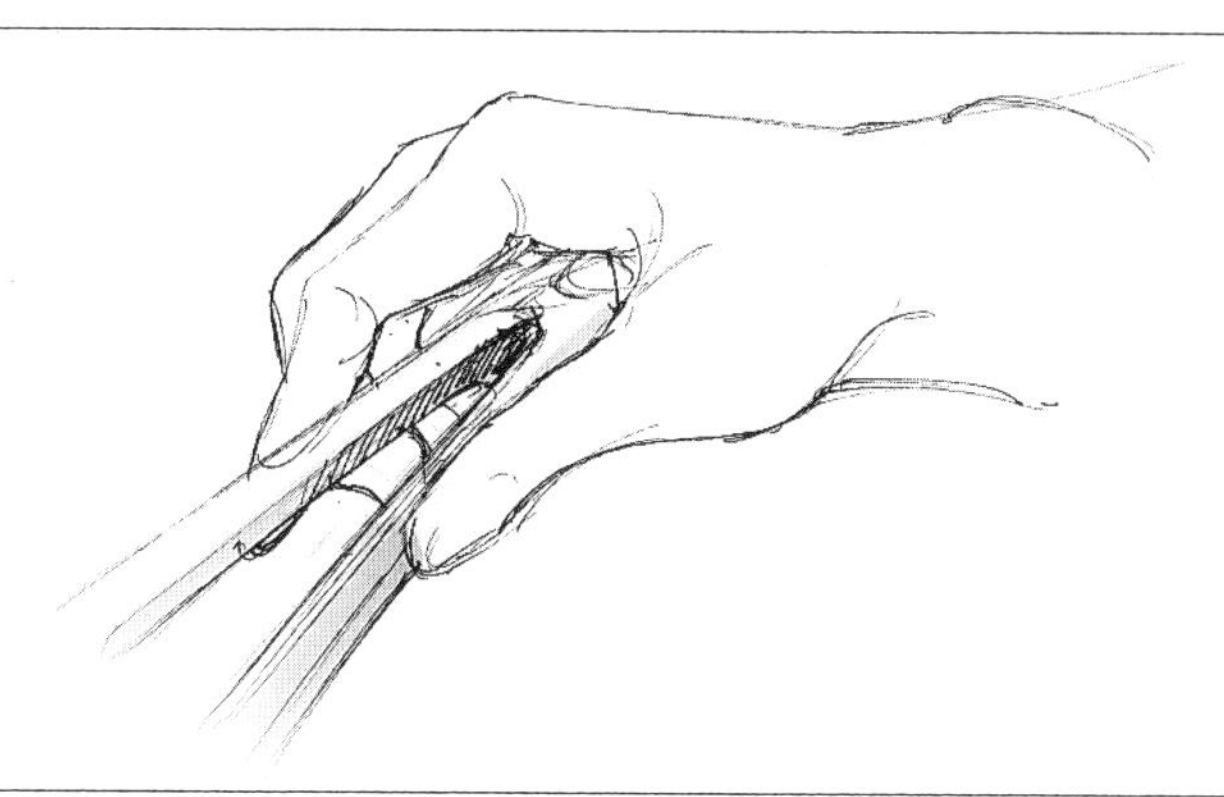

ジョイント部分に卵型のグリップ。人差し指と親指で先端をコントロールする

つをとっても、その地の食文化や生活習慣、気候、手に入りやすい素材などの影響があります。生活に根差した道具は、その国、エリア、あるいは民族独自の文化を背負っているのです。

本で、作り方のアイデアと出会う

日本で大根おろし器を新規に開発したいと言い出したのは、オクソー社の人たちでした。なぜ大根おろしなのか。それは、この会社の歴史に遡ります。

１９９０年にサム・ファーバーという人が起こしたオクソー社の最初の商品のひとつに、じゃがいもの皮むき器（ピーラー）がありました。アメリカでは各家庭に必ずあるものです。サムさんは、関節炎を患っている奥さんのために、使いやすいピーラーを探していたのだそうです。調べてみると、たくさんの種類のものが売られていても、本当に使いやすいものは案外なかった。大きすぎたり重かったり、握りが細すぎたり。そこで、使いやすさをちゃんと科学的に研究して再設計することにしたのです。たくさん試作し、実験して、握りやすく、最適化された刃の形のピーラーができました。

特に工夫されていたのは、少し平べったいゴムの柄。しっとりした柔らかいゴムでできていて、親指と人差し指の力が入るところはゴムに細かい切れ込みが入り、一段と柔らかくすべりにくい構造になっていました。それを商品化したところ、爆発的にヒットした。

その成功体験があるから、実はみんな困っているんだけど「そういうものだろう」って見過ごされているものはないか、彼らはいつも探しているのです。それが日本の家庭にもないか。どこの家にもある、ありふれたものだけど、なにがベストなのかよくわからない道具……。オクソーのマーケッターが探しつづけた結果、大根おろしじゃないかって気がついたのです。

私たちは、早速、知り合いのご家庭にお邪魔して、大根おろしはどんなものをお持ちですかと聞いてみるところからはじめました。

お母さん、お父さんに、「大根おろし、うちにいくつある?」って聞いてごらん。1個しかないよって言っても、よく探してみると2、3個見つかったりする。大根おろし器って、そう簡単に壊れないから、切れなくなってもなかなか捨てられないんだよね。

持ち手の細かい切れ込み
出典:https://www.oxojapan.com/

大抵、他人に台所を見せるのさえ嫌がるものなのに、こっちは「大根おろしを全部出してみてください」なんてお願いするので、そりゃもう大変です。友人やスタッフ総出で、協力してくれそうな人を探して、承諾してくれた人の家庭を順に回っていきました。

大根おろしは、プラスチック、金属、陶器と様々な種類のものがあります。箱型、お皿状、取っ手のついたものと形もいろいろ。刃の大きさも穴の大きさも、それぞれに違いました。お店でよく売れているものを何個か買ってきてテストすると、案の定一長一短で、これがベストだといえるものがないこともわかりました。

いろいろ調べているうちに、スタッフのひとりが、近角聡信（ちかずみそうしん）さんという物理学者が『日常の物理事典』（東京堂出版、1994年）という本の中で、大根おろしについて書いていることを見つけたのです。

実は、近角さんは、私が中高生の時の愛読書、『物理の散歩道』の著者のひとりでした。『物理の散歩道』（岩波書店、初版は1963年～72年。シリーズ5冊刊行）は、日常の様々な現象を科学の観点から解き明かす本で、「ロゲルギスト」という不思議な著者名で書かれていました。ロゲルギストとは、学習院大学や早稲田大学、東京大学などの物理の研究者が集まって雑談しながらエッセイを書くという同人グループなのだそうです。満員電車のどこに立つと一番押されないで済むかなどの日常の出来事の背景にある法則を、丁寧に科学の視点から解説するといった内容で、とてもワクワクしたのを覚えています。その近角さんは、なにを書いていたか。

ところで、みなさんは、大根おろしを使いますか？

―― 大根おろしは私の仕事です（笑）。

一緒だ（笑）、僕もよくおろしています。大根をおろしていると、だんだんツルツルしてきて、うまくおろせなくなる瞬間を経験したことはあるでしょうか。

――ああ、なんか滑ってるような感じになる。

そう、で、向きを変えるとザリッとした感触が戻ってくる。近角さんは、「ランダムさの効用」というタイトルのエッセイで、その現象について書いています。

近角さんによれば、機械で作る大根おろしの刃は、最初にピッチを設定して、その寸法通りに加工装置を送りながら刃を立てるから、正確に一定間隔で作られます。縦にまっすぐ並ばないように、少しずつずらして作られてはいますが、図面で指示した通りにずらすので、結局、斜めに刃がきれいに一列に並ぶことになる〔左の写真〕。その向きにおろすと、大根に溝ができて、その溝がレールになり、刃の列がぴったりはまる。そうなると、溝以外の部分は、大根おろしの平面の上を滑るのでツルツルと動くだけで、それ以上はおろせなくなってしまいます。

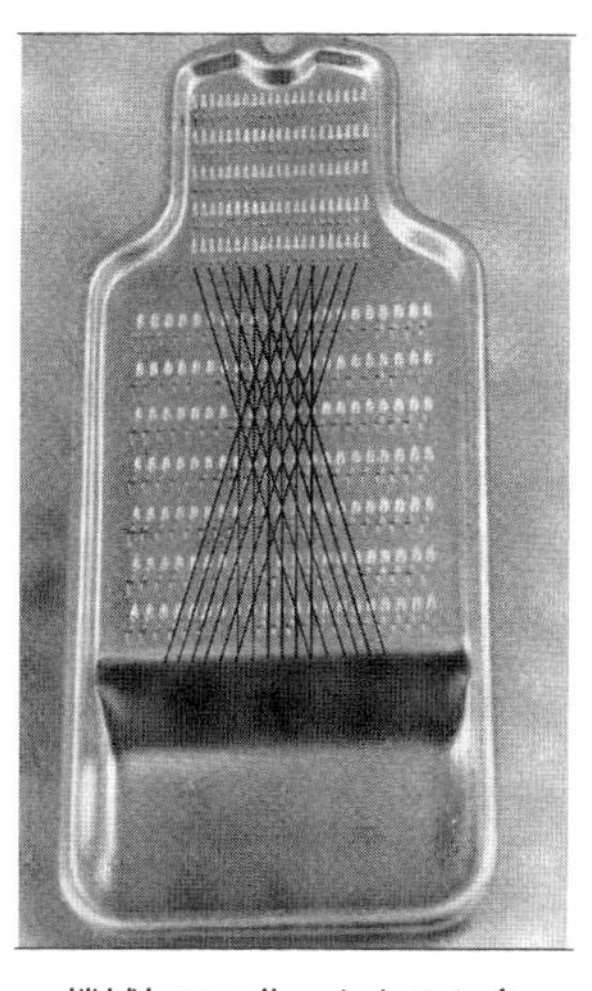

機械加工で作ったおろし金
斜めに刃が一列に並ぶ
近角聡信著『日常の物理事典』(東京堂出版)より転載

一方、昔ながらの手作りの大根おろしでは、これが起こらないと近角さんは言います。見たことある？　銅板などでできていて、とげみたいに刃が突き出しているやつ〔次ページの写真〕。

木に釘のようなものを斜めに突き刺すと、「ささくれ」ができるよね。職人さんは金属の上に、鏨（たがね）という尖った刃を置き、コン、コン、コン、コンと叩いて、一本一

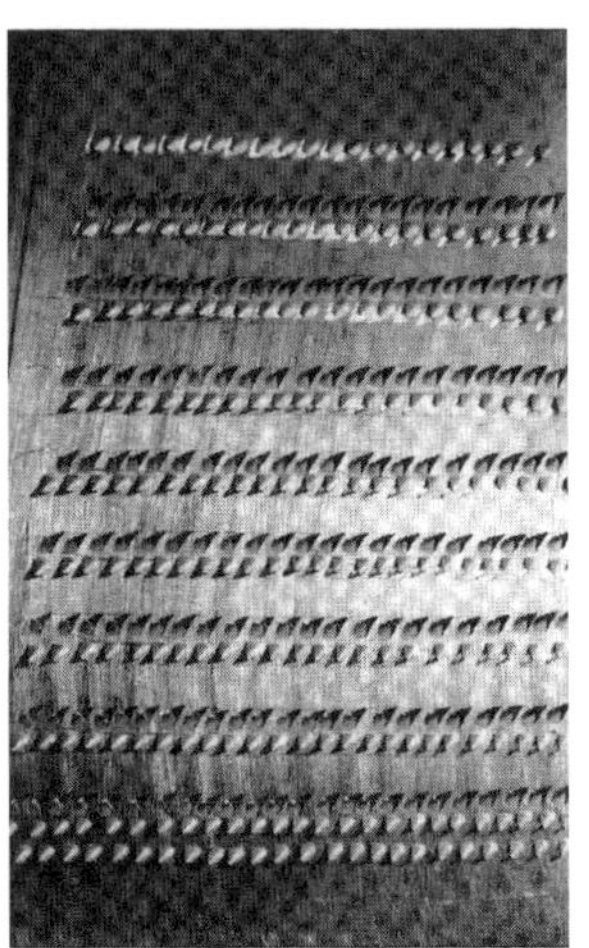

手作りのおろし金
刃の並びにゆらぎができる
近角聡信著『日常の物理事典』(東京堂出版)より転載

本、ささくれのように刃を作ります。大きさの揃った、きれいに並んだささくれを作るには熟練の技術が必要です。でも、どんなに熟練した職人さんでも、刃と刃の距離や、刃の大きさに微妙な差が生まれる。手仕事には、わずかな揺らぎがあるものなのです。そして、そのおかげで、斜めから見た時にも刃が一列にきれいに並ぶってことがない。そうすると、大根の削られたところがレール状にならず、ザリッとした感触のまま、最後までおろしきることができるんです。

ものが正確に、きちんと並んでいるっていうことは、必ずしも効率のいいことじゃない。それを説明する例として、大根おろし器のことが書かれていたんです。自然界にあるランダムさが、いかにいろんなところで有効に働いているかを語っているエッセイでした。

そういう目で見てみると、市販の大根おろしの刃は、きちんと一定ピッチで作られているものが大半でした。機械加工の場合は刃のピッチや大きさを一つひとつ変えるのは大変だからです。

そして僕は、「今ならできる」と思いました。大根おろしは、かつては手書きの図面で設計されていて、「1・2ミリ間隔で50個並べてください」とか、列の間隔も「5ミリに指定して30列作ってください」などと指示したと思われます。

でも、今はコンピュータでデザインし、そのデータの通りに機械が自動加工するので、たとえば「0・2ミリぐらいの範囲で間隔をランダムに変えろ」という指示さえ可能です。つまり、職人さんの手の揺らぎさえも設計することができる。こうして私は、科学の面白さを教えてくれた人の著作に30年ぶりに出会い、今度は作り方のアイデアをもらったのです。

13枚のおろし面を作って実験

実際に、どんな大きさの刃をどのぐらいのピッチで並べ、どの程度揺らぎを加えればいいのか。それらについては全くわからなかったので、刃の高さ、角度、大きさ、穴の比率、刃の並び方などを変えたサンプルをたくさん作って、おろしてみるところからはじめました。

13枚のおろし面を作り〔上の写真〕、それを木枠にはめて、10人ぐらいでいっせいに大根をおろし、量と食感の違いを確認しました。穴が大きすぎるとグニャグニャしておろしにくいとか、大根が荒くなりすぎず、素早くおろすには刃の角度が大事だとか、いろんなことがわかった。

最終的にできたのが、下の写真のような形です。この、一見、刃がでたらめに生えているみたいに見えるところがミソです。ちょっと生き物の歯みたいでしょう。従来の大根おろし器の平均的なおろし速度に対し、1・5倍から2倍ぐらいのスピードが達成できました。その他、さまざまな使い勝手を実験しながら少しずつ直していき、開発には約2年がかかりました。

―― 今まで当たり前だと思っていたものが、何度も実験を重ねてできたものだと思うと、ふだん使っているものに、作った人たちの情熱みたいなものを感じます。今、座っている椅子もリュックがかけやすいようになっていて、これもなにかのデザインなのか、偶然かな。

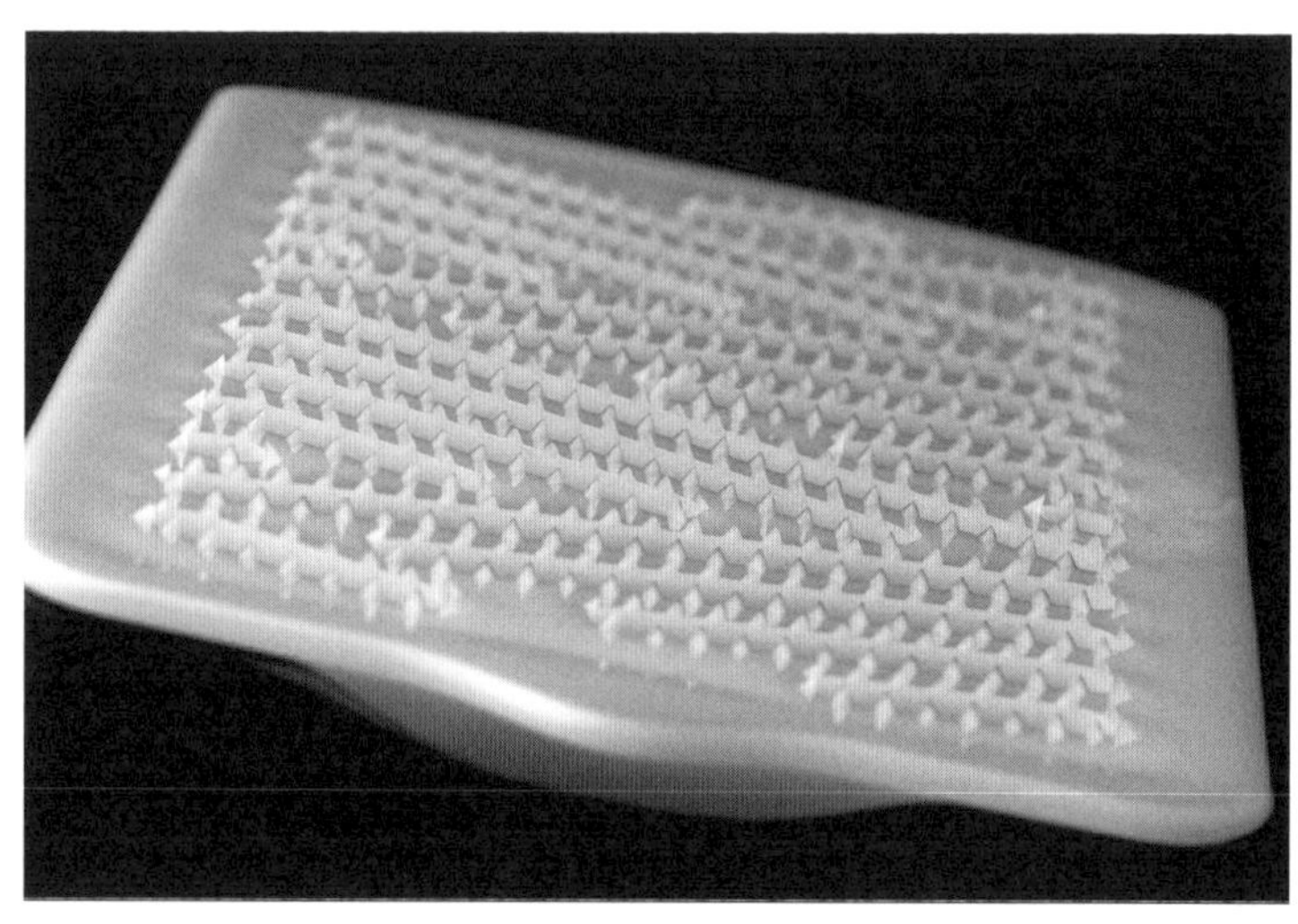

完成した大根おろしの刃

ミニ講習

使いやすい大根おろしを作るには

実験しながら形を考える

大根おろし器には、手前に取っ手のついているものが、当時はたくさんありました。でも実際、使っているところを観察していると、本体の縁を押さえて、おろしている人のほうが多い。

柄を握ると、おろすところから遠くで支えることになるので、安定させるのが難しいのです。

そこで考えたのが、底面のゴムのスロープです。ここを手で押さえておろすと、強い力でも安定しておろすことができます。

これをつけたことで一般的な大根おろしより幅が広くなるため、収納が狭くても安定する形を考えて、立つようにしました。

「大根おろしあるある」として、大根おろし器の刃面が、下部の容器にガチッとはまって抜けなくなるというのもあります。

すりおろす時にはガタガタせずに安定し、おろし終わってから簡単に外せるのはどういう形だろうと考え、内面にもスロープを作り、刃面が少しはまり込んだところで安定し、かつ簡単に取り外せるよう断面を工夫しました。

大根をおろした時に出る水分を捨てるためのそそぎ口も、中身が出ず、だらーっと液体が本体にそって流れないよう、注ぎ口の先端をちょっとシャープにしています。

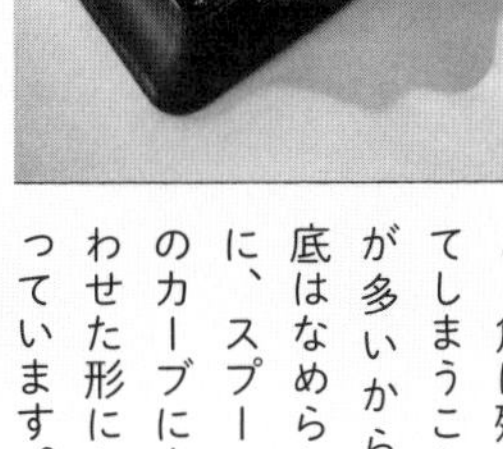

スプーンで大根おろしをすくうと、角に残ってしまうことが多いから、底はなめらかに、スプーンのカーブに合わせた形になっています。

体の中に残ったわずかな放射性物質を測る

最後にもうひとつ、ベビースキャンという装置を紹介します。2013年2月、物理学者の早野龍五（はやのりゅうご）さん（当時、東京大学理学部教授）から、Twitterでメッセージをもらったんです。「福島の幼児の内部被曝（ひばく）検査用に新たな検査器を作る計画があるのですが、お母さんも子供も安心して検査を受けられるデザインが必須です。一肌抜いていただくことは可能でしょうか?」と。

2011年に東日本大震災があって、東京電力福島第一原子力発電所の事故が起こりました。あの事故がどんなに大変なものであったかは、みなさんも記憶にあると思います。情報がないなか、一体どの程度危険なのかよくわからない状況がつづき、特に最初の1年は、デマも含めていろんな情報が飛び交っていました。

そんななか、早野さんは物理学の専門家として、確実だと思われる情報だけを私見を交えずにTwitterを使って発信していました。さらに、計測と統計データ処理の専門家として現地入りし、食品や人の体の放射線を丁寧に測って、その結果を発表する活動にも従事していました。人々が不安や憶測で様々なことを言うのを、実地計測で一つひとつ確認していったのです。

そういう人からの依頼なので、もちろん引き受けることにしました。そして、まずは、実際に検査機が人に使われているところや製作されているところを見てみようと思ったんです。

依頼が来てから2ヵ月後、福島県石川郡平田村のひらた中央病院に行きました。この日は、少し遠いいわきから、数十人の人が内部被曝状況の検査を受けに来ていて、病院のホールは検査待ちの人々でごった返し、看護師さんが一人ひとりに検査の受け方を説明していました。

事故以来、多くの人が被曝についての正しい知識をもつようになりましたね。被曝には、外部被曝と内部被曝とがあります。２０１１年の事故を例にすると、原発のすぐ近くや、建物の内部の高濃度の放射性物質から出る放射線を直接浴びるのは外部被曝。福島第一原発で働いていた人や、現場で事故対策にあたった人の場合は、外部被曝が重要になりますが、遠くにいる人は、その放射線を直接に浴びることは、あまり心配する必要がありません。

問題は、原子炉の建屋の水素爆発などにより、周囲に撒き散らされた放射性を帯びた物質が風に乗って遠いところまで運ばれ、あたりの土壌や農作物を汚染した可能性があることでした。それらの物質を食べ物などと一緒に摂取すれば、体の中にしばらくその物質が残るため、人体の内部から放射線を浴びてしまう可能性がある。幸いなことに、一部の地域を除いては、人が住めなくなるほどの多量の放射性物質は撒き散らされなかったのですが、微量でも発がんの可能性があるため、安全かどうかは、体の中に残った放射性物質の量を丁寧に測る必要があります。その内部被曝を調べる検査装置が、ホールボディカウンターというものです。

ホールボディカウンターは、とても微量の放射性物質を計測することができるのですが、そのためには特殊な鉄の箱の中に、人が入る必要があります［上の写真］。

放射性物質は自然界にもあるもので、地面や樹木、建物も微量の放射性物質を含み、わずかな放射線はいつも飛び交っています。太陽からも飛んでくるし、僕たちの体の中、主に細胞の中に含まれている元素のカリウムからも微量に出ている。人類を含む全ての生物はそういう環境で生まれ、進化してきました。それが微量じゃないことが問題で、人間の体の中で、通常の一桁、二桁多いという状況になると、どうやらがんなどの原因になるらしいことはわかっている。そして、体内の放射性物質がいつもより増えているかどうかを正確に測るためには、周囲の放射線を遮断する必要があります。

ホールボディカウンターは、人の体の中の一部の細胞が発している、とても小さな

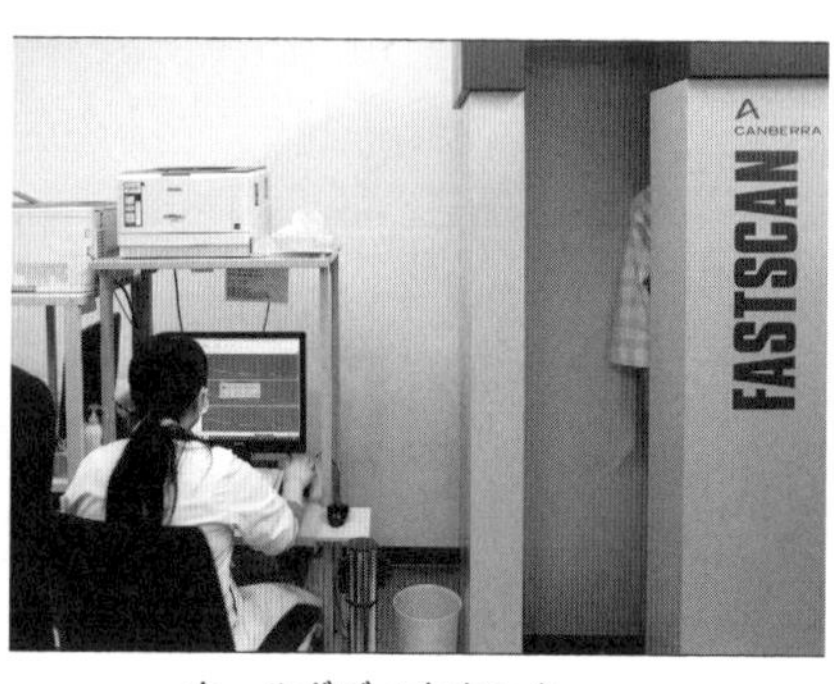

ホールボディカウンター
鉄の箱の中に入って計測する

出典：https://tomioka-radiation.jp/2018/02/13/about-wbc.html

音を聞くための装置だと思ってください。心臓の音のように大きなものなら聴診器を当てれば聞こえますが、その小さな音は周囲の雑音に簡単にまぎれてしまう。つまり、録音スタジオのような、周囲の音が全く入ってこない、分厚い壁の部屋に被験者に入ってもらう必要がある。

どの方向からでも飛んでくる自然の放射線を遮蔽するには、厚さ10センチぐらいの鉄の箱が必要です。しかも、放射線はずっと出つづけているものではなく、ポツリポツリと発生します。時々しか鳴かない虫の声を聴こうとするようなもので、一定時間待っていなきゃならない。その時間は、約2分です。

検査は簡単で、検査着に着替え、大きな箱に入れば、後はじっとしてるだけ。箱の中にはディテクターと呼ばれる装置があり、小ぶりの姿見ほどの黒いガラスになっています。レントゲン写真の胸を当てるところに似ている。それが、体の内部から放出される放射線をカウントします。このガラスと鉄板で体を挟まれ、2分間、じっと立つことになります。

ひらた中央病院には、小学生高学年の子どもも検査を受けに来ていました。子どものための高さ30センチぐらいの踏み台に上がり、薄暗い、ぶ厚い鉄の箱の中で、約2分間、とても不安そうではありましたが、静かに耐えていました。それを見て「ああ、これは小さな子には無理だ」と思った。私も入ってみましたが、薄暗い明かりがあるだけで、すぐ目の前にまで鉄板が迫ります。こんな箱に乳幼児が入れられたら、泣き叫ぶのは目に見えている。

もともとホールボディカウンターは、原発などで働く人のための装置として開発されました。検査する対象は、放射線についての知識をもったプロフェッショナルしか想定されていない。特殊な工事現場で働く技術者や宇宙飛行士のための装置と同じポリシー、つまり機能だけを重視して設計されたものです。なにも知らない普通の人が使うことはもちろん、子どもを測るなど全くの想定外なのです。

さらに、早野先生から、乳幼児の場合には、もっと条件が厳しくなると聞きました。子どもは体が小さいから、そもそも、同じ程度に放射性物質が体内に存在したとして、総量は体積に比例して非常に少なくなる。そういうものを検出するには、より高い検出精度が必要ですが、そんな装置は、まだ世の中にありませんでした。そして、それを測るには、さらに鉄板を厚くし、時間も倍の4分ぐらい装置の中にいてもらうことが必要になる。

一般的に、子どもが親よりひどく被曝している状況は考えられないそうです。大人では、内部被曝している状況が、1万人にひとりぐらい見つかりましたが、だいたい山で暮らし、いちばん放射性物質がたくさん降ったといわれる場所のきのこや猪などを食べていた方です。それでも健康に被害がない程度ですけど。

子どもは大人より代謝速度が速く、大人と同じものしか基本的に食べないでしょう。だけど、親を検査すれば一応安心だから、お母さんをしっかり測りましょう、と言っても納得されないのだそうです。親御さんたちからの、子どもを測ってほしいという要望はとても多く、安心のために作ることを決意したということでした。

小さな子どもに4分間、鉄の箱の中にいてもらうには

世界で一番、この装置を作っているアメリカのキャンベラ社からは、大人用のホールボディカウンターを横倒しにして、寝た状態で測れるようにすれば、赤ちゃん用を作れるんじゃないかと提案があったそうです。でも、早野さんは、これに赤ちゃんを入れられる感じじゃないと直感しました。お母さんも、赤ちゃんを鉄のごつい箱に入れたくないだろうなって想像したのだそうです。

医療現場での緊急の状況であれば、押さえつけてでも測定するでしょう。でも、この装置は安心のためのもの。早野さんには、測ってよかったねって、みんなが思うような装置にしたいという要望がありました。実際、測定したお子さんの放射線のグラフを見せながら、「これは体内のカリウムの反応が出ているものなので安心ですよ」と言っても、「え、体からこんなに放射線が出てくるの?」みたいなことは、みんなが思うわけです。ここで説明しながら、みなさんの理解を深めてもらう。そういうコミュニケーションのツールが必要でした。

ただでさえ、ジッとしていられない子どもたちに狭いところに入ってもらって、4分間、いてもらわなくちゃいけない。簡単に操作できて、親や子どもに結果を説明しやすいことも重要

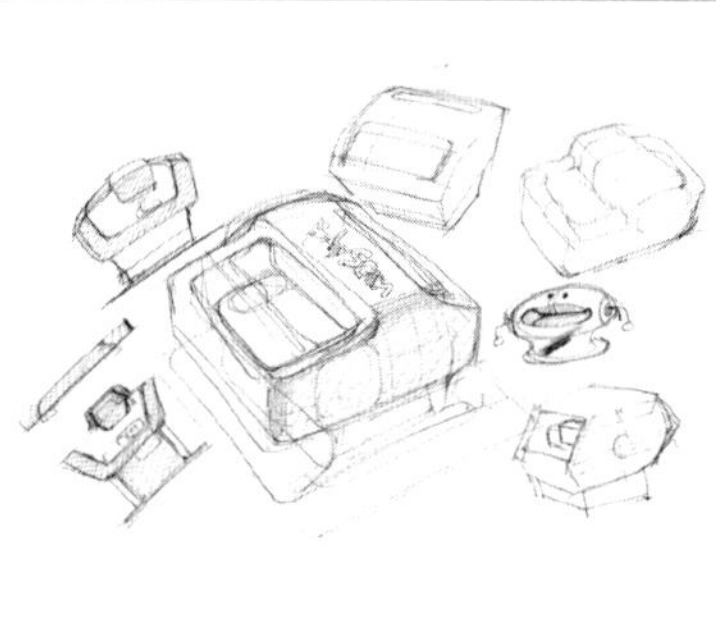

初期のアイデアスケッチ

です。それをどうデザインするか。

構造から考えると、人間から出る放射線を、ディテクター（検出装置）で測るので、検出装置にできる限り近づけて赤ちゃんを寝せるわけですが、外からのあらゆる放射線を防がなきゃいけない。それは外からの光が直接入らないようにすることと同じです。簡単に言えば、検出装置は外から見えてはいけない。一方、赤ちゃんが外から見えないのはまずい。

最初のスケッチでは、引き出しのように横からスライドさせて子どもを入れる、あるいは下からせりあがるなど、いろんな構造、形を描いていきました。

全体で5トンもある鉄の塊だから、扉1枚が1トン近くになる。技術者からは、「これだと7トンぐらいになります」みたいな回答がきて、動かすのは無理だなあと。設置状況をできるかぎり楽にするためにも、小さく軽く作りたい。

結果的に、左ページ左下のスケッチの、巻き貝みたいな断面の箱型の構造が採用されました。奥のほうにディテクターがあって、その正面に子どもに滑り込んでもらう。中は狭いけど、なるべく明るくしたいし、親御さんとのコミュニケーションも簡単にしたいから、開口部

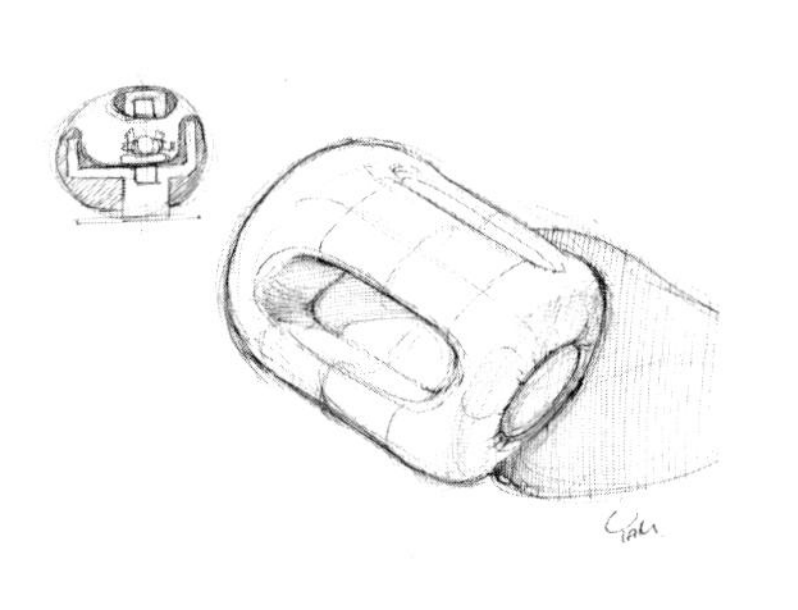

両脇が空いている案

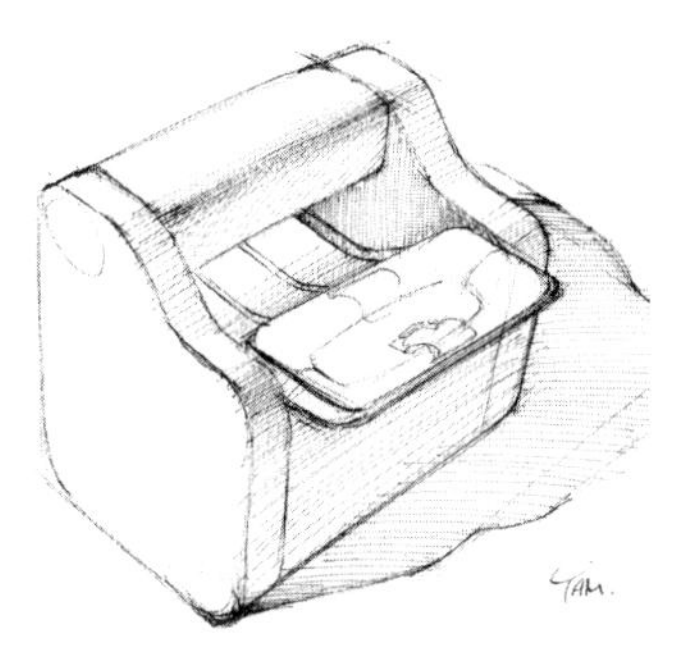

スライド式案

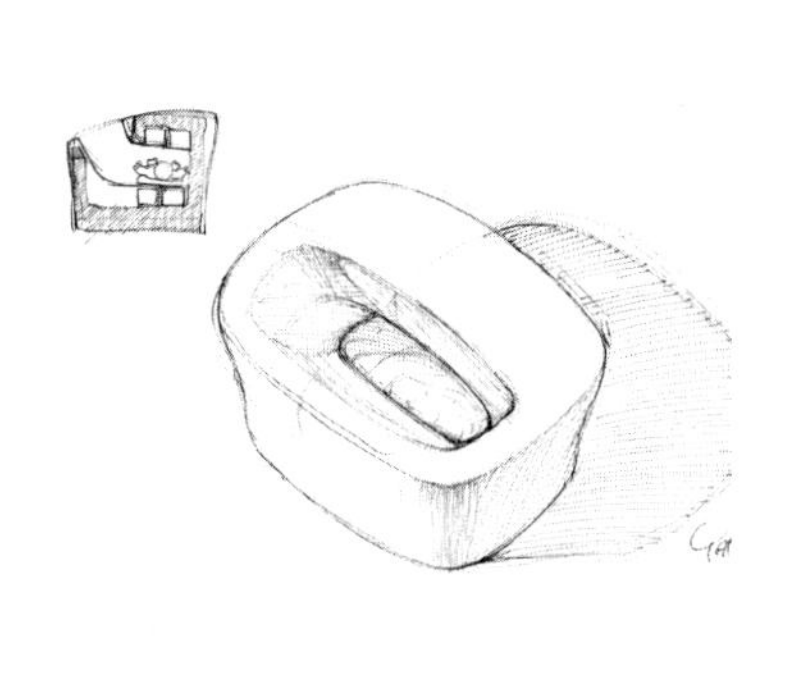

巻き貝のような形案

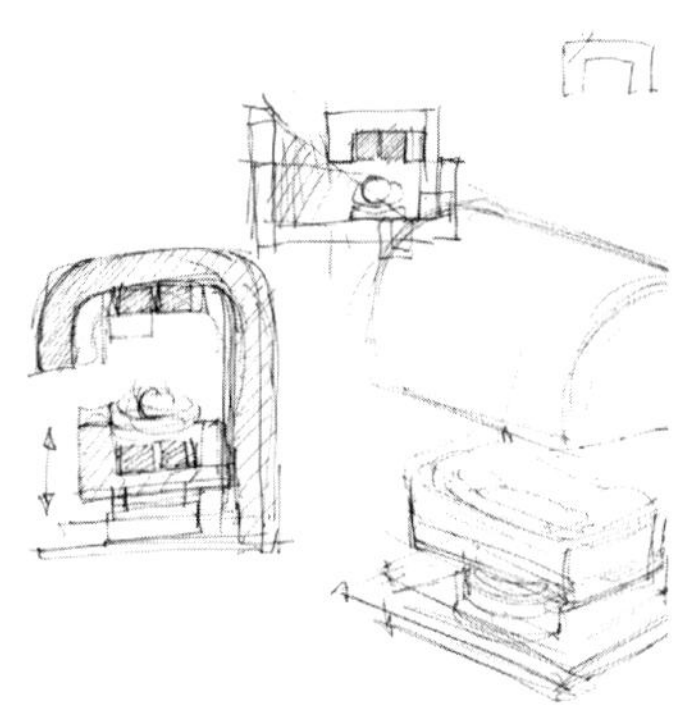

持ち上がり式案

は大きくとる。

さて、大体のアイデアが出揃ったら、次はなにをするでしょう。

——実際に作って、実験してみる。

そう。木枠で組み、発泡スチロールで実物大の模型を作って、子どもにその中に入ってもらいましたが、結果はさんざんでした。そもそも入るのを嫌がって泣きだす子もいるし、あっという間に出てきちゃう子もいる。

ですが、この実験でも、ふとしたところに発見がありました。それは、狭い中でもくつろげる姿勢があるということです。泣き叫んで入るのを嫌がっていた子どもに、アニメの動画を流したiPadを与えると、それをうつ伏せに抱え込んで見始めたのです。そうしたら今度は出てこなくなった（笑）。他の子でも試してみると、みんな、うつ伏せで夢中になってiPadを眺めて、4分ぐらいあっという間に過ぎてしまう。

1歳ぐらいまでは仰向けに寝かせてやるしかないけど、2歳ぐらいになると、うつ伏せになると大人しくしていられるんだとわかりました。確かに自分が子どもの頃、親に叱られて、押し入れに閉じ込められたりした時なんかを思い返しても、最初はとても怖いけど、布団にもぐって、懐中電灯でものを見たりしているうちに怖くなくなった。狭い空間で目の前に天井を見ているより、うつ伏せのほうが自分の世界に閉じこもれる。狭いところって自分の世界さえ作れてしまえば、安心感のもてる場所でもあるんだよね。ちなみに、どの子も夢中になるキラー

木枠と発泡スチロールで
実物大模型を作る

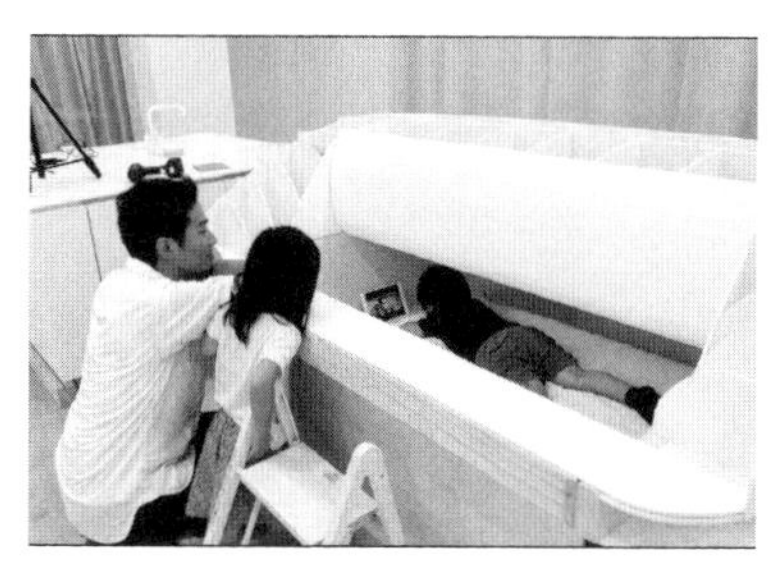

うつ伏せ寝ならジッとしていられる

コンテンツはアンパンマンでした。

これで大体デザインは決まり、今度はどう作るかが課題です。この装置の場合は、素材選びが大変でした。

たとえば、一般的な塗料からは、大抵、微量の放射線が出ています。顔料として、様々な鉱物を含んでいるからです。僕たちが普通に使っている鉄からも出ている。1950年代以降にリサイクルした鉄は、ほとんど放射線を含んでいます。当時の核実験で全世界にばら撒かれたプルトニウムなどが入っているからです。なので、それ以前に作られた鉄か、もしくは全く新しく、リサイクルせずに作った鉄じゃないといけないのですが、鉄の循環は既に一般的なインフラになっていて、リサイクル鉄を含まない鉄を手に入れること自体が難しい。だからキャンベラ社では、沈んだ船が引き上げられた時、その鉄を使ったりすることもあるそうです。

ガラスも同様で、石英やナトリウムを含むものは使えない。もちろん、これらの材料にはいずれも健康に全く害がない程度の微量のものしか含まれていないので、通常の製品では全く問題になりませんが、今回のような精密測定の邪魔にはなる。

――放射線の出ない物質って、どういうふうに見つけたんですか？

それはもう、測るしかない。世界中から鉱物材料を調達し、使いたい候補の素材を、ホールボディカウンターの小型版のような鉄の箱に入れ、長時間ディテクターで測ります。ネジ1本に至るまで全て測りました。幸いなことにiPadからはほとんど放射線が出ていませんでした。最終製品は、左の写真のような柔らかい曲線で鉄の箱を覆いました。随所にさわり心地のよい素材を使い、落ち着きを得る効果がある色としてブルーとグリーンを選びました。お風呂みたいだと言う人もいましたが、そう思ってもらえるなら、デザインは成功です。

8ヵ月という大急ぎで開発し、完成した「ベビースキャン」第一号機は、2013年12月、ひらた中央病院に納入されました。その後、福島には4台のベビースキャンが導入され、数千人の子どもをチェックしましたが、幸いなことに、内部被曝しているといえる状況の人はひとりも見つかりませんでした。

2011年の東京電力福島原発で起こった事故は「幸運なことに」、これは本当に運が良かったとしか言いようがないのですが、住民に健康被害を及ぼすほどの事故にはなりませんでした。でも、本当にそうなの？って疑っていた人はいっぱいいて、福島の食べ物を食べたくないと言う人もいまだにいます。そういうことを冷静に判断するのに重要なものが測定データです。

一歩間違えれば、チェルノブイリのように、その地域に人が住まないほうがいいとか、その地域の食べ物は食べないほうがいいという状況になった可能性もある。でも、今回の事故では、そういう状況にはならなかったということが、ようやくはっきりわかってきた。それを確かめ合うための装置のひとつだったということです。

柔らかい曲線を、さわり心地のよい素材で

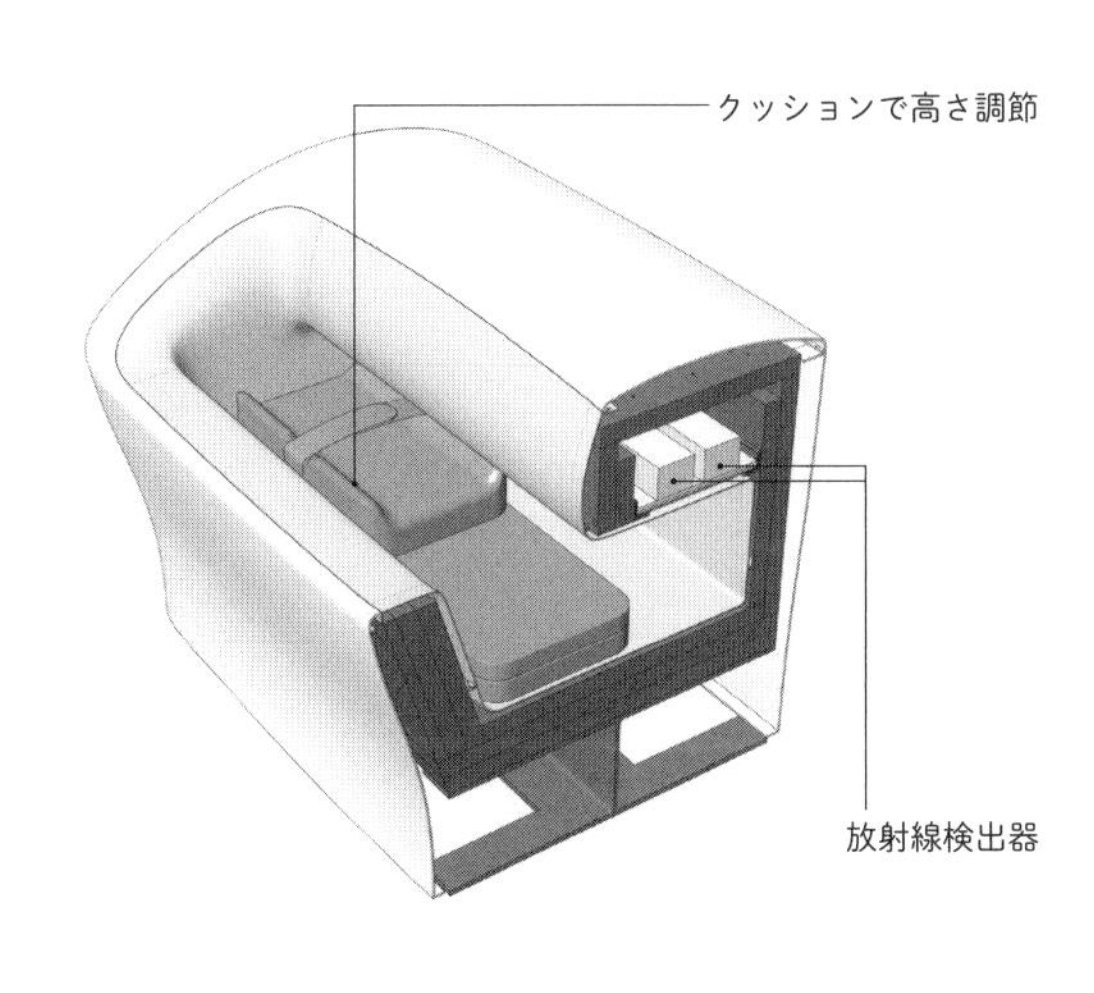

完成したベビースキャン

アイデアを思いつく瞬間を大事に

じゃあ、3日目の授業は、こんなところにしようか。

―― デザインって、必ずしもひとつの終着点があるわけじゃなくて、使いやすさやコスト、見た目とか、いくつもある方向性をよりよくしていくことなんだって知って、すごく興味深かったです。

そうです。デザインには正解はありません。答えはたくさんありえて、私たちが作れるものはよりいいデザインでしかない。そして、少しでもいいアイデアは、観察と実験を通じて、少しずつ成長させながら求めていくしかないのです。そのプロセスはいつも同じ。

みんなの実習の話に戻ると、アイデアを、もう出し散らかした感じだよね。今のところね。

―― 散らかしてる(笑)。

どうするんだ、これ、どう収拾つけるんだって思うよね。かなり中途半端な状況で放り出して明日になりますが、それは悪いことではありません。たくさんアイデアを出したら一旦離れ、アイデアを寝かせる。それによって新しいことが見えてくることも少なくありません。

―― 今日はとても楽しかったです。はじめは何も浮かばないと思ってたけど、なんとなく描いたアイデアが、班の子と話しているうちに形になっていって、自分のアイデアにみんなが納得してくれたり、付け足してくれるのがうれしかった。他の子のアイデアも自分には思いつかなかったことがたくさんあって面白かったです。少し自信になりました。

――僕は、アイデアを出すという行為がすごく難しいということを再確認しました。アイデアが出なくなった時はどうしているか、知りたいです。

アイデアって時間がかかる。今日体験したように、短時間で頭を活性化させることも効果的ではありますが、ちょっと間をおいたりすることも大切です。

「出物腫れ物所嫌わず」という言葉がありますが、アイデアも所嫌わず出てきます。今日は帰って、明日までに何案か持ってきてください。なにも出なかったら出なかったでいいです。宿題というより、頭の隅っこのどこかで、いいアイデアが出る瞬間があるかもしれない、という期待を持っておいてほしい。

アイデアスケッチをめいっぱい広げたままで

そうすると、お風呂に入っている時、なにか思いつくかもしれない。トイレで思いつくかもしれない。メトロノームのことを、ずっと頭のどこかで考えていれば、ご飯を食べている時、「あ、これは！」って思える瞬間があるかもしれない。「このスプーンは！」みたいなね。

――(笑)。

なにか思いついたら、すぐにメモすること。それだけは忘れないで。

明日は朝一番に、広がったアイデアを収束させます。つまり、散らかった中から、ひとつのアイデアを見出す。さっき紹介した3つのプロジェクトでも、ある程度アイデアを広げたら、まずは作ってみるということをやっています。同じようにみなさんも、想定した素敵な体験をわずかでも体感できるものを作って、テストしてみましょう。

繰り返しになりますが、いいアイデアを手に入れるのって、偶然です。実際、明日までにすごいアイデアが出る確率は、とても低い。でも、もしかしたら、この中でひとつぐらい、世の中を変えるんじゃないかと思えるようなアイデアが出るかもしれない。

今日はこのまま片付けないで帰りましょう。アイデアを散らかしたまま、机の上のスケッチもめいっぱい広げた状態で、明日を迎えましょう。

7章 なにを、どうして作るのか

4日目前半

自分がいいと思うものにまっしぐらに

こんにちは。4日目で、今日が最終日です。今日は、たくさん出たアイデアの中からひとつを選んで、それを形にしてみます。アイデアを育てるためには、作ってみるって、すごく大事なんだよね。僕の研究室でも「プロトタイプ」をたくさん作ってる。プロトタイプは試作や原型と訳されますが、要するに、とりあえずアイデアを形にした未完成のオブジェのことです。この授業でも、アイデアを三次元で作ってみます。

その前に、最後の日なので、聞きたいことがあったら、どんどん質問してください。

――人の目を引くデザイン、売れるデザインとはどんなものか知りたいです。

ええと、それが一言で言えれば苦労しません（笑）。ただ、伝えておきたいと思うのは、いいデザインが売れるデザインとは限らないということです。

私がデザイナーになった1980年代後半に、とても気に入った机や家具のシリーズが売り出されていました。オフィス家具というと外国の高級家具かスチール製の安価な家具がほとんどだった時代に、明るい色の木と樹脂で強化したペーパーボードで作られていて、軽くて機能的で、値段も高級品というほどではなかった。その家具を事務所用に一揃え買って、ずいぶん長い間使いましたが、そのシリーズはあまり売れなかったみたいで、しばらくすると廃番になってしまいました。補充できないので、今もその一部だけを大切に使っています。だけど、最近のインテリアショップに行くと、よく似たものが何種類も売られているんです。たぶん、僕が買ったシリーズは時代が早すぎたんだね。だから、その時点では「売れるデザイン」ではなかった。でも、そのブランドは、今では当たり前のように売られている「自宅で仕事をする若い人のためのカジュアルな家具」を切り開いたともいえる。

世の中には、そういうものがたくさんあります。だから、僕は必ずしも売れるデザインは目指さない。こんな価値観もあるんじゃないですか、って提案できたらうれしいかな。

――山中先生がこれまでデザインしたものの中で、いちばん苦労したものってなんですか？

うーん……最初にデザインして世に出ることになった、インフィニティQ45という車ですかね（26ページ）。製品を作るって、めちゃくちゃ大変なんだなって思った。苦しかったし、本当にこれでいいのか全然わからないから、いつまでもやってしまうんです。

プロジェクトのはじまりの頃は、まわりの言うことを聞きすぎたかも。自分に自信がないと、どうしても「誰からも文句を言われないもの」を作ろうとしちゃうんだよね。でもそれは無難でつまらないものに至る道でしかない。自分がいいと思うものにまっしぐらに向かわなければ、すごいものを作れないんだって気がつくのに、ずいぶん時間がかかった気がします。

車は20世紀の産業で最も成功した巨大な産業のひとつで、1台数百万円の同じ車が年間に10万台とか売れると、簡単に総予算何千億になっちゃう。ものを作る時には、大体、その6分の

1から4分の1ぐらいが人件費です。そうすると千億ぐらいが人件費で、一人年間700万円ぐらいを払っていたとして、1万5千人の人間が一年中働いて、やっと車になる。それをデザインするプレッシャーって、すごいですよ。自分がヘッドランプをシュッと切れ長にデザインしたとすると、そのランプを実現するために何百人もの人が働くことになります。

だから、実際には、一人の人間がささっとデザインして、それで決定ってことには全くならない。お客さんにこっそり聞いてみたり、他のデザイナーにもやらせてみたり、いろんな人がああでもないこうでもないって言って決めることになる。

でもね、デザインって民主的に決めると、あんまりよくならないのです。特に完成前のデザインはいいところも悪いところもあるのが当たり前なんだけど、悪いところは目につきやすいからそればっかり集中していいところを殺してしまうんです。その結果、悪くはないけど、なんか普通だねってものになったり、あるいはなにがしたかったのかわからなくなっちゃう。

そして実は、誰もが知っているようなかっこいい車は、大体ひとり、または2、3人でデザインしています。たとえば、ポルシェ911っていう50年以上基本形が変わっていない名車があるんだけど、最初のデザインは、フェルディナンド・アレクサン

ポルシェ911とフェルディナンド・A・ポルシェ

ダー・ポルシェさんがひとりで考えたものでした。その車ができた時、デザイナー仲間では評判が悪かったらしいんだけど、売り出してみるとどんどんファンが増えていって、結局それが世界で一番有名な車のひとつになりました。

今日は、チームでデザインするけれど、あまりアイデアを混ぜちゃダメです。みんなでたくさんアイデアを出すことは、いいアイデアに巡り合う確率を高めるためにも大切です。でも、アイデアを選んだら、そのアイデアを出した人の意見を尊重しましょう。そのアイデアの本当の素晴らしさは本人にしかわかっていないことも多いのです。

チームの再編成

じゃあ、昨日まではくだらないアイデア大歓迎でスタートしたけど、ここからは少し役に立ちそうなほうに引っ張っていきながら、アイデアを収束させていこう。

さて……その前にチームの再編成をします。5チーム中、3人の班が3つあるけど、ここからは作業が大変なので、1チーム減らし、解散した班のメンバーを他の班に振り分けます。

——……。

実は、こういうことは実際のデザイン開発でもよくあります。開発が進むほど作業が膨大になるので、アイデアを絞りながら、ひとつのアイデアに携わる人数を増やしていくのです。

えーと、鍵盤ハーモニカ班。せっかくここまでやったのに申し訳ないけど、ここで解散して、ひとりはマウス班、あとの2人はメトロノーム班に入ってください。解散する理由は、昨日までのアイデアと議論の様子から見て、ここからすごいアイデアに成長させるのはちょっと難しいかな……と思えたからです。この段階で判断するのは早すぎるし、きみたちのアイデアの中にも、すごいものができるポテンシャルがあるかもしれない。実際、大きな差はないんです。だけど、そうしたほうが楽しくやれそうな気がするので、やってみます。

鍵盤ハーモニカ班だったきみたちは、急に違うことを考えなくちゃいけなくなるけれど、まずは、これから所属するチームがこれまでなにを考え、どんなアイデアを出してきたか、よく聞いてください。どの班もアイデアが広がらなくなってきているから、あなたたち3名が、新しい展開のキーになることを期待しています。新しい人が入るのはいいことです。アイデアには正解はなく、いつでも新しい視点があるだけだから。

実習 アイデアの街に名前をつける

さて、だいぶスケッチの枚数が増えていますね。スケッチは重ねないで、常に全てのスケッチが一覧で見える状態にしよう。つまらないアイデアだと思って重ねちゃうと、見えなくなることで、いいアイデアを見逃すかもしれない。もう一回全体を広げて見てみる。

本当にいろんな絵が並んでる。それぞれに個性があって、思い入れがあって、引っ込めたくなるようなものもあるかもしれないけど、それがみんなの頭の広がりなんです。ひとりじゃ絶対こんなふうにはならない。人間って面白いよね。他人の頭まで使えちゃうんだから。

では、今から、「アイデアを収束させる」方法を話します。昨日の後半、すこし似たアイデアをまとめて並べていって、アイデアの地図を作りましたね。それをさらに進めます。

地図を見渡すと、いくつかのアイデアが集まって大きな街ができています。一方、アイデアスケッチが2つか3つしかない小さな集まりもある。それらの街に名前をつけましょう。「子どものためのもの」、「座るもの」、「台所にある」とか。大きめの付箋を貼って、そのアイデアのグループに名前をつけるんです。場所が足りなければ机からはみ出して床も使っていいよ。

よく考えて、そのアイデアの価値にふさわしい名前をつけてください。たとえば「椅子」って名前をつけるのと、「座って休むもの」ってつけるのとでは、その後の発展の方向が全然違います。つまり、ここでつける名前は目指すところでもある。

さあ、進路を決めるよ。

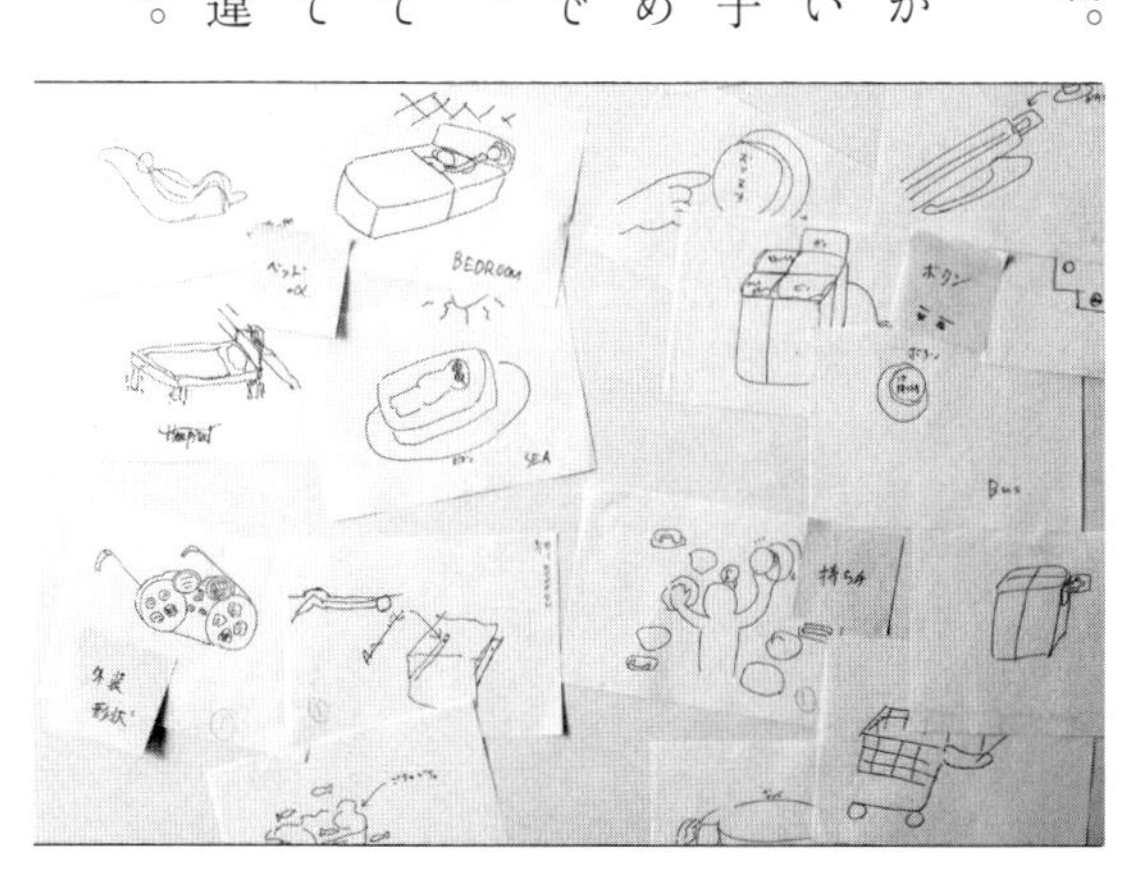

グループごとに名前をつける

合理的な予測と「なぜか気になる」

ざっと見ると、4、5種類、多いチームだと7種類ぐらいに分かれていますね。ここから投票してアイデアのグループを選んでいきます。ひとつじゃなくて、このへんで行こうっていうのを、各チーム3つに絞る。

じゃあ、またコインを配ります。前回はハートのコインだけでしたが、今回はもう一種類増やします。ひとり3枚ずつ、星マークとハートマークのコインを持ってください（読者のみなさんは、色の違う付箋を貼っていくなどで代用してください）。

星マークは、推しのアイデアに置きます。このアイデアはみんなの賛同を得られそう、役に立つし、自分もほしいと思うし、プロトタイプも作りやすそうだし、総合的に見ていいアイデアに育ちそうだと思うグループを3つ選んで、星のコインを置いてください。

ハートマークは「なんか気になる」アイデアに置きます。別によくはないかもしれない、あるいは実現は難しそうだけど、でも好きっていうのに置いてください。いいと思う理由を説明できるものに星。よくわかんないけど、なんか気になるっていうのにハート。あまり悩むとわからなくなるから、少し考えたら、えいやっと。

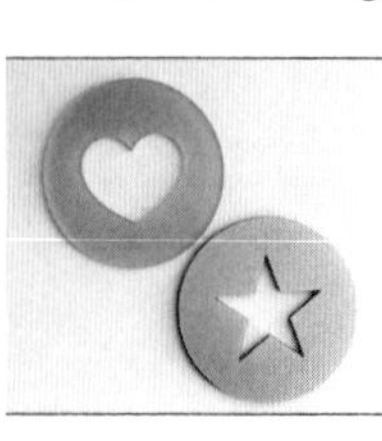

星とハートのコイン

これから3つのエリアを決めますが、コインの多いところを選ばなきゃいけないわけではありません。あくまでも参考に、みんなで話し合って合意してください。それから、自分しかコインを入れてないからって、自分の意見を曲げる必要はありません。本当にいいと思ったなら、なんとかみんなを説得してください。「強く推している人がいる」っていうのも大切な情報です。

――**不思議なことに、星が置いてあるところにハートが少ない。**

星とハートは必ずしも一致しない。星は「合理的な予想に基づく判断」を、なぜか気になるっていうハートは「直感に基づく判断」を表しています。このハートコインの扱いが難しい。

私の経験では、なぜか気になるアイデアはとても大事です。人間の直感が、なんか重要な気がするっていう信号を発しているからだと思う。未来を予想する時には、直感を重視したほうが合理的な予想よりも的中率が上がるという研究報告もある。だから、気になるアイデアは簡単には捨てないで。

直感による選択を入れているところが、このア

2種類の「好き」で投票する

イデアの絞り方のポイントで、「理屈だけでは、必ずしも最良のデザインを選ぶことができない」ということを前提にしているんだね。

ちなみに、実際の現場では、これにもうひとつ、どのアイデアが儲かるかという「収益の選択」の視点を加えることが多い。これもとても大事な視点ですが、この選択を行うには製造コストやマーケットに関する知識が必要なので、今回は省きます。

代表するグループを3つ選んだら、次に、それぞれの中で、これが代表的なアイデアだよねって思うものをひとつ選んでください。選んだものは、目立つように真ん中に置いて。

知らない人に説明して反応を見る

じゃあ、今度は、自分のチーム以外の人の意見も聞いてみましょう。

まず、マウス班の机のまわりに、全員集まって。マウス班は、みんなに向かって、選んだ3つのアイデアを説明してください。その班のメンバー以外の全員は、星とハートのコインを1枚ずつ手に持って、気にいったアイデアに投票してみて。

実習

ショートプレゼンテーションと外部からの投票

マウス班のアイデアスケッチ

☞ たくさんのアイデアをグループに分け、その中から代表する3つのアイデアを、それを全く知らない人たちに説明し、気に入ったアイデアに投票してもらう。

イス

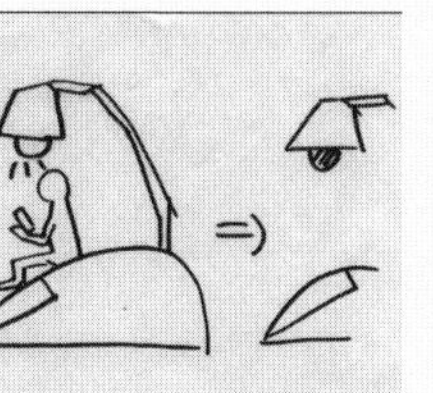

マウスを大きくして、座ると
足のほうにスイッチがあり、
ライトやテレビを操作できる

しくみ

ボールの進む距離を
計測する仕組みから考えた、
曲線も測れるメジャー

かたち

野菜などのスライサーの
カバーをマウスの形にしたら、
手を切らなくていいなって

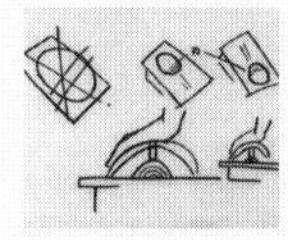

投票結果

フットスイッチ付きのイス ……	★★★★♥♥♥♥♥♥♥
握りやすいスライサー ………	★★♥♥♥♥
曲線も測れるメジャー ………	★★★★★★★♥♥

★：合理的に考えていいと思う　♥：よくわからないけど好き

実習

ショートプレゼンテーションと外部からの投票

ドライヤー班のアイデアスケッチ

☞「建造物」「小道具」「風」、3つのグループから、代表するひとつのアイデアを説明し、
いいな、好きだなと思ったアイデアに投票してもらう。

建造物

カチッとはまる構造で
分解できる家。
自由に組み替えられる

小道具

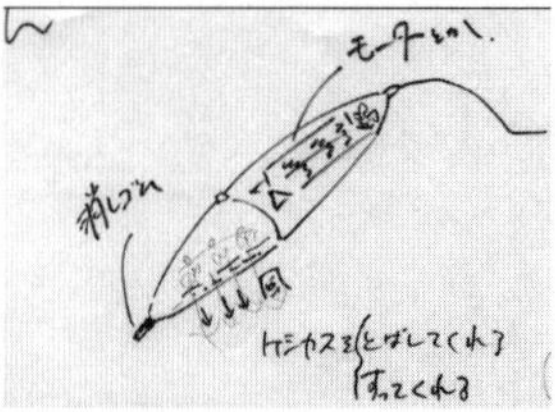

電動消しゴムにモーターと
ファンをつけてケシカスを
飛ばしたり吸ったりする

風

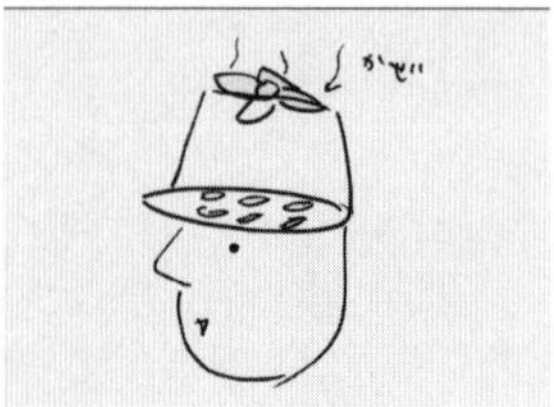

帽子の中にファンがついていて、
風で空気を入れ替えて
ムレないようにする

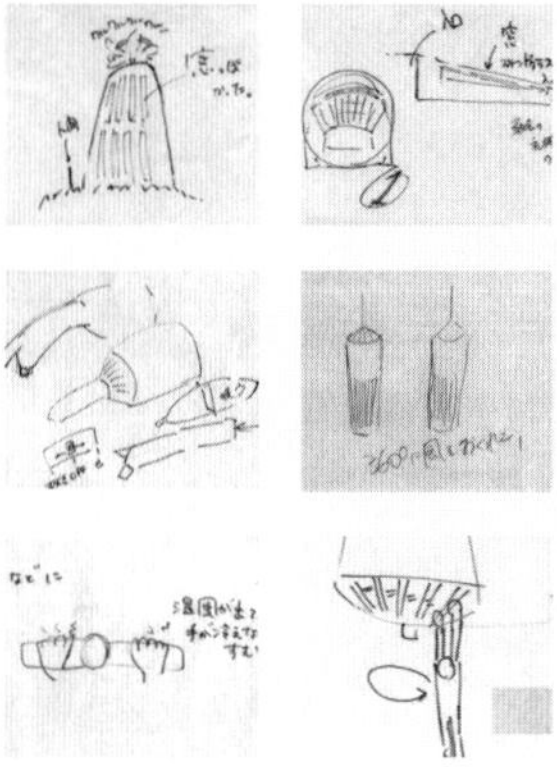

投票結果

組み替えできる家・・・　　良いと思ったんだけどな……

ケシカスを
飛ばすケシゴム　・・・・　★★★★★★★★♥♥♥♥♥

ムレない帽子・・・・・・　★★★★★♥♥♥♥♥♥♥♥

★：合理的に考えていいと思う　♥：よくわからないけど好き

みんなが今、やってくれたのはショートプレゼンテーションというもので、そのアイデアを全く知らない人に、短時間で説明してもらいました。初期段階のショートプレゼンでは、手書きのスケッチがとても重要な役割を果たします。

手書きの絵のいいところは、細かいことはまだ決まってないよ、という雰囲気も伝わることです。ぼんやりしていたり、わからないものは無理には描かない。イメージできていることだけを伝える。この段階では、アイデアのコアをちゃんと共有することが重要なのです。

さて、チーム以外の人たちからの投票結果を見てみると、チーム内の意見とはだいぶ違うと思ったでしょう。誤解されて受けとられているかもしれないし、チーム内では盛り上がった面白さが伝わっていないかもしれない。この段階では、ウケなかったことをあまり重視してはいけません。デザインの本当の価値は、もう少し作り込んでみないとはっきりとは伝わりません。批判的な意見の多くは「わからないこと」に対するものです。手応えがあったアイデアについては、「そっか、こっちがウケるんだ」ぐらいにポジティブに受け止める。

ここまでやってみて、どうでしたか？　新しいグループに入った人たちは馴染めたかな。

――グループを移って、アイデアの量や話し合っている内容に驚きました。鍵盤ハーモニカ班では、自分も話を広げるように働きかけられなかったし、グループの中で仕切る人が必要だとも思うのですが、どうしたらよかったか、考えてもわからない。

うん、確かに鍵盤ハーモニカ班は少し議論が低調だったかもしれませんね。シャイな人が多かったのかもしれないし、鍵盤ハーモニカが慣れ親しんだものすぎて、刺激が足りなかったのかもしれない。チーム内がどういう雰囲気になるかは、個人の力というより偶然の産物なので、状況が変わるとガラリと変わります。反省する必要はありません。どうしたらよかったのかを考えるより、新しい環境を楽しんでください。

――はい。

ひとつのアイデアを選ぶ時

さて、そろそろ、プロトタイプを制作するアイデアを選びます。そちらのテーブルに材料を集めました［333ページ写真］。紙、テープ、接着剤、紙コップ、チューブ、針金、紐（ひも）、段ボールなど。これらの材料を使って、プロトタイプを作ってもらいます。

プロトタイプは、アイデアを形にした未完成のオブジェだと話しましたが、未完成ってことが大事。製品が僕らに与えてくれる便利さや楽しさ、動きや手触り、印象などのうち、一番重要な価値だけをとりあえず再現するのです。それ以外は雑でいいので、短時間で作る。

では、これから議論してアイデアをひとつだけ選びましょう。投票結果は参考にしますが、「票が集まったからこれ」という選び方をしてはいけません。多数決は最もつまらない選択方法のひとつです。先ほども言いましたが、人はどうしてもわからないものに批判的で、票だけで選ぶとわかりやすいものしか選ばれません。もちろん、わかりやすくて優れたアイデアもありますが、多くの画期的なアイデアは、考えた本人しか価値がわかっていないことも多い。票だけで選ぶと、ちょっと変わった発展途上のアイデアを潰してしまうことになるのです。

それぞれのアイデアに対する発案者の思い入れは共有できていると思います。どうしてこの人は、こんなに強くこのアイデアにこだわっているのか。それを理解しようとすることも、アイデアを選ぶためには必要です。

別の観点としては、プロトタイプをどうやって作るか、印象的なプロトタイプになりそうなものはどれか、ということも考えていい。「どうやって作んの？ これ」というものもあるでしょう。それを実現するためにアイデアを加えることも必要です。作り方を考えているうちに、アイデアが変わってしまっても構いません。それもアイデアを育てる作業の一環です。

動くものを提案しているアイデアもあるよね。実際に動くものを作るのは簡単じゃないけど、プロトタイプをみんなに見せる時、「演技」でカバーできるかどうかも考えてみて。

――演技？

小芝居して動いている様子を再現する。これについては、またあとで（8章）説明します。

選定にあたって、もう一つ重要なことは、あなたたち自身の勝ち負けにこだわらないことです。グループワークは自分のアイデアを通すゲームじゃない。そして、ここに並んだアイデアは、どれも誰かひとりから生まれたものじゃない。みんなの共有財産です。分解している時の他人のちょっとした仕草や、話し合っている時のちょっとした言葉が、あなたのアイデアのトリガーになったはずです。それは、たまたまあなたの脳の中で発生したけれど、生み出したのはこの場そのものなのです。自分のアイデアへの思い入れを語ることは重要ですが、勝とうとしないでください。他のメンバーのどのアイデアにも、あなたはちゃんと貢献しています。

――選ぶのはひとつだけですか？

まあ、手間がかかるからリスクはあるけど、2つ作っちゃおうという判断もありです。アイデアって粛々と進むものじゃない。常に行きつ戻りつするし、アイデアそのものも変化するし、やってみたけど、あれ？　だめだこれ、みたいなことはたくさん起こります。

それと、大事なことですが、アイデアを決定する時、あまり重く考えてはいけません。怖がってしまうと判断を誤ります。無難な成功より面白い失敗を目指してみて。だめだったら戻ろう、うまくいかなかったとしても面白がってくれるだろう、ぐらいの気持ちで柔軟に気楽にかまえる。リスクを抱えたまま、思い切って進みましょう。

「問題」を自分で作る

さて、今、みなさんは、自分たちで考えて、なにかを作ってみようと言われています。「椅子をデザインしてください」というような具体的なアイテムの提示はされていない。「観察して気になった仕組みを使って」という道筋は示されていますが、なにを作るかは自由です。
みなさんのふだんの勉強やテストでは、大抵、問題が与えられています。そして問題には「正解」がある。でも今日、みなさんが直面している課題には正解がないし、それどころか問題すら明確じゃない。だから、答えは無限にあります。では、その中からひとつの答えに至るためには、なにをすればいいのでしょう。それは問題を自分で作ることなのです。

ここで一旦、気分転換。実習からちょっと離れて、僕と仲間たちが進めてきた3つのプロジェクトを紹介します。これらのプロジェクトに共通しているのは、どれも、誰からも依頼されていないということです。そういう自主プロジェクトを進めるにあたっては、なにを作るのか、なぜ今、それを作るのかという問題の発見と設定が、とても大事です。それが自分たちにとって本当に納得できるものでなければ、そもそも作る意味がないのですから。

最初に紹介するのは、2000年に発表した両手親指キーボードというプロジェクトです。このプロジェクト

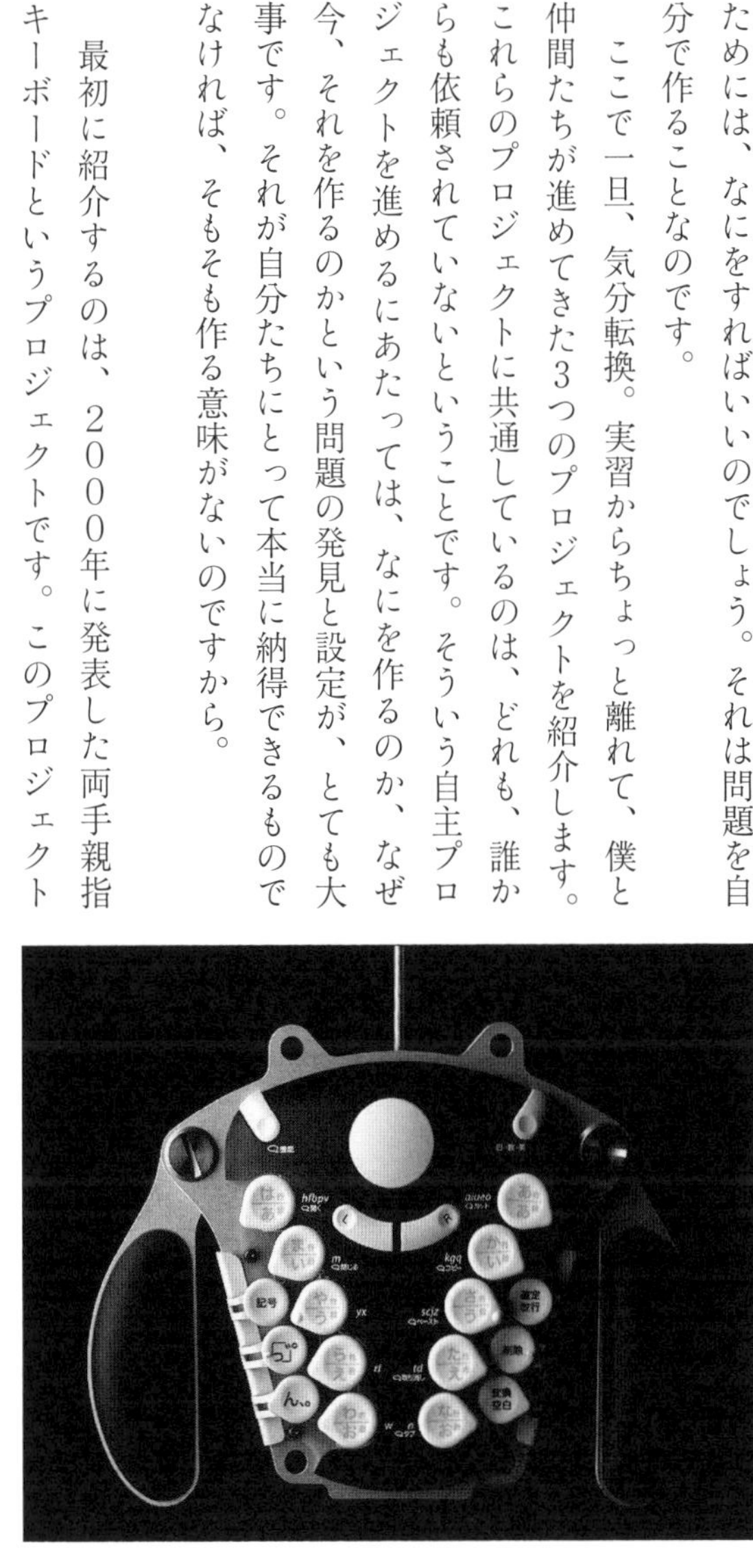

両手親指キーボード

は、僕のデザイン事務所にバイトに来ていた東京大学の学生、田川欣哉くんがある問題と出会い、それを解決したいと思うことからはじまりました。

田川くんは、今はTakramというデザイン会社を経営していて、車や家具、ウェブサービスやアプリなどのソフトウェア商品、会社のロゴやパッケージなどもデザインしています。

1998年、大学4年生の田川くんが、私のデザイン事務所でアルバイトをしていた時の話です。彼には子どもの頃から世話になっていた、少し年の離れた友人がいました。その人は、えとう乱星さんという小説家で、剣豪、捕物帳、隠密同心などが登場する娯楽時代小説を書いていました。年齢は田川くんより25歳ぐらい年上。残念ながら2018年に亡くなられましたが、豪快で明るい性格のえとうさんを、田川くんは「おっちゃん」と呼んで慕っていました。

えとうさんは作家として、ひとつの大きな問題を抱えていました。幼い頃に患ったポリオ（脊髄性小児麻痺）の重い障害が残っていて、手足がほとんど動かなかったのです。両足は全く動かず、肩は少し動かせるのですが、肘や手首の関節はほとんど固まったまま、両手の親指と人差し指がかろうじて動かせる程度でした。

執筆する時はどうしていたかというと、キーボードの裏に滑りやすくするテープを貼り、左手の肘でキーボードを左右に滑らせながら右手を肩で動かし、その人差し指でひとつずつキーを打っていた。ほとんど動かない体の残された筋肉を使って全身で執筆していたのです。

当然、その作業はとても疲れるもので、長くは続けられません。えとうさんは当時、単行本を10冊ほど出していましたが、これは決して多くはありません。忍者や剣豪が出てくるような娯楽小説の作家の中には、何百冊も書く人が珍しくない。「頭の中にはいっぱいアイデアがあって、書きたいものはたくさんあるのに……」それがえとうさんの口癖だったそうです。

田川くんは、えとうさんのための文字入力装置を作ることを、卒業論文のテーマに選びました。彼は僕と同じく機械工学を学んでいたのですが、それを活かして、最終学年の1年間をかけて、その人のためのキーボードに代わる何かを作りたいと考えたのです。

はじめは、音声入力や視線入力を考えたそうです。今でこそ、スマホの音声入力は当たり前のように使われているけれど、それはつい最近、２００9年頃のことです。98年当時は実用化には遠く、ましてプロの小説家が使うには全く不十分なものでした。

田川くんは、なにかヒントはないかと、えとうさんのお宅に通い続け、えとうさんの執筆を支えてきた奥さんやご長男の話を聞いたりしていたそうです。そんなある日、いつものように家を訪ねると、えとうさんがプレイステーションで遊んでいたのです。ゲームコントローラーを巧みに使いこなし、アクションゲームを楽しんでいたらしい。

「おっちゃん、ゲームはできるんだ!?」

「ああ、親指と人差し指だけでできっからね」

それをきっかけに、彼は親指だけで入力できる方法を研究しはじめました。そして、ボタンを2回押すことで、ひらがなを入力する方法を思いついたのです。

日本語には、50音といわれる独特のマトリックスがあります。縦方向に母音のアイウエオ、横方向に子音のアカサタナハマヤラワ。つまり、横方向の10の中から「行」を選び、それぞれの縦の母音から「段」を選べば、ひとつの文字を決定することができる。

そこで田川くんは、縦に2列に並んだ10個のキーが真ん中に配置され、その左右を両手で握って、親指で2回入力するキーボードを考えました。左の図のように、最初に10個のキー（右にアカサタナ、左にハマヤラワ）から「行」を選び、次に左右のどちらかの列（マ行を選ぶと左右どちらもマミムメモ）を使って段を選ぶ。つまり、行段2回押しです。

現在、iPhoneなどで採用されているフリック入力［次ページ右の図］では、アカサタナ……の行をひとつ選ぶと、そのまわりに、段の4文字が現れて（中央はア段）そのうちのひとつを選ぶという方式ですが、これも一種の2回押しです。まだスマホもない時代でしたが、田川くんの考えた入力方法は、フリック入力と同様の原理を用いた、かな入力の機械版でした。

彼は、ちゃんと動くものを作って実験しました。キーやグリップ部分だけでなく、電子基板もソフトウェアも、

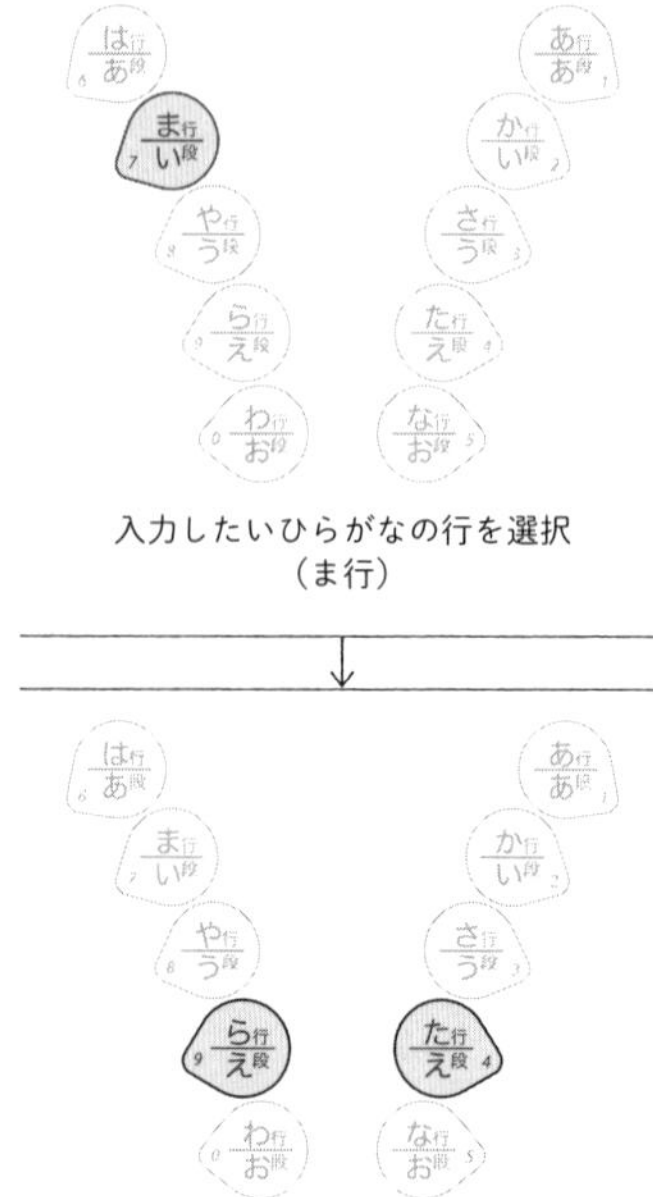

入力したいひらがなの行を選択
（ま行）

次に、ひらがなの段を選択
（え段）

「め」を入力する場合

全部自作しちゃったんです。それを何個も作って、えとうさんのところに通ってフィードバックをもらい、半年後にできたのが、左の写真です。この箱をコンピュータにつなぎ、両手で握って親指を交互に使って入力すると、ちゃんと文字が打てた。えとうさんの評価も上々でしたが、驚いたのは、私にも十分使いやすかったことです。

キーボードがこんなにコンパクトになって、手の中で使える。しかも、すぐに覚えられて誰にでも使いやすい。デスクがないところでも簡単に長文が入力できる。もしかすると未来の入力方式はこういうものなんじゃないか。こんなアイデアを卒業制作で終わらせてはいけないと思いました。

「これ、ちゃんとデザインしたもの作っちゃおうよ」。そう言い出したのは妻でした。1980年代からずっと一緒にデザイン事務所をやってきた妻は、経営者でもありました。

もちろん、ちゃんと使える魅力的な装置

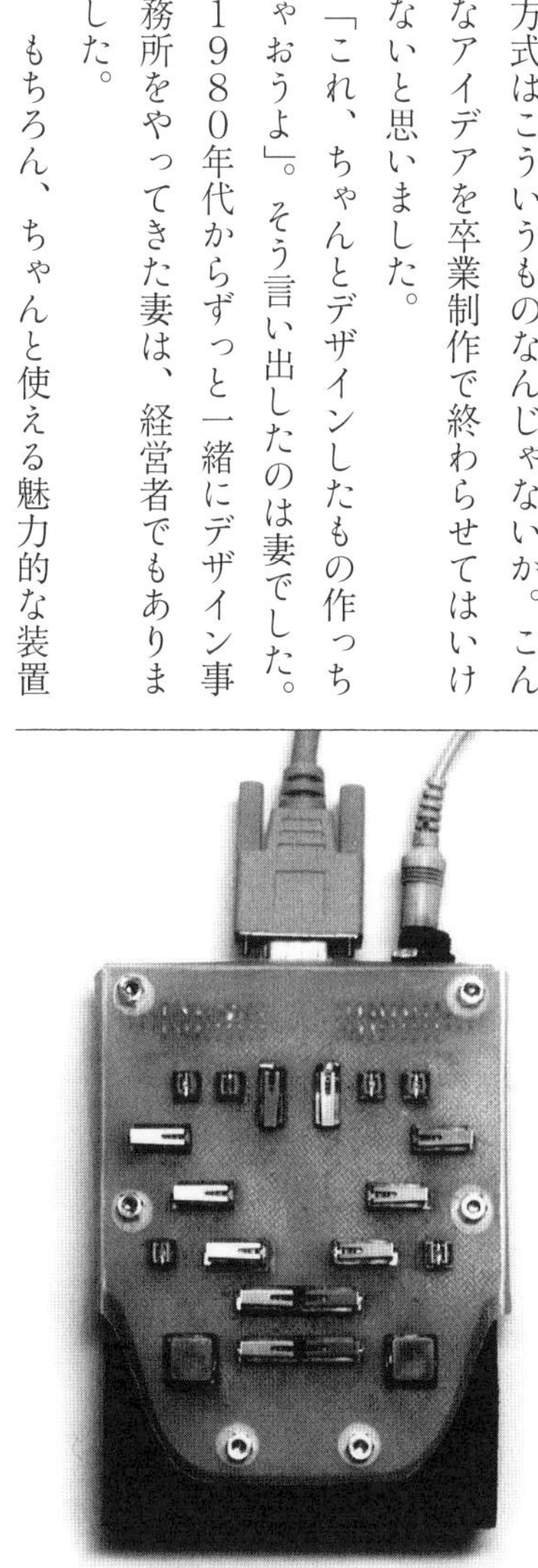
初期の実験機

フリック入力

を自分たちで作るとなると、お金がかかります。そのお金は誰も出してくれない。でも、そうすることが私たちの未来を開くと感じたのです。それから田川くんと同級生の本間淳くん、そして私の3人での本格的な開発が始まりました。

過去から学び、作りながら考える

みなさんは工業製品を観察し、それらがどうしてそのように作られたかを考えてきました。どうやったらそれをゼロから作れるのか。数学や物理をしっかり勉強すれば仕組みを思いつくのかというと、もちろんそれは違います。ものづくりにはものづくりの方法がある。

ひとつは先人の知恵に学ぶこと。既にあるものをよく見て上手に真似することです。もちろんそっくりに真似してはいけません。練習として真似て作ってみることはありますが、あくまで練習は練習。アイデアは特許や著作権などの知的所有権として法律で守られていて、プロの世界では無闇に真似することはできません。でも、その考え方や仕組みを全く違うものに応用したり、大きな改良を加えたりすることは、新しいアイデアとして認められます。

――昨日やった、アイデアのつなぎ替えみたいなこと。

そう、過去から学ぶことはとても大切です。そして、特に昔からのアイデアについては、その知的所有権はみんなのものということになっていて、誰でも自由に真似られます。たとえば

「車輪」はありふれたものですが、もし、これが使えなかったらどうでしょう。今でも人はどこへ行くにも歩いているかもしれないし、重いものは必ず持ち上げて移動していたかもしれない。考えてみればすごいアイデアですが、これはもう人類共有の財産ですね。

キーボードを作っていた僕たちも、ゲームコントローラーや自転車のハンドルなど、過去に作られたたくさんの「両手で握るもの」の仕組みや形を参考にしました。

そうして学びながら、とにかく作ってみました。作りながら考える。何度も試作を繰り返し、少しずつ完成度を高めていきました。発泡スチロールで左右のグリップを作って親指の届く範囲を検討することからはじめ、自転車のハンドル用のラバーグリップをくっつけて、その真ん中にキースイッチを配置したプロトタイプも作りました。マウスの代わりになるスティックや方向キーも必要で、それらも親指で入力できる必要があります。

半年後、ようやくできたのが、下の写真のものです。かなり製品っぽい外観になりましたが、これもプロトタイ

5台作ったtagtype

プです。このプロトタイプの名前は、原発明者の田川欣哉くんの名前をとって「tagtype」。新しい形の両手親指キーボードができたのです。

「製品」であれば安心して使える

私たちは記者発表をして、これを世の中に発表してみようと考えました。今ならクラウドファンディングといって、新しいアイデアのムービーをネット上にアップして資金を調達する方法が一般的ですが、当時、そんな仕組みはありません。どうしたら記者の方に来てもらえるのかも知りませんでしたが、メーカーの広報にいた友人が、そのやり方を教えてくれました。当日は、想像以上にたくさんのメディアの方が集まってくれました。当時は、小さなデザイン事務所が新しい装置を発表するなんてことは珍しかったのです。

一通り説明すると、「いつ発売ですか」「値段はいくらぐらい?」とか、気の早い質問もありました。「あくまでもこれはアイデアを具現化したプロトタイプです。商品化はこれから考えます」って答えているうちに、あっという間に予定の時間になった。メディアの人たちが帰ったあと、もうなにかやり遂げた気分になって、小さな乾杯をして帰宅したのを覚えています。

すると翌日の朝、いきなり知らない人から電話がかかってきました。「新聞で見たんだけど、うちのおじいちゃんに使わせたい。いつから売り出しますか」と聞かれ、申し訳ありません、発売は未定ですって答えて電話を置くと、すぐにまた電話がかかってきて、「五島列島でパソコン教室をやっています。みんなキーボードをなかなか使いこなせなくて……。どこで買えますか」と。

その後、たくさんの取材の申し込みがありました。雑誌『Pen』のユニバーサルデザイン特集号の表紙になったり、NHKの「クローズアップ現代」で紹介されたこともあります。

そうしたなかで、私たちは、これをどこかの企業に製品化してもらおうと決めました。大きな反響に後押しされて、すぐに製品化できるんじゃないかと思ったのです。最初は2台だけ製作したのですが、すぐ5台に増やし、それを抱えていろんな会社を回りました。コンピュータメーカー、家電メーカー、なぜか車メーカーや住宅メーカーまで、百に近い企業の人と会合を持ち、実際に触ってもらいながら説明しました。

たくさんの企業のエンジニアが、その価値に共感してくれたのですが、新しい入力方法となると、それを教えたり、サポートしたりする体制も必要になります。でも、これを本当に必要としている人は障害をもつ人だけなんじゃないかという意見もあって、たくさん売れる目処がつかない。結局、製品化してくれる企業を見つけることはできなかったのです。

でも、田川くんはあきらめませんでした。なんとか製品化して、えとうのおっちゃんに安心して使ってもらいたかったからです。

えとうさんは、最初の田川くんの試作機をしばらく使っていましたが、あまりによく使ったので半年ほどで壊れてしまいました。その後、私たちがデザインしたものを使ってもらっていたのですが、「世界に5台しかない物を使うのは、やっぱり緊張するなあ」とも言っていた。

――確かにキーボードは、しばらく使ったら買い替えが必要になったりします。

そうなんだよね。買い替え可能な製品だったら、安心して使える。そこで田川くんは、量産品としては成立しなくても、ほしい人が自分で組み立てて使うホビー商品のような売り方なら、少数生産でもほしい人に届けられるんじゃないかと考えました。全体をデザインし直し、組み立てキットとして開発したのが左ページの写真で、名前はtagtype Garage Kit（発表は2002年）。

最初のものほどの反響はありませんでしたが、プロの人たちから注目され、パリで展示もされました。これも、結局20台だけの製作で、たくさんの人に販売するには至らなかったのですが、それでもえとうさんには安心して使ってもらえるものになった。えとうさんは、「無骨な障害者用機器が多いなか、このキーボードは小鳥のようにかわいい」と喜んでくれました。

さて、このプロジェクトは、ただ働きで損ばかりしていた

小型ディスプレイを装着するための
フレームを考えている時のスケッチ

のかというと、実はそうでもありません。いくつかの携帯電話のプロジェクトも、オクソーの大根おろしも、アメリカのシリコンバレーにあるゼロックスの研究所などとの付き合いも、このキーボードを見てもらったことからはじまりました。それまでの企業からの依頼は、製品をカッコよくして売れるようにしてほしいというものでしたが、多くの企業や研究組織が、こんなものを独自に作れる技術力があるなら、新技術の開発にゼロから参加してほしいと言ってくれるようになった。

余談ですが、ニューヨークに世界中の優れたデザインをコレクションしている近代美術館があります。頭文字をとってモマ（MoMA）とも呼ばれるこの美術館が、２００４年にtagtype Garage Kitをパーマネントコレクション（永久収蔵品）として収蔵してくれました。ここにはポルシェやアップルの製品、日本のものだとキッコーマンの醤油差しやパックマンっていう

自分で組み立てて使う

ゲームも入ってる。なぜか20台しか作っていないこのキーボードが収蔵されて、そういうことが目的ではなかったけれど、やってよかったという気持ちにもなりました。

このプロジェクトのアイデアの原点は、学生だった田川欣哉くんの、「おっちゃんが困ってる」でした。思いついたきっかけは、本当に身近なところにあったのです。みなさんも、ぜひ身近なところから、誰かが必要とするものを見つけてください。もしかすると、きみたちが思いついたことが、世界を駆け巡るかもしれないのです。

21世紀にも、誰もが気軽に使える義手がない

次に紹介するのは、２０１２年に発表した義手のプロジェクトです。このプロジェクトを最初に思い立ったのも私ではなく、ふたりの研究者でした。国立障害者リハビリテーションセンター研究所の河島則天（かわしまのりたか）さん。そして、産業技術総合研究所（当時。現在は大阪工業大学准教授）の吉川雅博（よしかわまさひろ）さんです。

河島さんは、手足を失った人がどのようにそのハンディキャップを克服していくのか、どうすればそれをサポートできるのかを研究していました。吉川さんはもともとコンピュータや人工知能の研究者ですが、河島さんと出会ってからは、人の機能をアシストする機械を研究していました。

ふたりは、手を失った人や、生まれつき一部が欠けている人のための機能的な義手を研究していきますが、そのなかで、ある問題意識をもつようになります。それは21世紀を迎え、こんなにもたくさんのものと、それを支える先端技術に溢れる世界になっても、本当に使いやすい、誰にでも使える義手がないという現実でした。

この問題を理解するために、義手というものについて、大まかに説明しましょう。手がもともとない人や、手を失った人は、日本に約8万人いるそうです。その中で両手を失った人はとても少なく、ほとんどの人は片手が残存しています。

義手にはいくつか種類があります。ひとつは能動フックと呼ばれる、昔からある義手です。人の腕の形を模倣した木やプラスチックのアームの先に鉄製のかぎ爪（2本の金属のフック）が装着されている。その一方にワイヤーがつながり、背中を通して反対側の肩に接続され、肩の位置を前後に動かし、背中にあるワイヤーを伸ばしたり縮めたりすると鉄の指先が開閉します。練習すれば強い力でつまむことも繊細に動かすこともできて、残った手の補助としては十分機能します。

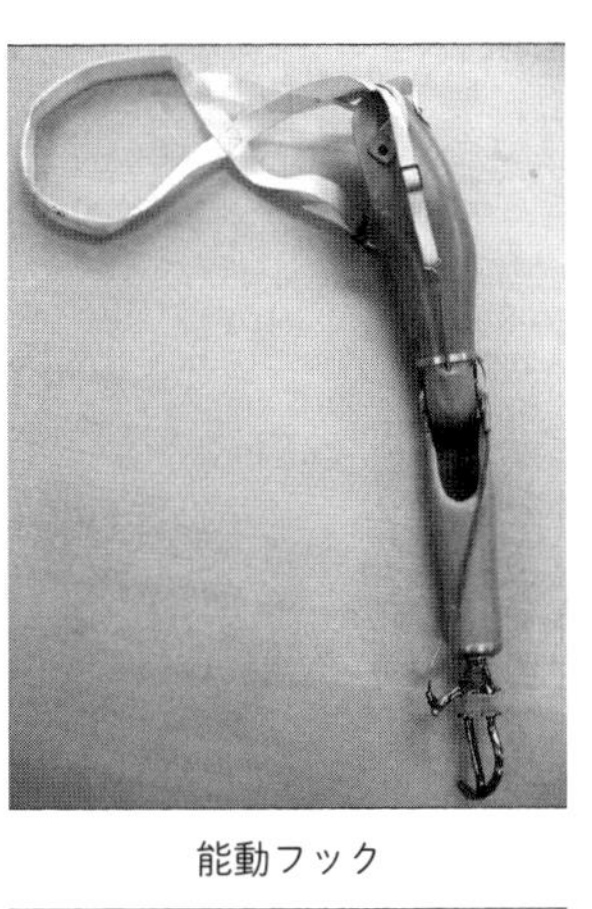
能動フック

シンプルな構造で丈夫だし、次に紹介するロボット義手などに比べて安価です。ただ、ふだん使わない筋肉で指を開閉するので、使いこなすには練習が必要です。金属の指の見た目は、ちょっと怖い印象もあるので、いきなりこれを目の前で使われたら、ぎょっとする人もいるかもしれない。

次に、ロボット技術を駆使した筋電義手。金属のもの、プラスチックのものなどいろいろありますが、大きさや形はかなり人の手に近く、指の長さや関節の数なども人の指と同じような動きができるように設計されています。

――どういう仕組みで動くんですか。

まず、私たちが、どうやって指を動かしているかを説明しましょう。私たちの腕は、肘から手首にかけてたくさんの筋肉が並び、それら一つひとつが腱と呼ばれる紐状の組織で指につながっています。右手で左手の手首を握ったまま左手の指を動かすと、手首のところで筋張ったものが動くでしょう。それが腱です。

私たちが手を動かす時は、脳や脊髄からこの

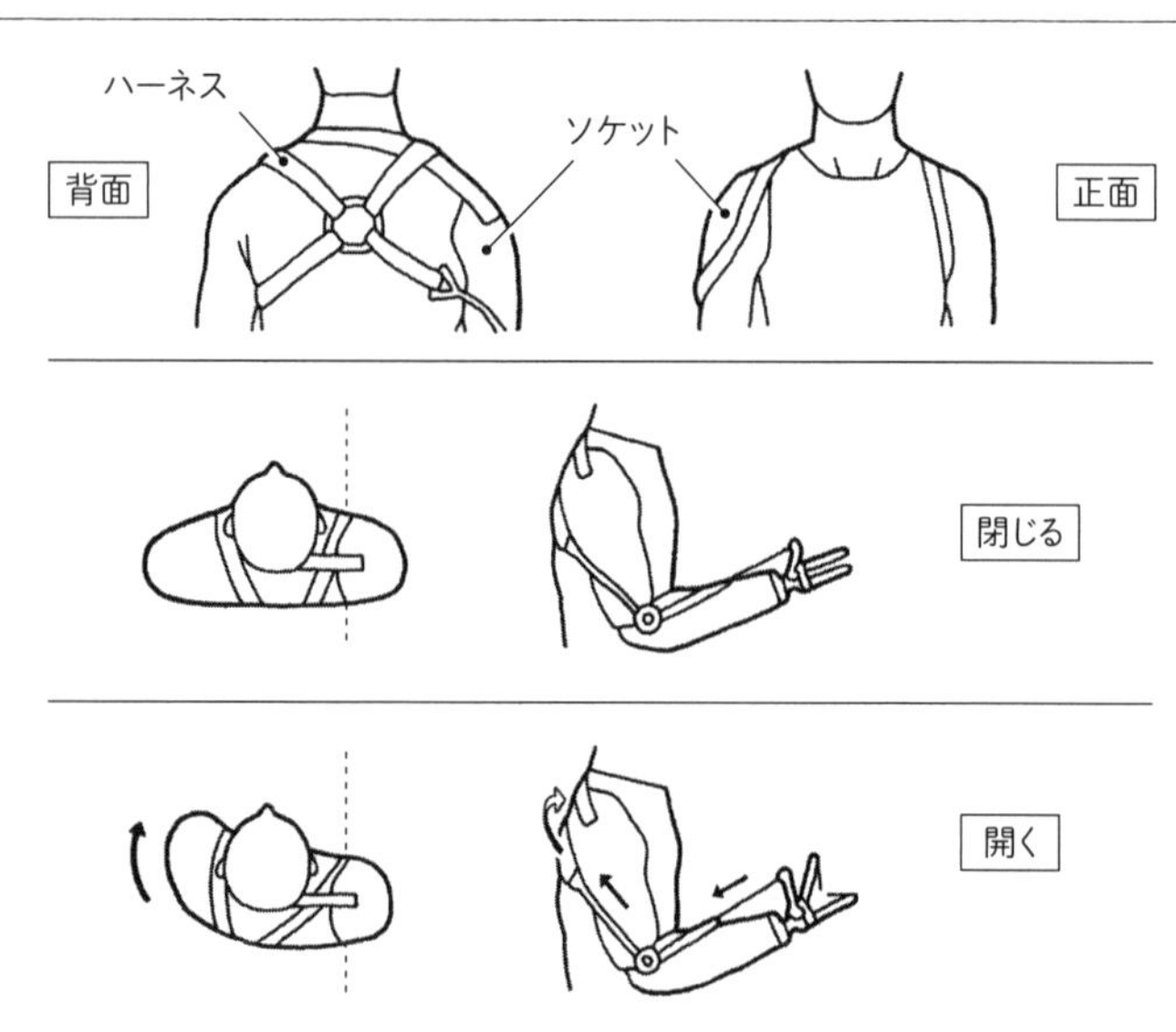

能動フック
義手をつけている反対側の肩を動かし、ハーネスを伸縮することで指先を開閉する

手首の筋肉に電気信号が送られ、それに応じて腱が指を引っ張って動かします。腱が切れるともう指は動かないのですが、たとえ手首から先を失っても、脳からの電気信号は以前と同じように腕に残っている筋肉へ送られます。そこで、皮膚の上から筋肉の電位（送られてきた電気信号の強さ）を計測して、それに対応した強さでモーターを動かし、ロボットの指を動かすという仕組みです。

オットーボック社の筋電義手「bebionic hand」
出典：https://www.ottobockus.com

ただ、実際に動かすのは、そう簡単ではありません。筋肉のわずかな信号を皮膚の上から計測するのは難しく、しばしば間違った信号を拾ってしまう。長い時間をかけて練習すれば指を一本一本動かすこともできるようになりますが、実際はものを握れるようになるだけでも大変です。私たちの指は、ただ曲げ伸ばしするだけでなく様々な向きに動きますが、そこまで精密なロボットの指は、まだありません。

そして3つ目、日本では60％から90％の人が使っているのが装飾義手という、本物そっくりに見えるけれど動かない義手です。みなさんが義手を見かけることがあったら、ほとんどがこれだと思います。ちょっと見ただけ

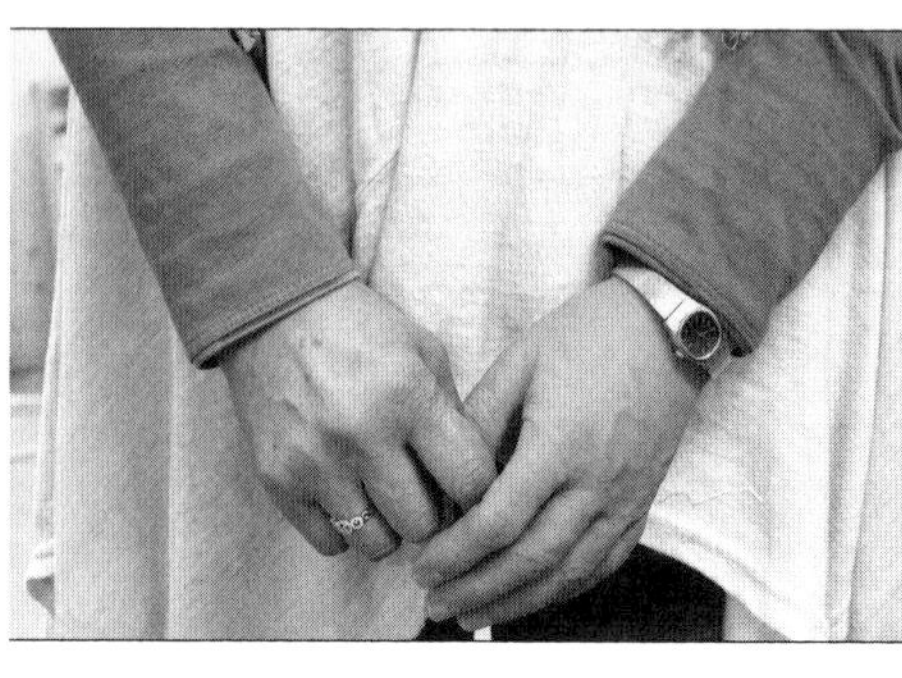

左手が装飾義手

では義手だと気がつかない。とはいえ、全く動かないし、触ると冷たいので、目の前に使用者がいて気がつかないというほどではありません。

能動フックは、ちょっとゴツいし、まわりにいる人が能動フックを使っているところを見ないようにするとか、そういう周囲の反応を本人が感じて、使うのをやめることが多いようです。一方、筋電義手は未来的な印象のものが多く、注目はされるけれど、かわいそうだという目で見られることはありません。でも、いかんせん高い。ソケット制作や調整のための人件費も含めると車1台分ぐらいの値段になる。精密機械で水につけると壊れるし、修理費も高い。

結局、多くの人は、ふだんの生活を片方の手でなんとかこなし、まあ、見かけだけの義手を使っているのが現実なのです。

雑貨屋で見つけたおもちゃから

そうした当時の状況の中、河島さんと吉川さんは、能動フックのように簡単な仕組みの電動義手が作れないかと、いろんなアイデアを試していたそうです。そんな時に見つけたのが、カナダの雑貨屋で売っていた3本指のマジックハンドでした。

簡単な仕組みのおもちゃで、パイプの先に3本の指がついていて、パイプの中には根本から手元までワイヤーが通っている。手元のレバーを握り込むとワイヤーが3本の指の付け根をパイプの中に引っ張り込み、広がっていた指がすぼまって閉じる［下の図］。ふたりは「これだっ」って思ったらしい。

早速、このおもちゃを買って帰り、ロボットの専門家である吉川さんがプロトタイプを作りました［次ページ写真］。直径3センチ、長さ15センチぐらいのパイプの先におもちゃから流用した3本の指がついているだけのシンプルなものです。パイプの中にはモーターが内蔵され、パイプから伸びるコードの先に装着された板（感圧センサー）を指で押すと、モーターがワイヤーを引っぱって3本の指が閉じます。そっと押すとゆっくり閉じ、強く押すとギュッと閉じる。

おもちゃのマジックハンドを電動にしただけといえばそうなのですが、どうやら彼らには未来が見えていました。こういう

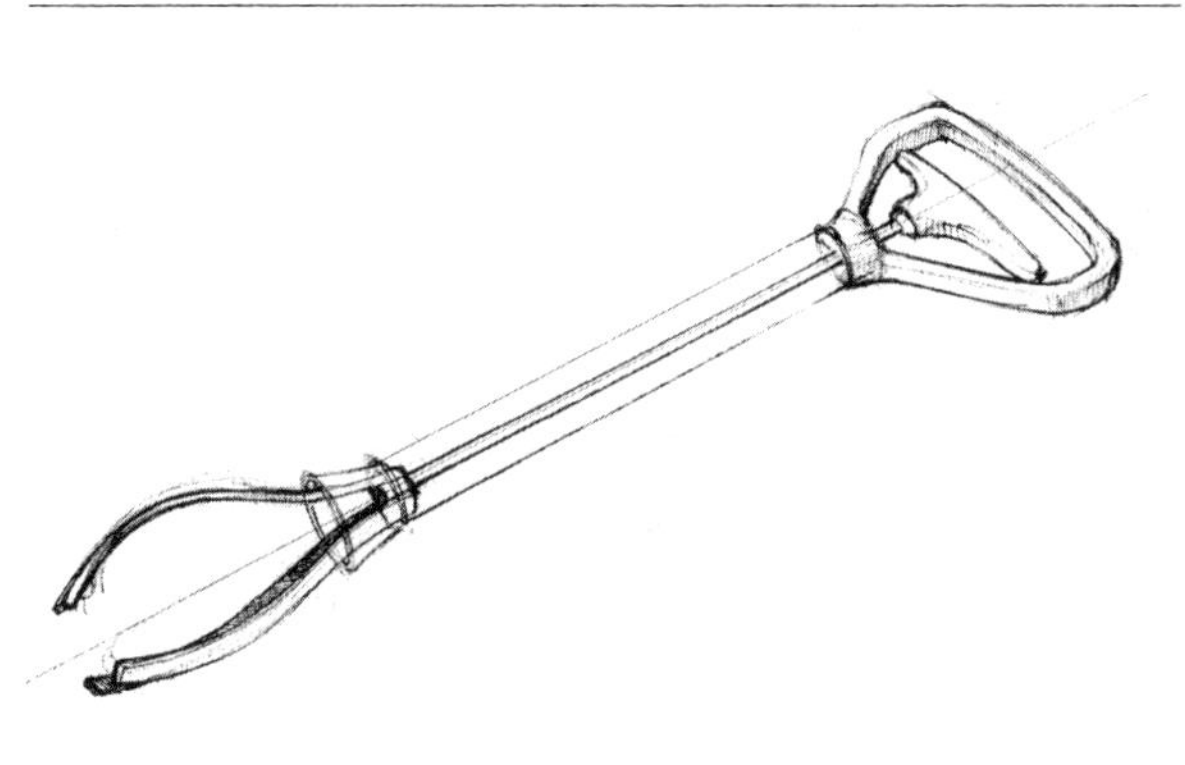

手元の引き金を引っ張ると指が閉じる

簡単な仕組みこそ、本当に役立つ義手になるんじゃないかと。

指を動かす時の筋肉、腱は、先ほど話したように、肘と手首の間の少し太くなっているところにあります。ここにはたくさんの筋肉が並んでいて、一つひとつが指につながり、動かしている。一般的な筋電義手の場合、この筋肉それぞれが動く時に発する微弱な電気を拾って機械の指を動かしますが、人によって大きさも位置も微妙に違う指の筋肉たちに合わせてセンサーとモーターを調整するのに、とても時間がかかります。

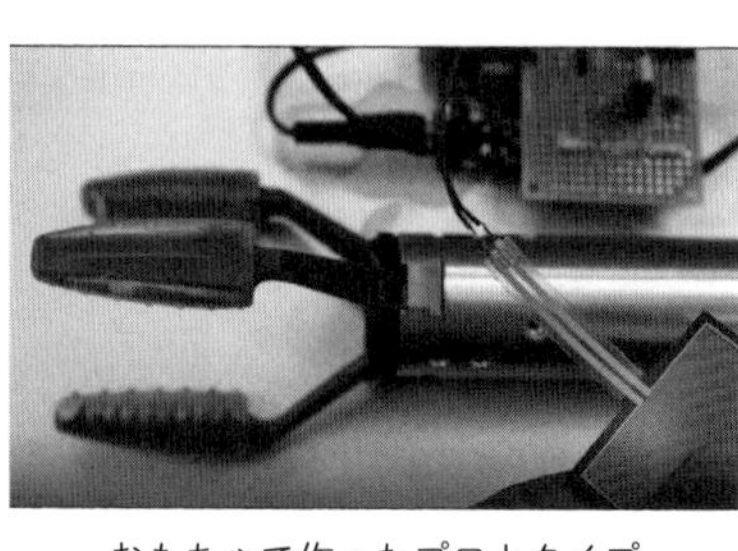
おもちゃで作ったプロトタイプ

一方、河島さんと吉川さんのアイデアは、とてもシンプルなものでした。手を閉じたり開いたりすると、これらの筋肉は一斉に動きます。その大雑把な動きを、たったひとつのセンサーで検知し、それに応じて3本指を開いたり閉じたりする。だから、ぎゅっと握る感じで力を込めれば機械の指もぎゅっと握り、そっと力を込めればそっと握る。素早く握ることも途中でやめることも簡単。腕を失った人を長年見てきた河島さんには、切断者がこの道具を上手く使いこなす様子が想像できたそうです。

実際に、かつて事故で手首から先を失い、長年、装飾義手を使ってきた方の手首から先に、この試作機をガムテープで取り付け、筋肉で動かしてみる実験に協力してもらったところ、すぐに使いこなし、ものを拾ったりコップを持ち上げたりすることができました。

では、これをどういう構造や形にしたら、より使えるものになるだろうか。そんなふうにおふたりが考えている時、たまたま、僕が取り組んでいた「美しい義足」プロジェクトの記事を読んでくれたそうです。そして2012年1月、おふたりは僕の研究室（当時は慶應義塾大学に在籍）を訪ねてこられました。彼らが作ったプロトタイプをひと目見て、とても面白いと思いました。

後で話しますが、当時の僕はランニング用の義足を作り始めて3年目で、「本物そっくりに作ること」に限界を感じていました。将来は、映画『スター・ウォーズ』に出てくるような、本物そっくりの人工の手足を手に入れられるかもしれない。でも、今の技術でそれを目指すには、人の体の構造はあまりにも複雑すぎる。むしろ道具としてシンプルなものを使いこなしたほうが、手足を失った人にとっての新しい未来が開ける。そんな考えをもつおふたりに共感したのです。

そして、約1年後にできた義手のプロトタイプが、次ページ上の写真です。鳥のくちばしのように見える形と、羽のような軽さを目指したことからFinch（フィンチ）という名前をつけました。

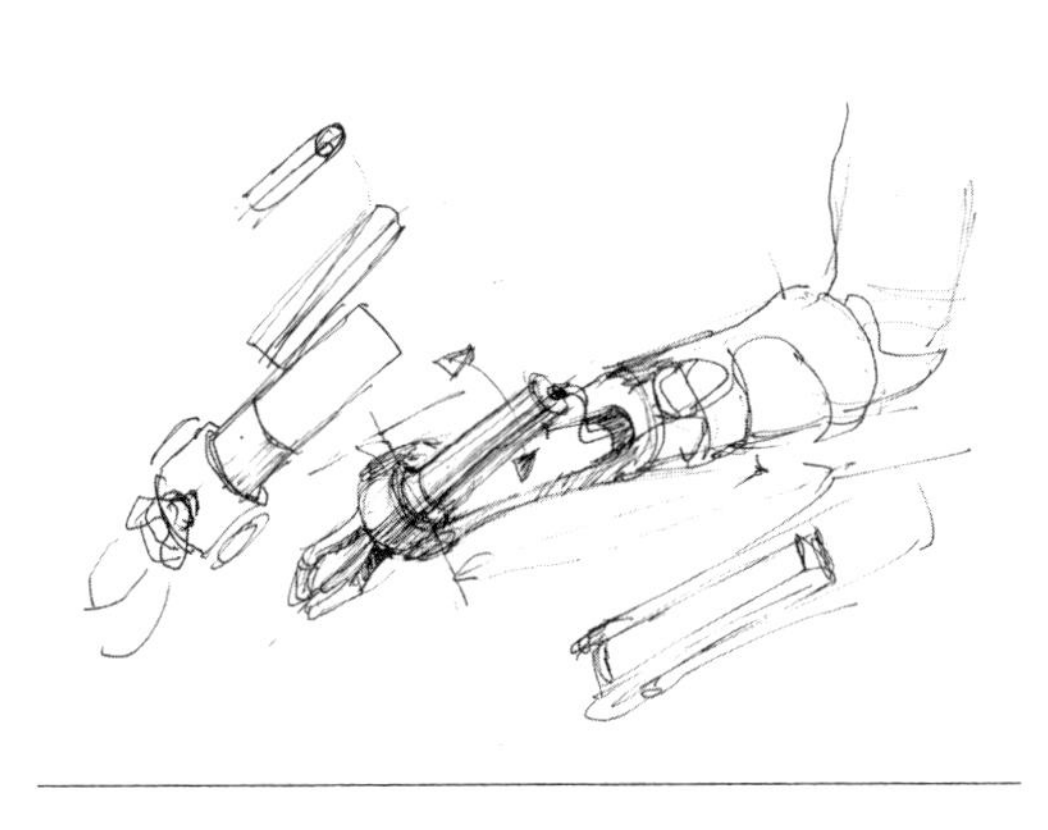

手首を屈曲させる構造を検討しているスケッチ

これまでの義手は、本物の手のような多様な機能と外観の再現を目指し、一人ひとりのために入念に調整された高機能部品でした。一方、ふたりが目指したのは、買ってくるだけで誰もがその日から装着できて、老眼鏡のように使いたい時だけちょっと使う、簡単な道具です。

プロトタイプ「Finch」

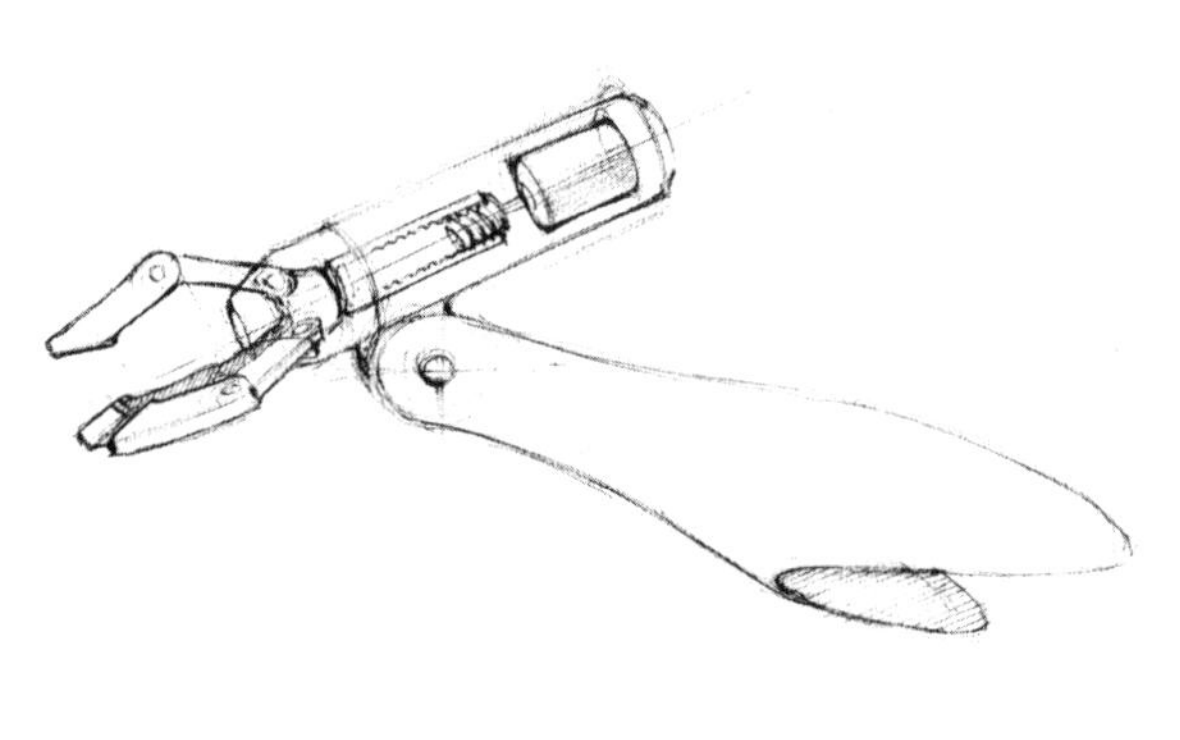

ソケットにセンサーがついていて、
筋肉の信号に応じて3本指が開閉する

形で特徴的なのは、羽のように見えるソケットです。ソケットというのは切断端（せつだんたん）（切断された腕の残された部分）を覆う部品で、人の体とフィンチをつなぐ重要なところです。通常の義手のソケットは、一人ひとりの体に合わせて職人さんが特注製作しますが、私たちは3Dプリンターを駆使して、腕の太い人、細い人、残された腕が長い人、短い人にも柔軟に対応できる簡易ソケットをデザインしました。

このソケットは、分割線の入ったしなやかな樹脂でできていて、そこに断端を挿入してベルトで留めます。内側には筋肉の隆起を測定するセンサーがついていて、筋肉のわずかな隆起や収縮を感知します。その信号の強度に応じて内蔵のコンピュータがモーターをコントロールし、3本の指が開閉します。

ある高齢の男性の被験者の方は、10分程度ですっかりこれを使いこなし、野菜を3本の指で押さえて包丁で刻む、靴の紐を結ぶ、ワイシャツを畳む、釘をもってトンカチでたたくなどの作業をこなしてくれました。これらの動作はその人が長年とても苦労していたことだったそうで、「おお、できるできる」と言って嬉しそうに作業に取り組む姿が印象的でした。

私たちはフィンチを様々な展示会に出品し、学会で

フィンチで釘を打っている

Finchのテスト
https://eqm.page.link/ExsQ

も発表しました。そして2016年、途中から開発に協力してくれていたダイヤ工業というところから、価格15万円で発売されました。

こうして、ふたりの研究者がカナダで偶然見つけたおもちゃから生まれた義手のアイデアは、製品として多くの人に使われるようになりました。小型版も開発され、小さなお子さんも使っています。現在では3Dプリンター製の義手が作られるようになりましたが、フィンチがその先駆けです。

みなさんも、いつでも、なにか思いつく場所にいるかもしれないということを忘れないでください。

「ひとりのため」のデザインが未来をひらく気がした

最後に紹介するのは「美しい義足」プロジェクトです。私は2008年から慶應義塾大学で教えることになりますが、私と仲間たちは研究室を開いた年から義足を作り始め、その後、東京大学の研究室に引き継がれて、もう10年以上、このプロジェクトを続けています。

―― 障害のある方々のものをいくつかデザインしているのは、どうしてですか。動機みたいなものが、なにかあるのかなって。

振り返ってみると、両手親指キーボード、義足、義手など、障害者のためのものをいくつかデザインしていますね。どうしてそういうプロジェクトをやっているのか。僕が優しい人だから？……ではありません（笑）。たまたまそこに、新しいデザインの可能性を見つけたからです。大量生産を中心とした近代産業が取り残した、少数者のためのデザイン。そこに、まだあまり多くの人が手をつけていない未知のデザインの可能性を感じたのです。

足や手を失った人と友達になる瞬間があると、普通の道具じゃない道具について考えることができる。そうすると、「その道具をデザインしてみると面白いかも」って思うんです。

それは好奇心なんだけど。好奇心って、ある意味、とても真摯なものだと思っていて、なんていうのかな……野次馬的に障害をもっている人を眺めるのとは違うと思う。その人たちがどういう生活をおくり、なにを必要としているのか、なにを喜びなにを悲しいと思うのか。そういうことに正面から向き合うのは、決して面白半分ではない。デザイナーにとっては、その人も、これまでにいなかったターゲットだったのです。

量産社会では、たくさん作らないと採算が合わないから、まあ人はみな、大体同じようなものだということを前提に作らざるを得ない。だからこそ、「この人しか使えないものを作る」と、思ってもみないものが生まれる。ひとりのためのものを、すごく丁寧にデザインする作業のほうが、なんか、未来をひらく気がしたんだよね。

量産品にも変化の兆し（きざし）はあります。3日目に話したように（241ページ）、iPhoneは年間何億台も作られ、みんなが同じものを使っているけど、それでも、スマホケースはそれぞれの好みで選ぶし、使っているアプリや設定だってみんな違っていて、人のスマホを使うなんてありえない。未来は、家電製品もそうなるんじゃないか。これからの時代、たぶん、一人ひとりのためのものを作る時代になっていくんじゃないかなって思っているんです。

だから僕は、義足をデザインすることに未来を見たんです。

第一次世界大戦後に標準化された義足

まずは一般的な義足について説明します。左ページの写真のものが、一般的によく使われている義足です。肌色の部品に金属の棒が、ちょっといかつい金属部品で接続されていますが、義足は主に3つのパートに分かれています。

ひとつめは、義手でも触れたソケット。ソケットは肌色のふっくらしたパーツで、人の体と義足をつなぐ重要な役割を果たします。切断された足の残りの部分に被せるプラスチックのギプスのようなもので、一人ひとりの残された足にピッタリはまるように手作りで作られます。

ふたつめは足部。人の足首から先の形を模したプラスチック製品です。洋服の下から外に出る部分なので、ちょっと見には人の体に見えるよう、肌色の柔らかいプラスチックで作られています。

そして支持部。ソケットと足部をつなぐ棒状の部分です。一般的には直径30ミリのアルミパイプが使われます。

なお、この写真のタイプは「大腿義足」と呼ばれるものです。膝より上で切断されて膝を失った人のための義足の場合、太腿の部分にソケットがあり、機械の膝関節である「膝継手」というものが使われます。これ以外に切断箇所によって「下腿義足」、「股義足」があります。下腿とは膝関節から足首までの部分で、いわゆるスネですね。股義足は股関節ごと足がなくなった人に使われ、ソケットも腰を覆うような形のものになる。

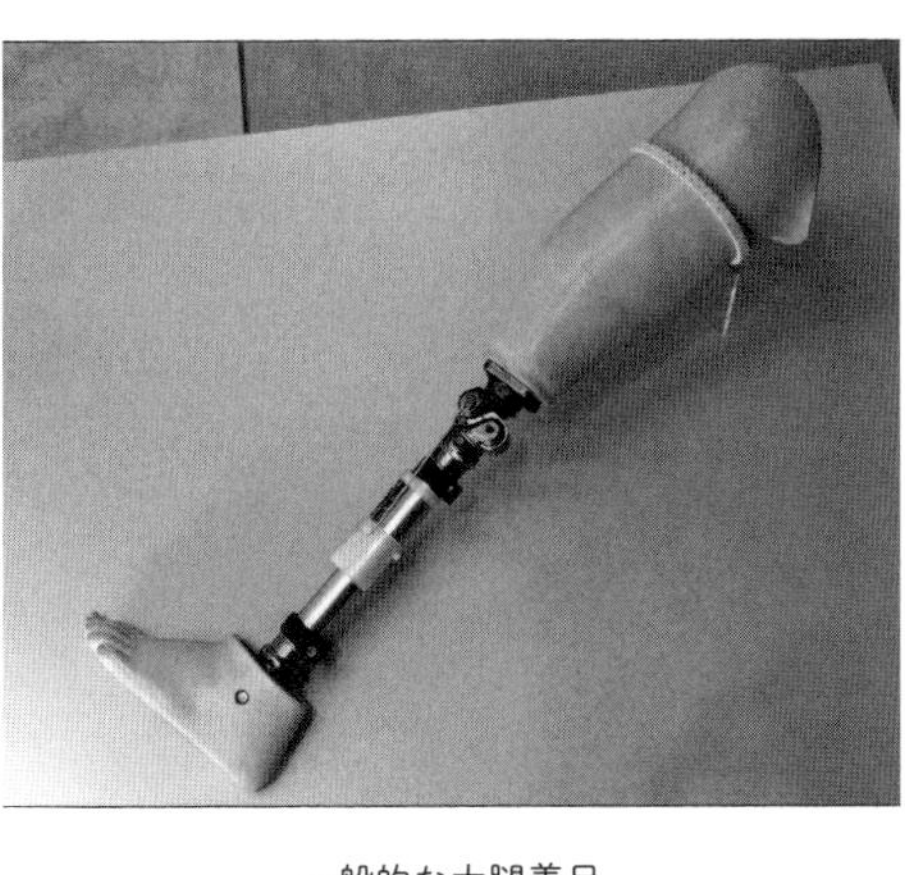

一般的な大腿義足

ここで、ちょっと用語も説明しておきましょう。フィンチのところでも使いましたが、まず、足を失った人のことは、既に「患者」ではないので、ストレートに「切断者」と呼びます。ちょっとドキッとする表現ですが、足をなくした人たちも受け入れて淡々と使う医学用語でもあるので慣れてください。切断されて残された足の先端あたりは「断端（切断端）」と呼ばれます。それから、片方だけの切断の場合、残された健康な方は「健側」といいます。

義足制作や患者のケアにかかわる専門家としては、お医者さん以外に、リハビリの専門家の理学療法士（作業療法士）と、義足や義手を作る義肢装具士がかかわります。

義足がこのような構造になっている背景として、少し歴史的なことも話しておきましょう。

義足が、前ページのような姿になったのは1900年代のはじめの頃で、それまでは家具を作ったりしている木工職人が、からくり人形の足のような木製の義足を、一つひとつ手作りで作っていました。

第一次世界大戦が起こり、それまでとは比べものにならないほど、たくさんの人たちが足を失いました。つまり、たくさんの義足を素早く、できれば安く作ることに迫られたのです。そこで、ドイツのオットーボックさんという義足職人が、義足を効率よく大量に作るための仕組みを考えました。それは、人の体に合わせて作る部分と量産する部分を分けることです。

まず、切断者の断端を型取りして、石膏（せっこう）で断端と同じ形を作ります。その上に接着剤のような樹脂を含ませた布を張り重ね、固まるのを待って取り外せば、その人の断端にぴったりはまる樹脂のソケットができる。手作りはそこだけ。あとの部品は標準化して量産するのです。

4章で話したように（134ページ）、標準化とは寸法や形のルールを定めて設計し、同じ形のものをたくさん生産することです。オットーボックさんが考えたのは、義足のパーツも、ソケット以外は全部標準化することでした。接続部品やアルミパイプ、足部も数種類のサイズをあらかじめ決めて大量に作る。多くの企業がそのルールに協力してくれれば、ソケットだけはその人に合わせて作る必要があるけれど、それ以外は買ってきて組み合わせれば、世界中どこでも、その人に合った義足を作ることができます。

このシステム、「モジュラー義足」の発明は義足の値段を劇的に低下させました。かつては一つひとつを職人さんが作っていたので、高級な漆の器と同じように1個何百万円になっていた。それが量産パーツを寄せ集めて作れば、数十万円で義足を作ることができるようになったのです。保険が適用されるので、実際に切断者が支払うのはその1割ほどですね。

1915年から25年にイギリスで作られた木製義足
Science Museum Group Collection

モジュラー義足をベースにすると、義肢装具士の仕事も標準化されます。かつての義足の性能や品質は職人さんの腕に依存してバラバラでしたが、以降、義足づくりは国家資格のいる仕事となり、どの義肢装具士さんが作っても一定以上の品質が保証されるようになります。こうして義足は、多くの人に安く素早く、安定した品質のものを供給できるようになりました。

ただ、少々残念なこともあります。かつての木工職人が作った義足には、美しいものもたくさんありました。けれど、305ページの写真を見て、かっこいいとか、きれいという印象をもった人は少ないでしょう。標準化したために、その外観はいかにも機械部品の集合体となったのです。ソケットの色は自由に選べるし、義肢装具士さんの中には、市販の布を上手に使ってカラフルなソケットを作る人もいますが、いずれにしても、義足全体をデザインする人はいなくなってしまった。だから、私たちが使う靴や服、腕時計などに比べると、いつも体に身につけているものであるにもかかわらず、全然おしゃれじゃないんです。

走る姿は低く飛んでいるように見えた

僕が最初に興味をもったのは、ランニング用の義足でした。305ページで紹介したモジュラー義足は歩行用のもので、これで走ることはできません。

――かたくて、走る時の衝撃が吸収できないから。

そうです。走っている時、私たちの足首は、足が地面に衝突する時のショックを柔らかく受け止め、その反動で地面を強く蹴っています。その時のふくらはぎの筋肉は、アキレス腱と合わせて全体でバネのような働きをしているんです。足先は地面と衝突するたびに深く沈み込んで、離れる時にその力をボヨンと返す。そのしなやかな働きのおかげで、私たちはなめらかに走り続けることができます。

日常用義足の足首には、このしなやかさがありません。走ると、一歩踏み出すたびガツンガツンと地面に当たるし、蹴り出す力も弱い。もともと走るために設計されていないから、たちまち壊れてしまいます。

走るための義足は別にあって、特別製の大きなカーボンのバネを使います。私がそれを初めて見たのは2008年の北京オリンピック直前の、オスカー・ピストリウスという義足の陸上競技選手を紹介するビデオでした。

ピストリウス選手は生まれつき足首が欠損していて両足がスネまでしかないのですが、彼のランニング用義足には、ふくらはぎの後ろのあたりから大きく弧を描いて爪先あたりに伸びる、厚さ1センチ、幅5センチほどのカーボン製の板バネが取り付けられていました。細めのスキー板を60センチぐらいに切ってS字に曲げた感じ。カモシカの脚のように見える。

ピストリウス選手の映像を見た時、僕は鳥肌がたつ

義足で走るオスカー・ピストリウス選手(2012年)

Photo by Michael Steele/Getty Images

ほど感動しました。その走りはとても軽やかで自然で、薄いカーボンのブレードが高速で繰り出される様はカメラでも捉え切れず、低く飛んでいるようにさえ見えた。こんなにも人とモノが一体になって機能している姿は見たことがないと感じたのです。この人工物は、走るという人の体の最も根源的な機能のひとつを代替していて、それが機能する様が圧倒的に美しい。妻にその映像を見せつつ、いかにすごいかを話していたら、「それ、大学での研究にしなよ」と言います。ちょうどその年、私は慶應義塾大学に研究室を開設したばかりでした。

もうわかったと思いますが、私にとって妻は、いつも私の仕事の大きな方針を決めてくれる人です。そのおかげで僕はここにいるとも言える。パートナー選びはとても大事ですよ。

それから、僕と学生たちは、「義足」を調べることからはじめ、義足の専門家、義足を作っている人や義足で走っている人を訪ねて回りました。次のページの絵は、切断者のスポーツクラブ、ヘルスエンジェルスという陸上チーム（現在はスタートライン Tokyo）の走行練習会を初めて見学した時のスケッチです。

初めてのものに接する時、僕はよくスケッチをするのですが、理由はわかりますか。

――観察して、どんなふうに使うか知るため。

そうです。義足の仕組みはもちろん、それを装着する方法や使いこなしている様子、装着に時間はかかるのか、持ち歩くことはあるのか、なにに困っているのかなどを観察しながらスケッチしました。それと、この時、僕にはもうひとつ、確かめたいことがありました。それはピストリウス選手に感じた美しさです。義足のランナーはどうして美しいのか、どういう時に美しく見えるのか。

ランニング用の義足には、確かに美しく見える瞬間がある。それは、機能的に洗練したマシンが醸し出す雰囲気に似ています。たとえば腕時計の内部構造や航空機のエンジンを見て、うわあ、かっこいいと思ったことはありませんか。

――分解したメトロノームもきれいでした。

とても繊細な作りだよね。その美しさは、どの工業製品にも見られるものじゃない。時間をかけて人が機能と形の関係を磨き上げたものは、なぜか人の心に美しさを訴えかける。これを機能美といいますが、ランニング用義足にも機能美を感じとることができたのです。

その一方、義足はもっと美しくできるはずだということも確信しました。観察すればするほど、義足

初めて見学に行った時のスケッチ

義足の選手はなぜ美しいのか

全体を意図的に美しくしようとするデザイナーが不在なのは明らかでした。これは、ありとあらゆる工業製品がスタイリングを競っている現代で、とても珍しいことです。

義足があまりちゃんとデザインされていない理由は、一言でいうと、デザイナーがお金をとれないからです。これまで話してきたように、どうしてボールペンが1本数百円で売っているかというと、それはひとりの人がデザインしたものをたくさん売るからです。

ひとりのために作る義足は、本当にそのひとりが払わなくちゃならない。だから、コストと機能最優先でしょうっていうことになっていたんだけど、なんとかそれを、僕らがふだん使う家具や道具、文房具と同じくらい、ちゃんとデザインされていてほしいよねって思った。

これは大学でやるしかないな。研究者だからこそ、商品として売れるものにならなくてもやる意義はある。そう考えて慶應義塾大学の研究室で義足をデザインしていくことになったんです。

義足を見て、人が「かっこいい」って言うの、初めて見ました

——大学で義足を作るって、大学生の人たちにとって、どんな経験だったんだろう……。

そう簡単なことではありませんでした。ある意味、一人ひとりの切断者が抱える深刻な問題と向き合うことになりますし、やはり切断部を目の当たりにすると根源的な恐怖も感じます。

手足を失うと、最初は生きる希望をなくしかねないようなショックを受けるそうです。そうした喪失感を乗り越えて選手として走れるようになるには大変な努力が必要で、トレーニングをはじめてから数年かかる人もいます。決して本当にはその気持ちを共有することができない私たちが義足を作るということは、ただ楽しい物作りとは少し違う。断端の状況にあった義足を作る以上、切断の経緯などを聞くことも必要だったりします。僕も同じだけど、悩む学生もいたし、チームがギクシャクすることもありました。「もっと楽しい物作りがしたいです」と泣きながら離脱する学生もいました。幸いなことに多くの切断者たちは切断のショックを乗り越えていて、その明るさにこっちが救われたこともたくさんあります。

陸上チーム、ヘルスエンジェルスの練習会に参加してスケッチを描き続けているうちに、たくさんの人に出会いました。一流のアスリートである、陸上競技の中西麻耶（なかにしまや）選手や鈴木徹（とおる）選手、自転車競技の藤田征樹（ふじたまさき）選手、そして、義足で運動することの大切さを説き、クラブを主宰している義肢装具士の臼井二美男（うすいふみお）さん。

臼井さんは凄腕の義肢装具士として有名な方で、日本で初めてスポーツ用義足を作り始めた人でもあります。メディアにも「神の手」として紹介されたりしていました。最初の頃は、練習会に来てスケッチしている僕たちを物珍しそうに見ていましたが、何度も足を運ぶうちに少しずつ打ち解けていったんです。

練習会に参加してから4ヵ月後の2009年4月、写真［次ページ］のモックアップを製作しました。実際に履いて走ってみることはできない、プラスチック製の模型です。ソケットと板バネの基本構造は、既にあるランニング用の義足と同じ。違うところは、全体がひとつの曲面に覆われていることです。

人の体は、柔らかい曲面に覆われています。そこに無骨な機械部品を取り付けると、全体の流れが損なわれて違和感が発生します。従来の義足は、ウレタンのカバーをつけて人の形に似せようとするか、見栄えはあきらめて無骨なまま使うかの選択肢しかありませんでした。この義足は、人の体には無理に似せず、失ったものを機械で置き換えるというより、人の体と調和する新しい体を作りだすつもりでデザインしました。

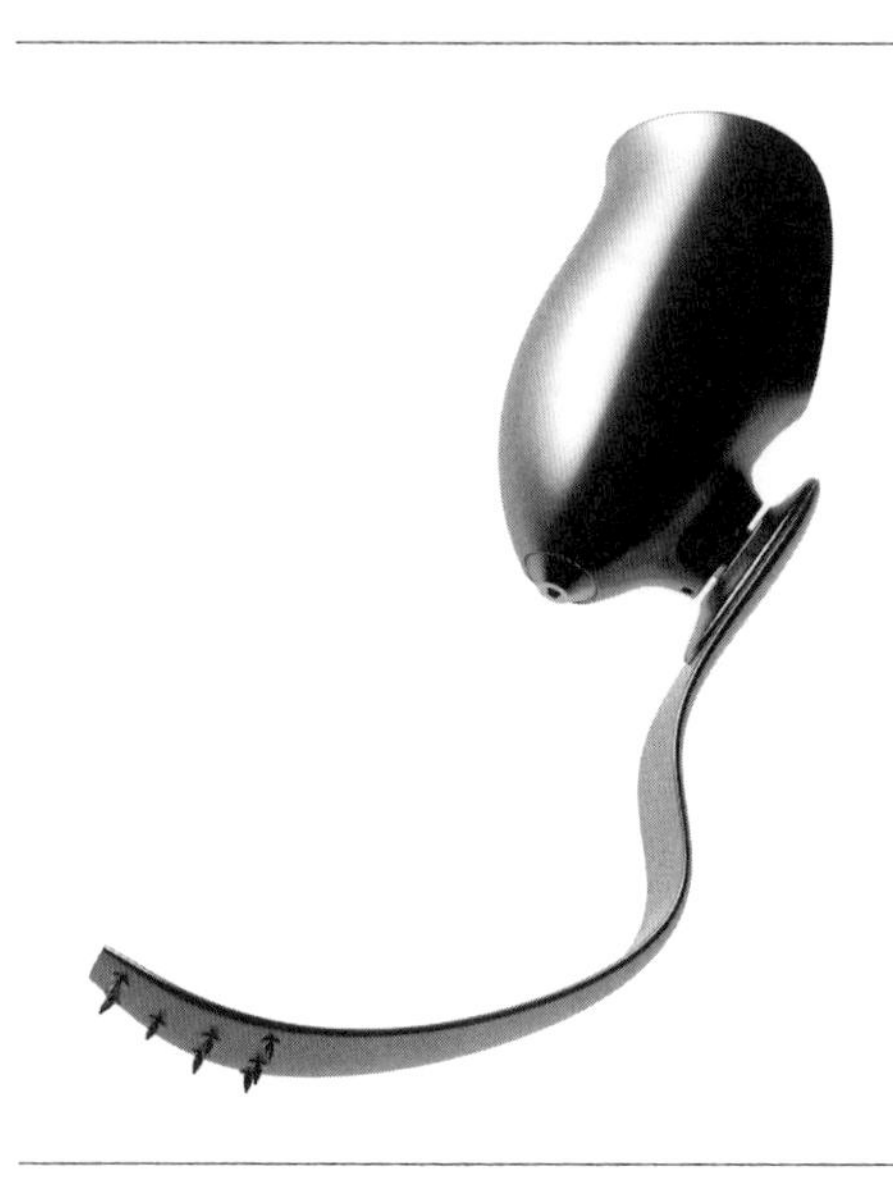

走行用義足のモックアップ

私たちは、このモックアップをいろんな人に見せにいったり、展覧会で発表したりしました。展覧会を見に来た藤田選手は、「大勢の人が義足を見てかっこいいとか、美しいとか言うのを初めて見ました。感動した」と嬉しそうに話してくれました。

義肢装具士の臼井さんも、大勢の切断者を引き連れて展覧会を見に来てくれました。臼井さんは、私がモックアップを発表しているのを見て、本気度を感じたそうです。まず、ビジョンを提示して、賛同者を募る。だから最初のモデルやプロトタイプはとても大事です。

その後、臼井さんは、今仙技術研究所という、日本で義足パーツを作っているメーカーを紹介してくれました。厚生労働省の支援を得て、今仙技術研究所と、臼井さんが所属する鉄道弘済会、そして慶應大学の山中研究室による共同開発が始まりました。

最初に作ったのは、走行用の膝継手（ひざつぎて）です。膝継手は人工の膝関節。それまで走行用のものはなかったので、切断箇所が膝より上の人は、歩行用の膝継手を使って走っていました。歩行用

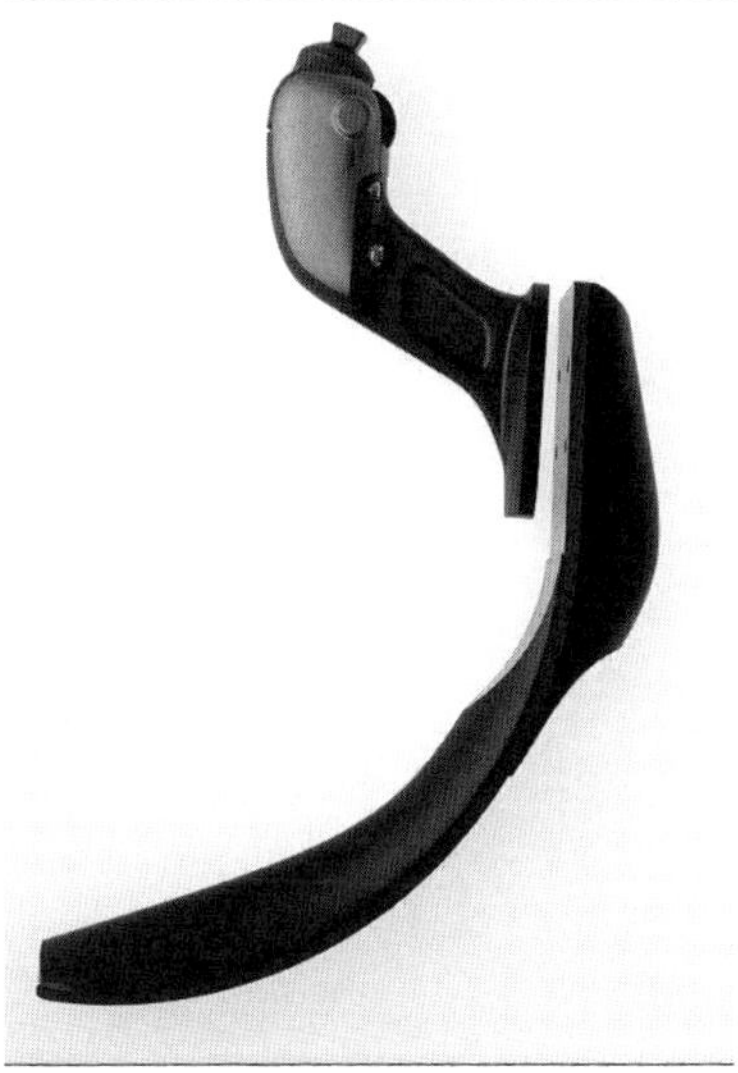

走行用の膝継手

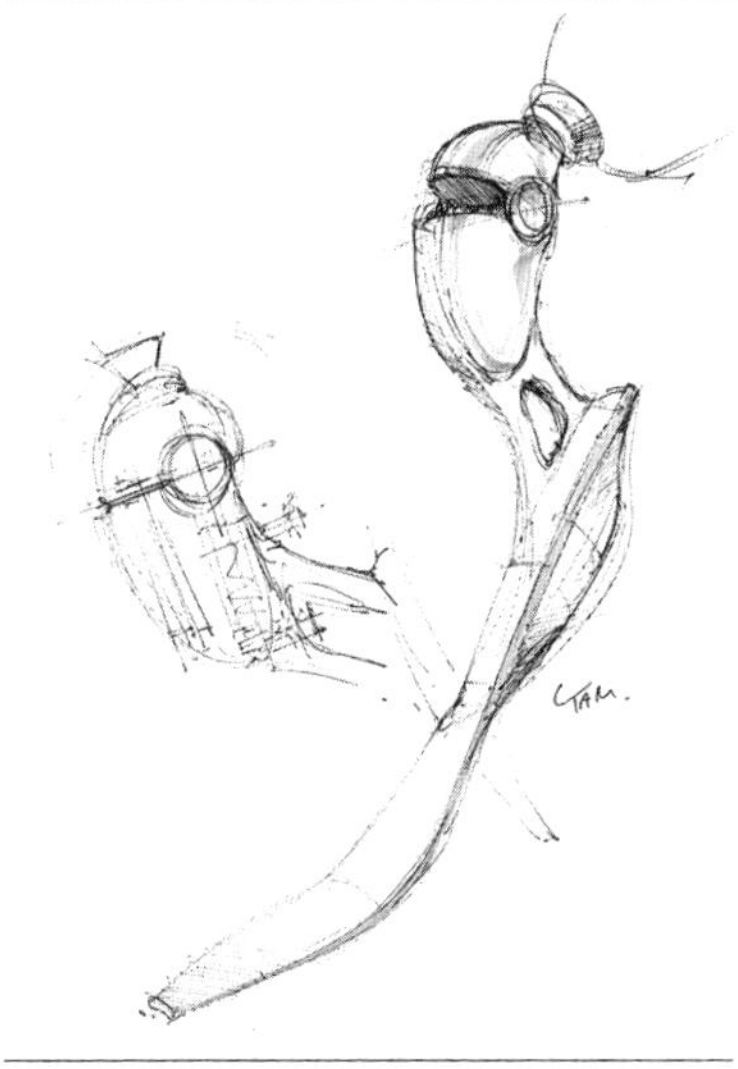

走行用膝継手と空気抵抗を減らすためのパーツを装着した大腿義足のスケッチ

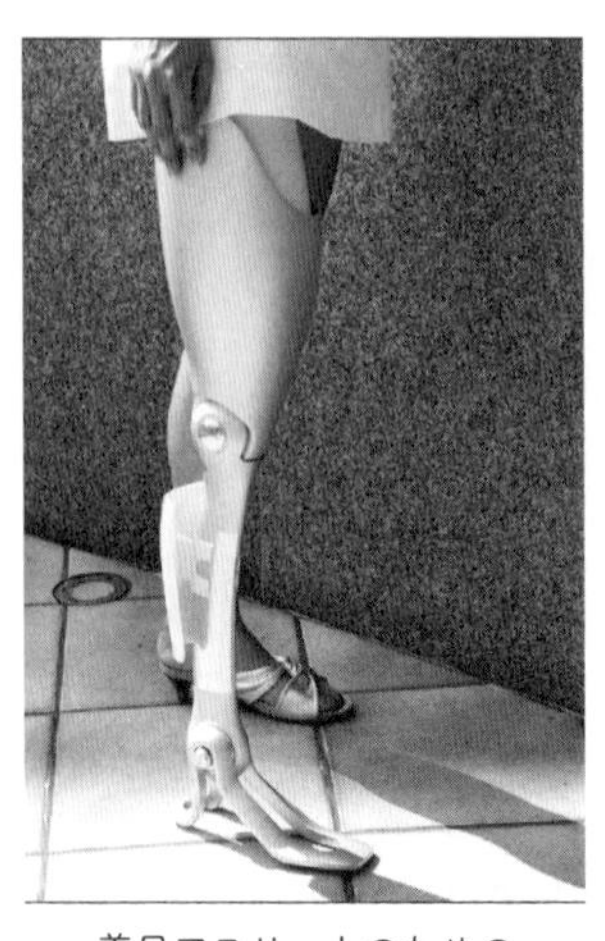

義足アスリートのための
日常用義足

足とペダルを一体化させた自転車用義足

膝継手には膝を伸ばす筋肉がないので、勢いをつけて足を振り出さなくちゃいけない。無理して走ると、壊れてしまうことも少なくありませんでした。

そこで私たちは、軽くて、振り出す時にバネがちょっと助けてくれる、シンプルで丈夫な新しい膝継手を作りました。走る専用のものは存在しなかったので、これが世界初です。

——**ちょっとかわいい。**

でしょう。2009年、この膝継手は量産されました。といっても、受注生産に近くて何十個っていう範囲ですけど。それでも、私たちがデザインした最初の義足関連の製品です。

パラリンピックアスリートのための義足もデザインしました。上の写真は自転車用の義足。

その隣の写真は2010年に作った、村上清加さんという義足アスリートのための日常用義足のモックアップです。鍛えられた体と調和するよう、機能的な印象を押し出しました。

人と共に育っていく人工物

初めて私たちが参加した練習会で、高桑早生(たかくわさき)さんという、足を失ってまだ1年ほどしか経っていない高校生と出会いました。彼女は、私たちが作ったモックアップにとても興味をもってくれて、「そういう義足、私も履きたいです」と言ってくれたんです。

その後、高桑さんは100メートル、200メートルの義足ランナーとして頭角を表し、高校3年の時には全国大会決勝に出場するようになっていました。そして、彼女は慶應義塾大学に入学し、僕の研究室のメンバーになります。彼女のための義足を一緒に開発することになったのです。

実際にやってみると、選手のパフォーマンスを最大限に引き出し、かつ美しいものを作るのは大変なことでした。まず、「丈夫で軽い」って、どのスポーツ用品メーカーも挙げる目標だよね。スポーツシューズなら、世界中のメーカーが競ってデータを集め、研究し、素材も作り方も工夫を重ねてきた歴史がある。そうした蓄積がデザイナーの出発点になるわけですが、スポーツ用義足の場合、データも参考になるものも、ほとんど世の中になかった。だから、どうしたら軽くなる? どのくらいの丈夫さが必要?みたいなことが手探りになるんです。

何度も作り直してテストして、失敗して、そうこうしているうちに4年が経っていました。最初のものは早生ちゃん（高桑選手のことを研究室のみなはそう呼びました）に「重っ！」って言われちゃったし、抜けなくなったり、テスト中に部品が取れちゃったこともあった。

そういう失敗を積み重ねて、ようやくできたのが、カラー口絵のRabbit（ラビット）4.0です。僕たちは彼女のための義足をラビットと呼んでいて、これはその4代目。全体はメタリックシルバーで、ソケットの内側と板バネの裏側が早生ちゃんらしいビビッドなピンク。

下の写真が2008年の、義足で走る練習をはじめたばかりの早生ちゃん。カラー口絵の写真がラビット4・0を履いた2012年の早生ちゃん。比べてみると、義足もシュッとしてかっこよくなったけど、早生ちゃん本人もカッコよくなってる。それもそのはずで、僕らが義足製作で苦労している間に、本人は日本記録保持者になっていました。彼女は、このラビット4・0で国内の陸上競技大会で優勝し、2013年にはフランスやイタリアの世界大会でも入賞しました。

義足をデザインしてみて思うのは、失われた体の一部を補完するものというより、新しい体を作っているという感覚があるということです。高桑選手との開発のように選手の成長と私たちの開発が同時に進んでいくと、

走り始めたばかりの頃（2008年）

本当に一緒に育っていく実感がありました。

高桑さんが、ラビット4・0を練習で使い始めた時、「この義足を使うようになって、ひとつ、変わったことがあるんです」と報告してくれたことがあります。当時、彼女は慶應の陸上部（正式名称は競走部）に所属していて、他の学生たちと一緒に練習していました。競走部に入ってから2年が経っていたのですが、「この義足を使うようになってから、競走部の仲間が、義足について話してくれるようになった」と言うのです。

それまでは、チームメイトたちとぺちゃくちゃおしゃべりしながら、ロッカールームで義足を外したりメンテナンスしていても、まるで見えていないかのように誰も義足に話題をふらなかったのだそうです。たぶん、友達の間で暗黙のルールとして、義足は見てはいけないもの、簡単に言葉にしてはいけないものになっていたようです。ところが、このシルバーとピンク色のラビットを使うようになってから急に「それって、普通の足より重いの？」とか、「どうやって固定されているの？」とか、そういうことを自然に聞かれるようになったのだそうです。

つまり工業製品は、デザインされて初めて、普通のものになるということです。だから、「その靴、かわいいね」って言うのと同じ口調で、「ピンク色にしたのは、あなたの趣味？」って聞かれたりした。「それが一番変わったことでした」と。

われわれの身のまわりにあるものって、およそなんでもデザインされているような気がするけれど、ときどき量産社会が取りこぼしているものがある。そういうものは、しばしば「とりあえず」だったり「止むを得ず」だったりする。それは日常空間の中で少し異質の存在ですが、たとえば工事現場のフェンスが景観を損ねているとしても、多くの人はやがて解消されるものとして無視する。早生ちゃんの足が元に戻らないのは誰もがわかっているけど、だからこそ、それが隠されるのを待ってしまう。ところが、それをちゃんとデザインすると日常の光景になるんです。そうなった途端、まわりの人も早生ちゃんの足の特殊事情ではなく、個性のひとつとして受け入れる。デザインにはそういう力があったんだと、その時に気がつきました。

この義足は、障害者のために作ったものではあるんだけれど、実は、障害者を見る、社会のほうが変わるきっかけを作っているということです。

一人ひとりのための義足を効率的に

これらの義足の反響は大きく、何人かの切断者の方から「私の義足もかっこよくしてください」という依頼が来ました。子どもの義足をデザインしてほしいという、親御さんからの切実な手紙もいただきました。でも、私たちは、それに応えることができなかったんです。

高桑さんのためにデザインしたラビットは、何人かの学生が4年かけて完成させたものです。次は少し効率よくやるでしょうが、ひとりのためにデザインし、手作りすることには変わりない。要望に応えようとしたら、学生たちはくる日もくる日も作りつづけることになる。そ

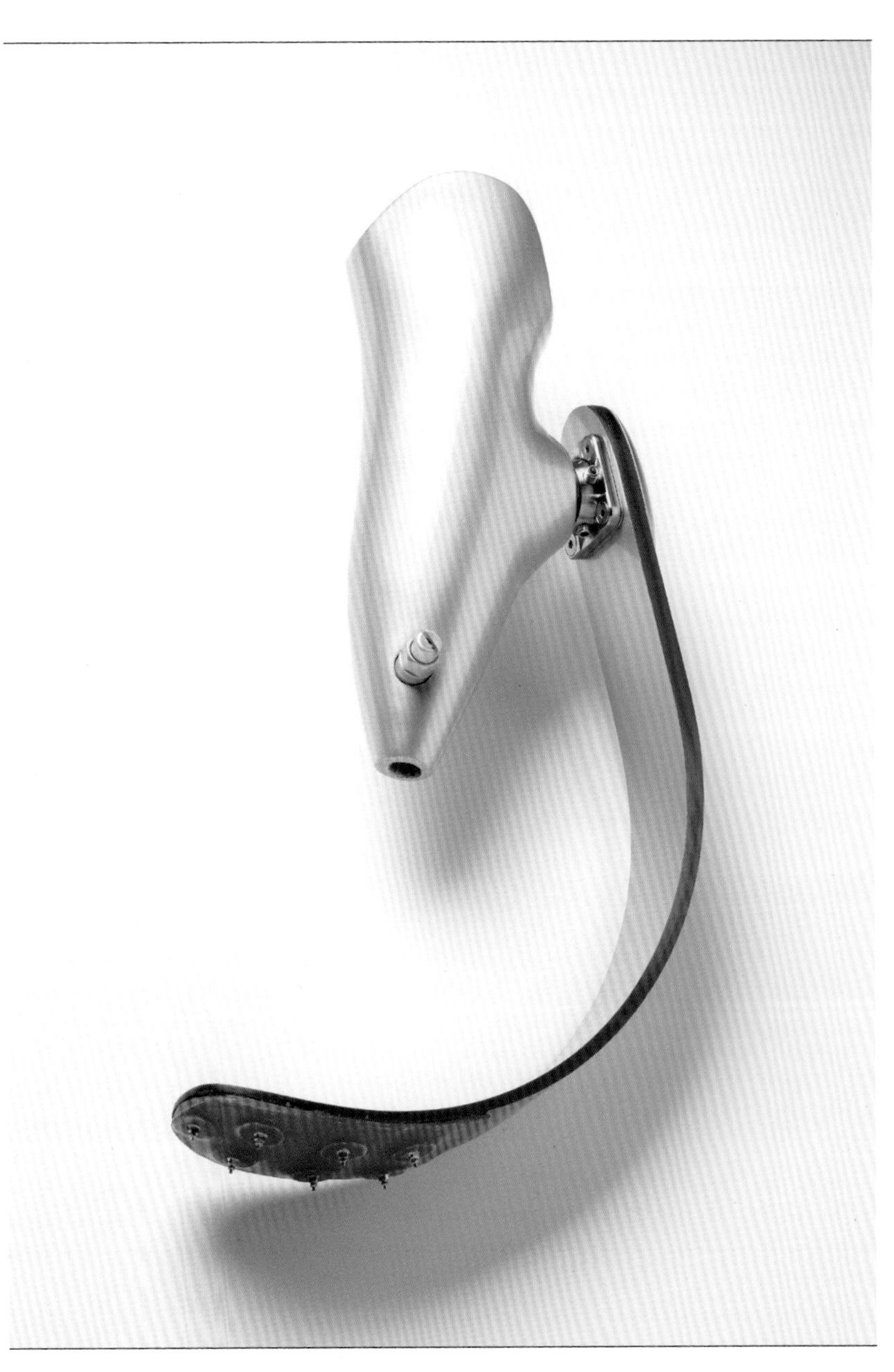

4年かけて高桑早生選手と共に制作した走行用義足、Rabbit 4.0

撮影：後藤晃人　提供：『カーボン・アスリート──美しい義足に描く夢』(白水社、2012年)

Rabbit4.0を履いて走る高桑早生選手（2012年）

撮影：越智貴雄／カンパラプレス　提供：『切断ヴィーナス』（白順社、2014年）

れって研究じゃなくて仕事で、人を雇って制作したら、結局すごく高い義足になってしまう。私たちが作ったのは、あくまでも、義足をデザインするとこんな素敵なことになるかもよ、ということを伝えるためのケース・スタディに過ぎなかったのです。

そんな状況で、私は２０１３年から東京大学へ移籍したのですが、そこで３Ｄプリンター技術の世界では日本を代表する研究者のひとり、新野俊樹（にいのとしき）教授と出会います。

３Ｄプリンターについては、これまでも触れてきましたが、これにしかできない、いくつかの特徴があります。他の加工法は、大抵、同じ形のものをたくさん作る技術ですが、これは複雑なものをひとつだけ作る。だから手仕事に近い。私たちが寝ている間にせっせと仕事してくれて、一つひとつ違うものを作れるし、複雑な曲面も作れる。新野先生と私たちは、これで義足を作ってみることにしました。

３Ｄプリンターは３次元データを元に形を作ります。もし、切断者の断端にぴったりフィットするソ

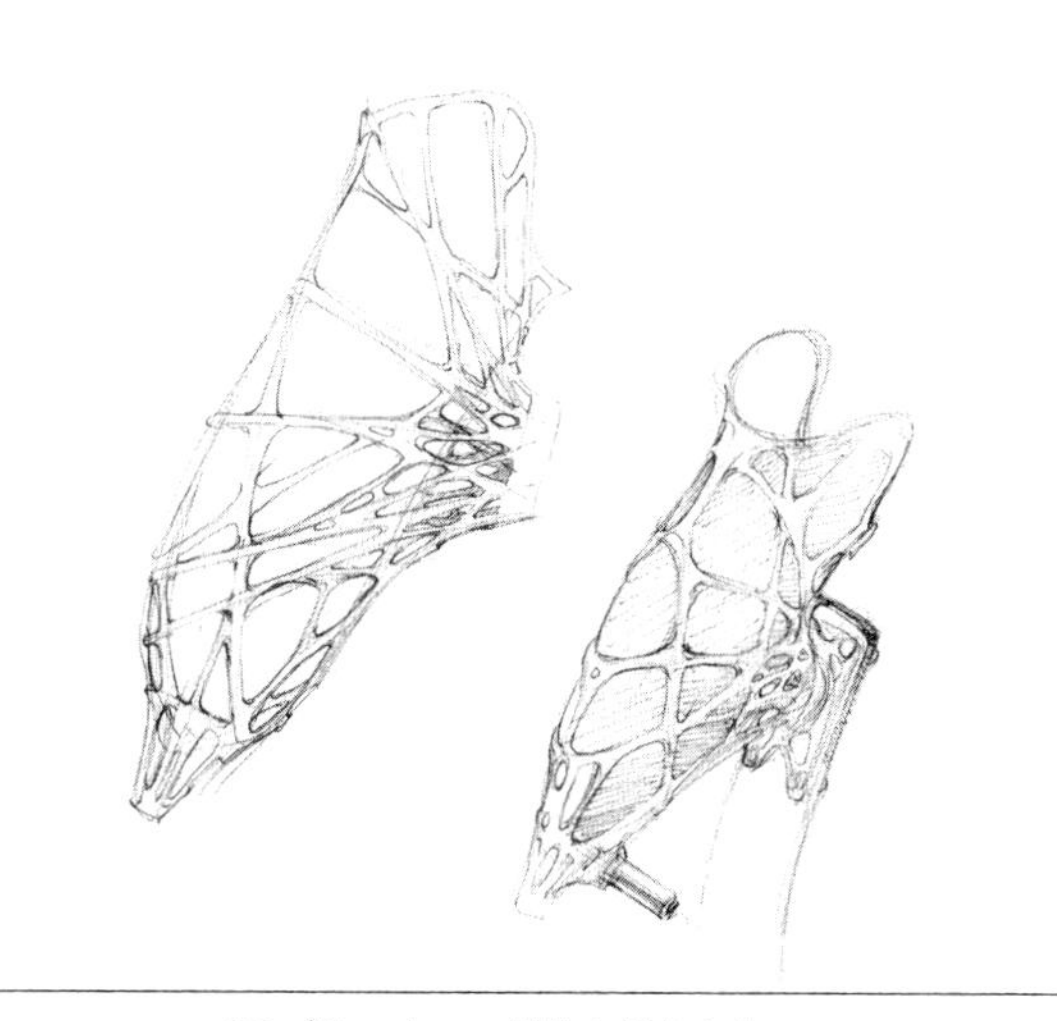

3Dプリンターの特性を活かした、
軽さと丈夫さを両立させるネットワーク構造を考えた

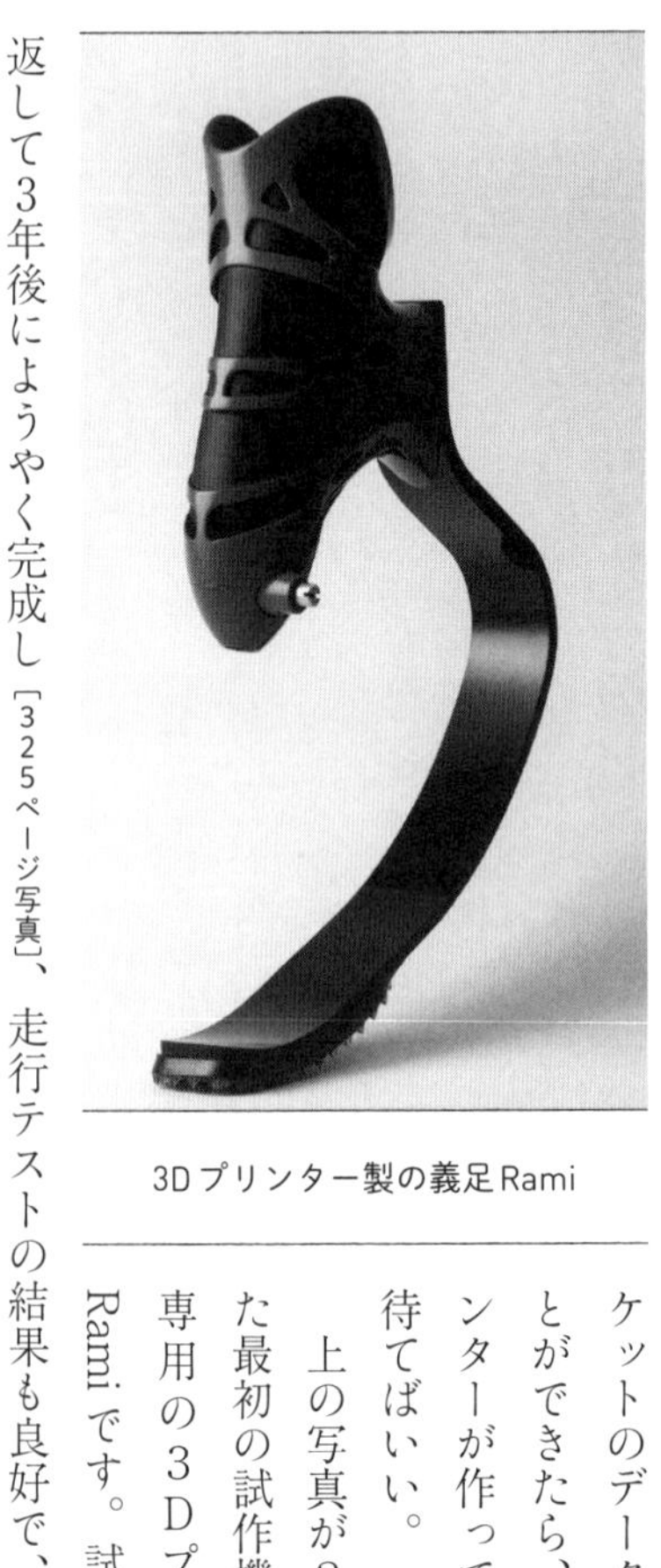

3Dプリンター製の義足Rami

ケットのデータを簡単に作ることができたら、あとは３Ｄプリンターが作ってくれるのを寝て待てばいい。

　上の写真が２０１６年に作った最初の試作機、高桑早生選手専用の３Ｄプリンター義足、Ramiです。試作と試験を繰り返して3年後にようやく完成し〔325ページ写真〕、走行テストの結果も良好で、いよいよ本番に向けて動き始めたところです。

　そして、これは高桑選手専用ですが、このための義足設計ソフトウェアも開発したので、今では短時間で他の人のための義足も作れるようになりました。

　下のＱＲコードの映像は、２０１６年の３Ｄプリンター義足の装着感を高桑さんに試してもらっているところです。高桑さんは、２０１２年のロンドンパラリンピックは１００メートルと２００メートルで7位に、２０１６年のリオパラリンピックでも走り幅跳び5位、１００メートル８位、２００メートル7位に入賞しました。パラリンピックの場では、まだ私たちがデザインした義足を使ってもらっていない。次のパラリンピックには間に合わせたいと思うん

陸上競技用AM義足“Rami”(Ver.2016)
https://eqm.page.link/jQbG

ですけどね（２０２１年の東京パラリンピックでも、残念ながら使われませんでした）。

——デザインによって社会の意識を変えることができると聞いて、感動しました。デザインは、ただ、ものを作るための下準備なのではないんだなって、実感した気がします。

うん。私たちは、デザインした製品そのものの良し悪しを議論することが多いけれど、実はデザインするだけで意味があるという状況も、まだまだあるんだって、義足のプロジェクトで、僕らも実感しました。

——僕は、３Ｄプリンターができたことで、大量生産から、一人ひとりに合わせたものづくりをしていくっていうことに時代の流れを感じました。

私たちは同じものがたくさんあることに慣れ過ぎてしまっているのかもしれない。この部屋には、みんな同じ形をした椅子が並んでいて、誰もそれに文句は言いません。つまり、この椅子は、誰にでもフィットするようにデザインされていることが前提になっています。

だけど、これをデザインした人は、あなたの体重も体格も知らない。でも誰かを想定しないと寸法も決められない。そこで登場するのが「平均的な身長、体重の人」です。誰にでもフィットするっていうことは、平均的な人のために作らざるをえない。

この教室の中で、世界の平均的な人の体重と身長をたまたまもってる人って、たぶん一人いるかいないか。あとの人は、ちょっと合っていないけれど、我慢して座っているっていうのが量産品です。本当は、あなたには、もうちょっと小さいほうがいいかもしれない。隣のあなたにとってはもっと座面が高いほうがいい。もっと幅の広いほうがいい人もいる。だけどまあ、同じものをたくさん作ると安く作れるから、だからみんな、ちょっと我慢しているんですよね。そして、この椅子は、規格外に大きい人、規格外に小さい人を拒否しているともいえる。

じゃあ、どんな大きさにすればいいの?って考えても答えは見えない。そこで、そもそもみんな、大体は同じだから、という考え方をやめてみる。みんな違うのが当たり前って。

今、ようやく、そんな未来が見えてきています。あなたのためだけにデザインされた、最高の高さ、幅、カーブの椅子が作れるかもしれないのです。未来のある日、ウェブカタログで見た、ある素敵なデザインの椅子を注文し、1週間後には、一見、写真の通りのものが届きました。だけど実は、世界にただひとつの椅子です。あなたの身長や体重や作業姿勢などは事前に登録されていて、あなたにフィットする幅、高さ、傾き、柔らかさの椅子が、あなたが注文してから作られた。だからすごく座り心地が良くて疲れない。そういう、あなたのためだけの椅子がたった数日で届く。そんなものができたら、人と物との関係も、今とは変わっていくかもしれません。

さて、私が作ってきたものたちのストーリーはここまで。今度は、みなさんの番です。ようやく形になりつつある、みなさんのアイデアに戻りましょう。

ミニ講習

3Dプリンターで義足を作る

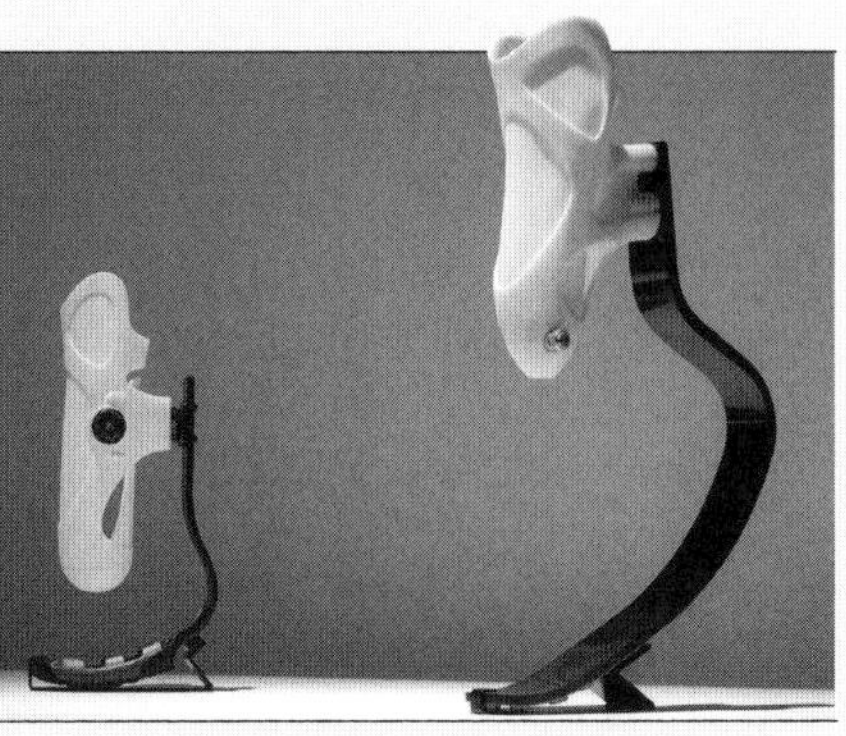
Rami 2（2019年）。左は子ども用
撮影：太田拓実

近年は3Dプリンターで義手や義足を作るケースも増えていますが、それまでのものや、現状の多くの義足は、義肢装具士さんが切断された足の型をとり、一つひとつ手作りします。それは虫歯の治療に似ているところがあります。

歯医者さんは、きれいな歯の部分を残して、虫歯になったところを削り取りますね。その後、削った歯を覆うように、金属の鞘に包まれた柔らかい樹脂を挿入され、その樹脂が歯の形に固まる。それを取り出せば「型」の出来上がり。型は歯科技工士さんへ送られ、そこでその型の中に石膏を流し込み、あなたの歯を再現し、歯科技工士さんはその上に金属の被せ物を作る。出来上がったものが歯医者さんへ送り返され、あなたの小さくなった歯にぴったりとはまります。

義足も断端の型をとって石膏で再現し、その上にプラスチックをかぶせて作るのはほとんど同じ。でも、決定的に違うところもあります。

——歯は硬いけど、足や手はやわらかいし、デリケートだから……。

そう、歯は硬くて変形しないので、型取りしたものに合わせて作れば必ずしっかりはまる。でも、もし、あなたの足にぴったりではあるけれど、とても硬い靴があったら履きやすいでしょうか。人の足は柔らかく、場所によって当たり方が違うし内部で変形もするので、たちまちひどい靴ずれで苦しむことになる。

義足のソケットも、そのままではうまくフィットしません。どう作るかというと、全体に少し引き締め、ちょっと締め付けるようにします。下腿義足の場合は、特に膝の骨の下をタイトにしてしっかり受け止め、逆に断端の先のほうは強く当たらないよう逃してやる必要がある。

　義肢装具士さんは、石膏で再現した足を彫刻のように削ったり盛ったりして、ソケットの内面の凹凸を調整しています。どこをどの程度調整すればいいかは、義肢装具士さんの経験によるものが大きい。仮ソケットを作り、切断者の方に履いてもらって、意見を聞いてから内面を再度修正する。3Dプリンターで義足を作るなら、この型取り→修正→仮ソケット→再修正のプロセスをデジタル化する必要があります。

　そこで、私たちはメーカーと協力して、義肢装具士さんが簡単に使えるCADシステムを開発しました。

義肢装具士さんはハンドガンタイプの3Dスキャナで切断端を直接計測し、画面上で足の形（ソケットの内面）を調整し、3Dプリンターで仮ソケットを作ります。それを実際に切断者の方に履いてもらい、履き心地を確認し、もう一度CAD上で修正する。このシステムでは義肢装具士さんの「作る」部分は3Dプリンターが担うので、時間が70％ぐらい節約できます。左の2つの写真は、義足プロジェクトで作った最新のもの（2021年）で、上は重量配分を検証するための特殊ソケットです。いろんな位置に重りをつけられるようになっていて、アスリートの好みに合わせた重量とバランスを試すことができます。

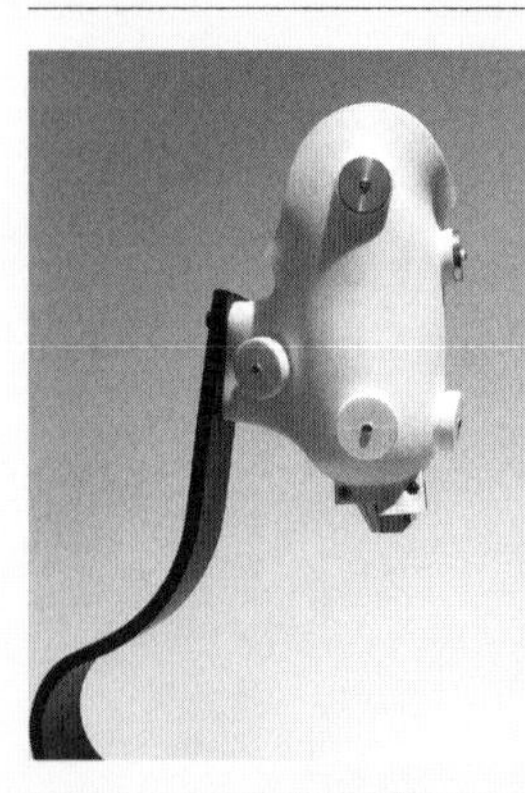

　その下の写真は、この特殊ソケットの検証結果をもとに作った、高校生のためのランニング用義足です。彼女は今までほとんど走れなかったのですが、これを使って楽しそうに走るようになりました。

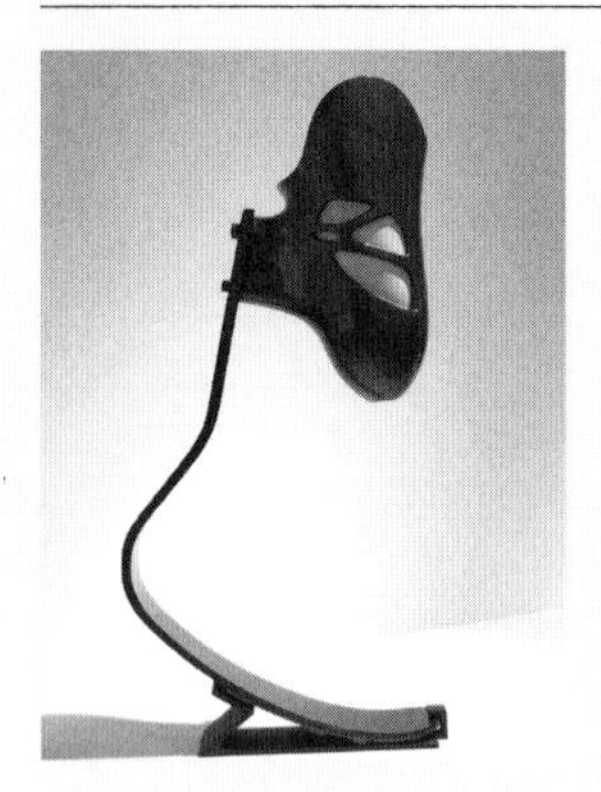

8章 形にして、共感を集めて、アイデアを育てる

4日目後半

アイデアを形にして育てていく

これからプロトタイプの制作にかかります。アイデアを、身のまわりにある、いろんな材料を使って具形化してみましょう。

アイデアというのは、とても曖昧で不確かなものなので、まずは作ってみることです。たとえば、コンセントプラグに取っ手があったら便利だろうか、特にお年寄りにとっては使いやすいものになるんじゃないかと思いついたとする。でも、小さすぎて役に立たないかもしれないし、挿したとき邪魔になるかもしれない。触わって使うものは、頭の中だけで想像しても、大抵間違っています。だから実際に握って確かめられるものを作ってみる。

最初のモデルは、精密にできている必要はありません。雑でもいいから、さっと体験できるほうがいい。まずは、コンセントプラグにセロテープで輪っかを貼り付けてみましょう。「ここに手をかけて引っ張るのか」ってわかるものがついているだけでも、ずっと想像しやすくなります。

アイデアを形にしてみたら、それを使って小芝居するのも効果的です。これを使うと、こんな経験が得られますねっていうのを、ちょっと再現してみるんです。

―― 小芝居？　セールスマン的な？

たとえば、コンセントに取っ手をつけたら、おばあちゃんになってみましょう。掃除機で掃除し終わった場面を設定して、コンセントをおばあさんっぽく抜いてみる。どっこいしょって。「ああ、楽に抜けた」ってなればいいけど、そもそもしゃがむのがしんどいなーって気がつくかもしれないし、間違えてテレビの電源を抜いちゃうかもしれない。じゃあ、スイッチひとつで抜けたほうがいいとか、コンセントの位置を変えたほうがいいんじゃないかとか、まわりのことに気がついたり、別の方法が見えてくることもある。

特に動くものを作りたい時には、演技する人がもうひとり、必要です。おばあちゃんはコンセントの真上にあるボタンを押しました。すると声がして、「掃除機のコンセントを抜きますか」。おばあちゃんが「はい」って答えるとプラグが勝手にポロリ。しゃべったりコンセントを引っ張ったりする黒子さんも自分たちでやる。

セールスマンっぽくっていうのも悪くない。どんなふうに売るか、ネーミングや謳い文句を考えてみる。いい名前ができると、急にアイデアがくっきりすることもあります。

実は、例として挙げた、抜き差ししやすいコンセントプラグは、既に商品化されているものなんです。それも何種類も。実際、指の筋肉が弱くなってしまったお年寄りの方には、とてもいいものらしい。でも、あんまり普及してないよね。理由は、一社だけ使っても、他のプラグがそうじゃなかったら便利じゃないからです。みんなが一斉に使ってくれればいいけど、残念ながらそうはならない。これまで話してきたように、商品にして多くの人に使ってもらうようになるって、なかなか難しいことなのです。

　下の図が、プロトタイプを作ってアイデアを育てていく作業を図にしたものです。アイデアを簡単に形にして、大きさなどを確かめながら、人に見せ、それを誰かに使ってもらって、その様子を見ながらアイデアを修正し、育てていく。このサイクルをまわして、アイデアを固めていきます。

　アイデアを形にしてみて、実用性や取り回し、佇(たたず)まいなどを自分で体験して確かめることは、とても効果的です。

　ダイソンの掃除機も、最初は段ボールとビニールホースで作られました。ここにモーターは入るか、ゴミは簡単に捨てられそうか、ホースの長さはこれでいいかとか、大体の大きさや仕組みを確認する。それから本物のモーターや吸引装置を段ボールに無理やり実装して使い勝

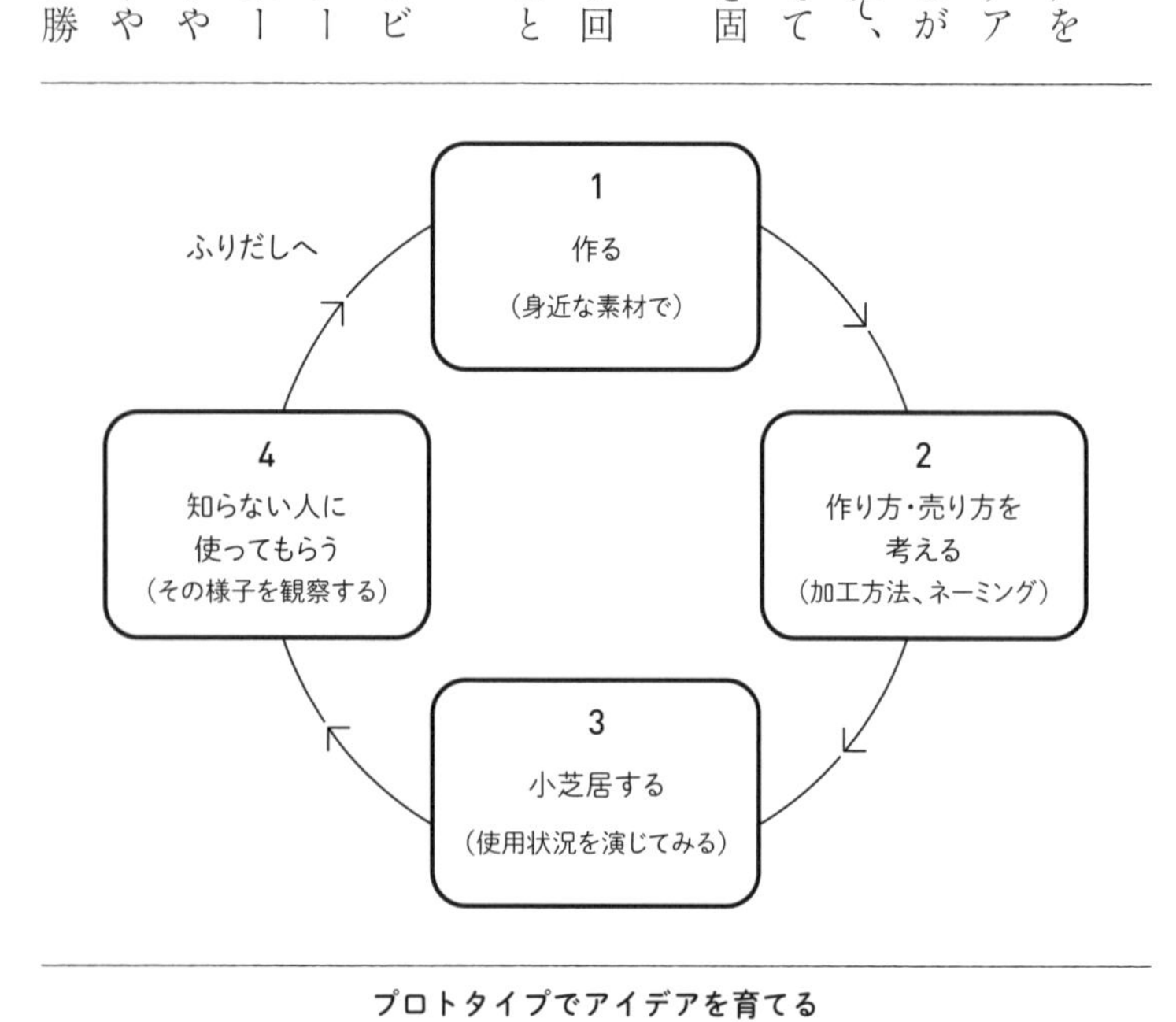

プロトタイプでアイデアを育てる
このサイクルを繰り返す

手を確認し、さらに議論しながら実用性を高めていく。段ボールのモデルこそ、まさに立体のラフスケッチなのです。

今回の実習では、商品デザインの超短縮ヴァージョンだから、1回作って、そのアイデアを確認してみて終わりになるけど、それでも、自分たちで考えたアイデアがどう育つのか、どう現実に近づいていくのか、そのプロセスを味わってもらえると思います。

ダイソンの掃除機のプロトタイプ
出典：ジェームズ ダイソン財団 ウェブサイト

作りながら、手で考える

では、みなさんに材料と道具を配ります。段ボール、紙コップ、紙筒、ホース、ストロー、ベニヤ板、針金、発泡スチロール、建築なんかの模型によく使うスチレンボード、接着剤、テープ、紐。

プロトタイプは、簡単に手に入る素材で作ることも重要です。材料が高かったりすると、失敗しちゃいけないってかまえちゃうから。

カッター、グルーガンなど、道具も何種類か揃えました。どれを使うか考えながら、適当に持っていって、作り始めてみてください。

ミニ講習

道具の使い方

一番よく使うのはカッターですが、もしかしたら間違った使い方を覚えているかもしれません。紙やボードをきれいに切るために最も重要なことは、刃をよく切れる状態に保つこと、つまり、カッターの刃を頻繁に折ることなんです。それから、刃の進行方向に自分の体がないことを確認して使うこと。十分気をつけてください。

紙をまっすぐ切りたい時は定規を使いますが、プラスチックの定規では、定規ごと削いでデコボコになってしまうので、アルミの定規を使いましょう。

針金も有効な材料です。簡単に縛りつけたり、形を作ったり、ちっちゃい足を作ったりできる。

グルーガン

グルーガンは使ったことある?

――はい。

意外にみんな使ってる(笑)。銃の形をしたものの中に、グルースティックというプラスチックの棒が入っていて、これが熱で溶け、入り口からどろーっと出てきて、冷えると固まるので、溶接のように使います。先端が超熱いので、やけどしないように気をつけて。

紐、段ボール、発泡スチロールは便利ですが、難しいのは真円を作ること。まん丸に切るとか、きれいな円筒を作るのは難しいので、ペーパータオルの芯や紙コップを使うとけっこう早い。

結束バンドは、ワイヤーをつないだり、縛り付けるのに使う工具です。ワイヤハンズは配線を束ねる時に使う。いろんなものを束ねたり、くっつけたりするのに便利。

意外に重宝するのがアルミホイル。くしゃくしゃっと丸めて粘土のように使うと、なんとなく形ができます。

まあ、やってみないとわからない。学んでほしいのは、作りながら「手で考える」ことです。がんがん作っているうちにアイデアが洗練されていくし、新しいアイデアも思いつく。

――形になりそうなアイデア、あるかなあ……。

手で考える時、まず大事なのは、気楽に作り始めることです。絵を描くのもそうですが、工作って、慣れてない人には、始める時のハードルが高い。材料と道具を引っ張り出してきたり、買ってきたりしなきゃならないからね。失敗してもいいからどんどん試して。

次に大切なのは手早く作ること。作ってる間にもいろいろ思いつくから、どんどん形にしないと、いいアイデアが消えてしまう。ちょっと作ったら人に見せて話し合って、さらに作る。

3つ目のポイントは、シンプルに作ること。作ろうとするものの価値を伝えるには余計な要素をつけちゃいけない。なんか寂しいなって思っても、模様を描くなんてことはしなくていいです。人に共感してもらうための語り口はシンプルなほど強い。作りたいものの仕組み、形を正確に再現すること

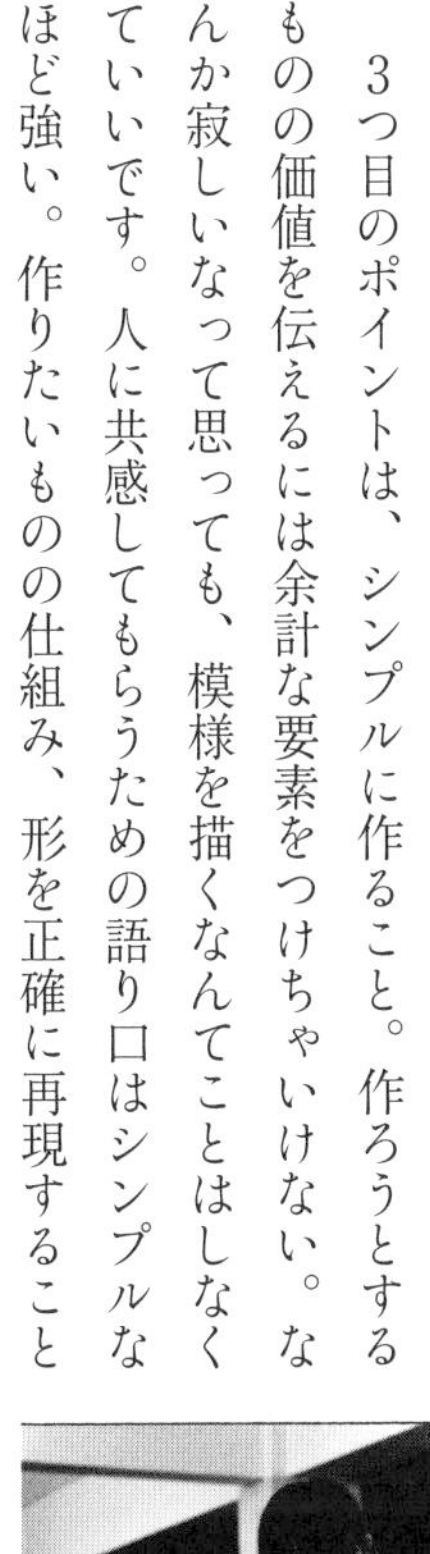

簡単に手に入る材料で

以上に、見て、「あ、いいかもね」って思ってもらえるポイントはどこか。なるべく、そこを中心に再現することを目指してみてください。

さっき話したように、プロトタイプを使ったお芝居も考えてみてください。電気屋さんに行っても、一押しのものはちゃんと使ってみせられるように展示されているでしょう。掃除機を提案するなら掃除してみせるのが一番。紙でできた掃除機風のものが、どうすばらしいかは、寸劇にしてみせるしかない。

今日の最後に、プロトタイプの発表会をやります。今から1時間で、なにが作れるかを考えてみてください。時間がないねえ。でも、だからこそアイデアをピュアに伝えられます。

時間配分には気をつけて。デザインって、やり始めて、あ、これ、違うかもって思う瞬間がけっこうある。なので、1時間で作る場合、まず15分でできるものを作ってみよう。それを作ってから、もっと精度を上げるとか、もっと大きく作るとか考える。

はい、ではスタート！

実習

プロトタイプを作る

60 min

簡単に手に入る材料でアイデアを作ってみる。どの材料を組み合わせて、どんなふうに作ればアイデアが形になるか。失敗していいから、どんどん手を動かしてみよう。

どうやって作ろう?

図を描いてみるか…

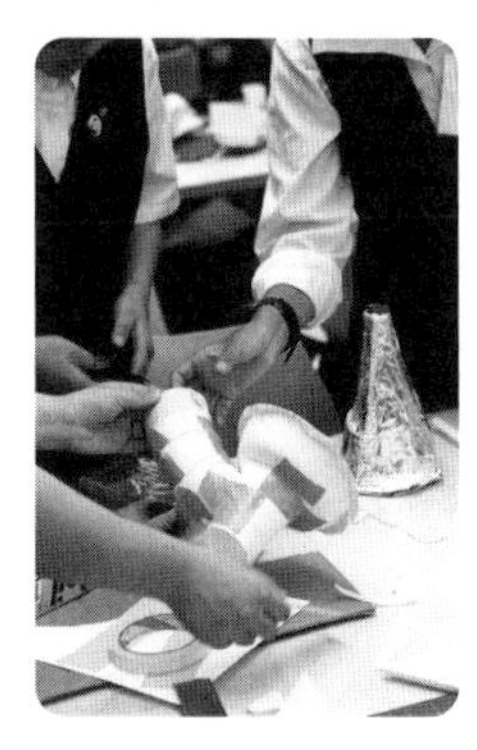

カッターでまっすぐ切る時は
アルミの定規を使う

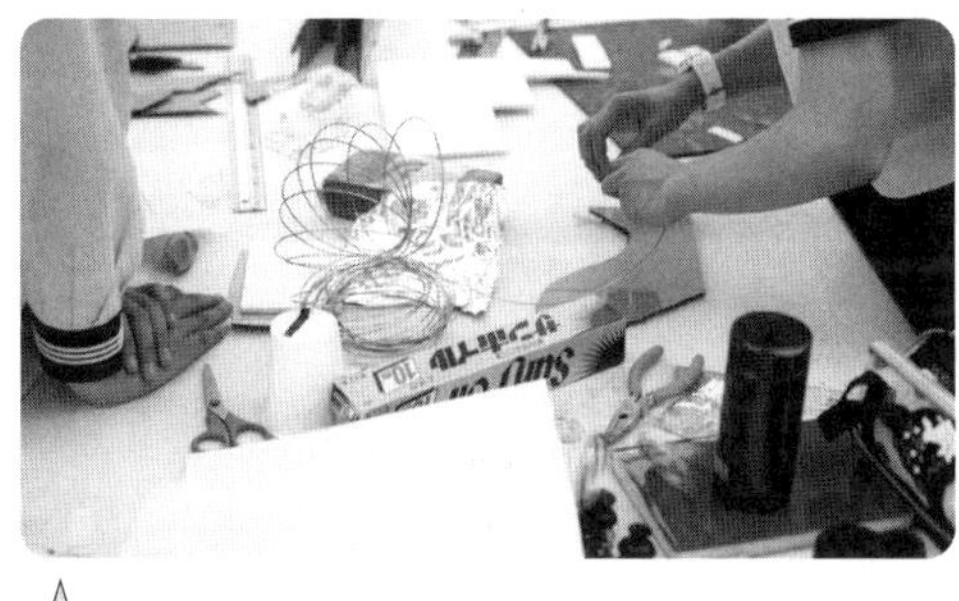

紙コップ、アルミホイル、針金は形を作るのに便利

シャワーに見えるかな……

プロトタイプで
実現できない場面を
伝えたい時は、
演技をしたり小道具を
使って、どう再現するか
考えてみよう

小さな家具を作る時は
人形も作るといい。
紙人形は建築デザインの世界でも
よく使われます

実物大のもの、うまくできるかな

紙を人型に切り抜くだけでいい

作ってみると「あ、違うかな」と思うこともたくさんあるでしょう。いいと思ったんだけどいまいちだなぁと思うこともあるし、想像していたのと違う面白さや便利さを発見することもある。そういう、「思ってたのと違う」ことを失敗と思わずに発見と捉えてください。うまくいかなかった時こそ、新しい問題を発見するチャンスなのです。

だいぶ形になってきたね。どうやって見せるか考えながら仕上げてみよう。5分後にプレゼンテーションをはじめます。段取りを考えて。作ったものの名前も考えてください。

プレゼンは、人の顔をちゃんと見て

……はい、ここまで。プレゼンをはじめるよ。プレゼンテーションは、最長5分。それより短くてもかまいません。どういうものを作ったか、それぞれみんなに説明してみてください。

実習

プロトタイプのプレゼンテーション

5 min

プロトタイプを作ったら、そのアイデアの価値が伝わるように、工夫しながら披露しよう。

コントローラー班
もう寝過ごしたなんて
言わせない、
仮眠用ソファ

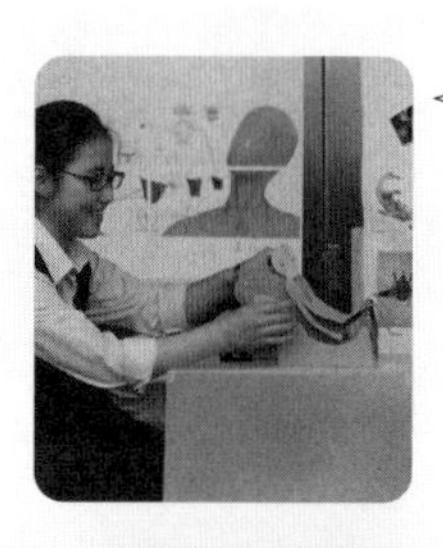

このソファは、
なめらかな
曲線で
みなさんを
心地よい
睡眠へ……

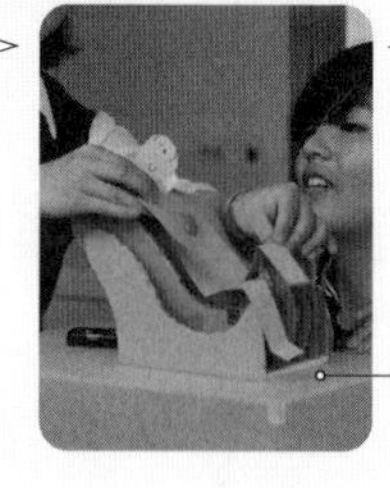

起きる
時間になると
ソファごと
ゆれて目覚まし
がわりに

コント
ローラーの
持ち手の
曲線が
居心地
よさそう
だったので

段ボールを重ねて
ソファを再現。

ドライヤー班
クールキャップ

ああ、暑い。
この帽子、
ムレないかな
……
お、涼しい！

ドライヤーの
後ろのほうに
ついている
ファンを
利用して
空気の流れを
作ります

小さくても
強い風！

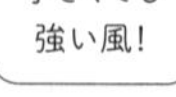

上にファンがある。

ほんとに
風がくるね

メトロノーム班
シャワー用タイマー

メトロノームの仕組みから作ったシャワー用のタイマーです

メトロノームの上の重り。

シャワーの水を紐で再現。

重りが下がると速くなる。

制限時間が近づくにつれ、カチカチの間隔が短くなる

いつ終わるかが耳でわかって、海にあると便利です

焦らなくちゃ、っていうのは伝わるね

マウス班
万能マウスくん

マウスのカーブが足にフィットして座りやすいと思って作りました

右足でスイッチを押すとライトの色が変化します

左足のスイッチでテレビのチャンネルを替えられます

1台でいろんな家電製品を操作できます

色の違うボールでライトの色の変化を表現。

スケッチを表裏に貼り、回転させてチャンネル替えを表現。

はい、みんな工夫してプレゼンしていました。やってみてどうでしたか。

——すごく楽しかったです。他の班の作ったものも素敵でした。

——プレゼンテーションは恥ずかしくて、考えていたことの半分も言えなかったので、自分の意見の伝え方と、人に伝わる話し方をもっと練習しようと思いました。

プレゼンは、ある種の演劇でもあります。照れ笑いもトークなどでは好感をもたれることもありますが、それは人柄に対する好感であって（ないよりましですが）、役者や芸人が照れ笑いしちゃうと、観客もしらけますよね。そこはうつむかないで頑張る必要があります。

それにはまず、そこにいる人の顔をちゃんと見ることです。実は、僕もかつてはひどいあがり症でした。スポーツなどでも本番に弱いタイプ。でもまあ、いつの間にか慣れました。やってみると思ったよりひどいことにはならない、という経験を積んできたことで自信が持てるようになったのかもしれません。大切なのは、無理によく見せようとしないこと。よく思われようとすると他人の目が怖くなってのまれてしまいます。

デザインのプレゼンテーションには、「共感」が必要で、特に面白さや美しさ、心地よさなどの感覚的なことが提案の主たる価値である場合は、論理的に話すだけではわかってもらえません。お互いのプレゼンを見てわかったと思いますが、いいものができたと信じている人のプレゼンには、それなりの説得力があります。プレゼンはドヤ顔が基本なのです。確信がなければ「確信はありませんが」と、堂々と言えばいいのです。

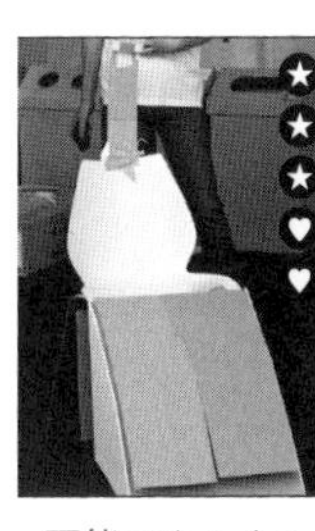
万能マウスくん

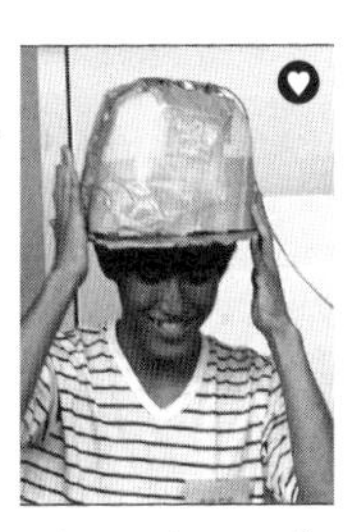
クールキャップ

シャワー用タイマー

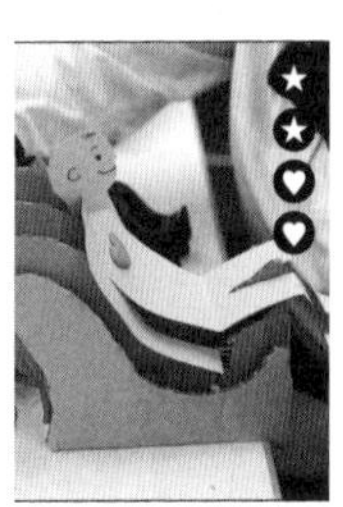
仮眠用ソファ

票は偏る

それでは、授業を手伝ってくれているオブザーバーの人たちに評価してもらいましょう。研究室の人たちと、出版社の人、合わせて6人に審査員になってもらって投票を行います。

みなさんがアイデアを選んだ時と同様、星印とハート印のコインを使います。星印を、総合的に見ていちばん優れていると思ったアイデアに。そして、感覚的に好きだ、なんだか気になるっていうものにハート印を置いてください。両方、同じものに置いてもかまいません。星とハート、トータルの数で競います。投票する人は他の人の影響を受けないように、あまり悩まないでさくっと決めてください。

——ええ、ちょっとドキドキ。

はい、6人の投票の結果［上の図］、万能マウスくんを考えてくれたチームが一番になりました。

みんなの意見も聞いてみようか。自分たち以外のチームで、どれがいちばん素敵だと思ったか、1回だけ手を挙げてください。仮眠用ソファは……5人、万能マウスくんは8人、シャワー用タイマーは、0。クールキャップは……3人。

このような結果が出ました。どう？　自分の評価と一致しましたか。

みんなに評価された「万能マウスくん」は、プレゼンが大がかりで印象的でした。掌サイズのマウスを家具のサイズにしたらっていう思いつきまでは常套手段です。それを足で操作しようと思ったのが良かったし、再現しているところは楽しそうだった。そして形だけじゃなく、いろいろなものを操作するデバイスという深い部分も引用することができていました。

僅差で敗けてしまったコントローラー班（仮眠用ソファ）も、なかなかよくできていたと思う。

―― 2位だったのがびっくり。うれしいです。2日目にコントローラーの持ち手を描いたのですが、まさかそれが椅子に、目の前に模型として出てくるとは思っていませんでした。

小さなものを大きくして椅子にするっていうアイデア自体は、マウスチームと同系列ですけど、コントローラーの振動を使ったモデルが楽しかったですね。

メトロノーム班のアイデアは、私たちの感覚の深いところに触れるシャープなものでした。カチカチカチッていうのがだんだん速くなるというのは、確かに時間に追われる感じがして、緊張感はよく出ていました。でもそれが必要かと言われると……、そもそもシャワーに時間を区切られているという状況が、そんなにしょっちゅうあることではないかな。海にはたまにあるけどね。このドキドキ感がもっと活きるシーンが生活のどこかにあるかもしれませんね。

ドライヤー班の帽子は、とても実用的なもので、実はこれがいちばん、普通に売れるものかもしれないけど（実際、持ち運べるミニ扇風機や、ファンの入ったスポーツウェアを２０１８年頃から見かけるようになりました）そのぶん、インパクトがちょっと弱かった。でも、モデルはよくできていました。とても丁寧に作っていて、かぶれるようになってる。

今回の投票は今日の時点の評価なので、実際、このあと開発を進めていった時、どれが一番いいアイデアであるかというのは、また変わってくる可能性もあります。

ウケなくても、くさっちゃだめ

アイデアを投票で評価すると、多くの場合、くっきりと結果が現れます。いいか悪いか、好きか嫌いかだけなのに、人の判断は予想以上に同じものに集まる。部分点なんてものはないし、半数以上の人がいいというものもあれば、全く共感されないものもある。

アイデアを生み出す人は、自分のアイデアに長くかかわるほど、深く思い入れてしまいます。だから、それが評価されると自分が褒められたかのように嬉しくなるし、評価されないと自分が否定されたように感じてしまう。これは仕方のないことです。人に感覚的なものを提案することは、自分の感覚の提案でもある。だから結果は、とても残酷です。

ですが、これまで話してきたように、アイデアの本質はそもそも偶然です。この授業では、その確率を上げる方法を学んできました。たくさんスケッチを描いたり、人のアイデアを聞いてさらにアイデアを足したり。そして、たくさんの偶然の中から、ひとつを選んだのが、今日の成果です。だから、いいアイデアに行き着いた人たちは、まずは運が良かった人です。それは人類の歴史を通じて、ずっとそうです。

僕もデザイナーとして、様々なアイデアを生み出してきました。この授業では、こんな面白いものを作ったとか、8千万人が使ってるとかドヤ顔で話しましたけど、ウケなかったアイデアのほうがはるかに多くて、死屍累々です。どれも最高にヒットすると思って提案しているから、いちいちショックを受ける。もうそれは仕方がない。サッカーのシュートだって大半は外しますよね。ひと試合に10本以上シュートして、入るのは1、2本なんだから。だから、外しても腐っちゃだめです。高い評価を受けたからと言って、いつもそれがやれるわけではないし、共感されなかった人も、それにいつまでも引きずられてはいけない。

自分のアイデアが人前に晒されること。その評価を、まずはきちんと受け入れましょう。嬉しくても辛くても、なにが評価され、なにが共感されなかったのかを理解することが、次につながります。

これらのことは、みなさんが、今、学校の授業などで経験している学習とは全然違うものです。勉強の成績の場合、試験の点数が1点刻みに出てきます。平均点あたりの人がたくさんいて、飛び抜けて高得点の人と、うんと低得点の人が少しずついる。陸上競技などでもそうで、よーいどんの同一条件で競争すると、いちばん速い人は少し、すごく遅い人も少し、真ん中あたりのスピードの人がいちばん多くなる。

でも、アイデアをベースにしたものづくりは、そういう分布にはなりません。大抵、ごく一部のアイデアだけがぽーんと飛び抜けて共感され、あとは似たようなものという状況になります。もし、みなさんが、感覚的な価値を生み出す仕事や創造的な仕事についたら、馬鹿ウケするか、ほとんど顧みられないか、そういう経験を何度もすることになる。

——僕はメトロノーム班ですが、正直、うちの班のアイデアはかなり良いほうだと思っていたので、票が集まらなくてショックでした。でも、そういうことが当たり前の世界だって知って、印象というのがどれだけ大きいものなのかって、痛感しました。

うん。今日たまたま、あるチームは、アイデアが良かったのか、プレゼンが良かったのか、共感を集めました。だけど、そうならないことのほうが圧倒的に多いのが、この世界です。

そして、失敗も、採用しなかったアイデアも、決して無駄ではありません。うまく作れなかったとしても、そこから次のアイデアが生まれます。共感されなくても、そのこと自体が新しい知識になる。あなたたちが選ばなかったアイデアの中にも、宝物があったかもしれない。

——他にも形にしたいアイデアがいくつかありました。作る過程では、作り方の案が複数挙げられて、複数のアイデアからひとつに決める作業は常にあるんだなって感じました。

そうでしょう。ああ、あのアイデアを選んでおけばよかった、別の方法で作ればよかったとか、そういうことに考えを巡らすことも、みなさんが将来、なにかを作る時の財産になる。

僕も、なにかをデザインするたび、ボツになった、でも忘れられないアイデアが溜まっていきます。滅多にないけど、そういうものが、しばらく経ってから日の目を見ることもある。いい失敗って、たくさんありうるのです。

――ひとつのものだけが大ヒットする状況って、これからも続くのでしょうか。将来、ものづくりが一人ひとりのためにされていくようになると、変わっていくこともあるのかなって。

ＳＮＳの時代になって、ちょっとしたアイデアがバズる時代になりましたね。今は言葉や写真や動画ですが、未来は身のまわりのモノもそうなるかもしれません。自分のためだけに作った道具のデータがバズって、いきなり百万人の道具になるかも。アイデアがもっと重要な意味をもつ時代になっていくんじゃないかと思います。

共感を集めて仲間を増やし、アイデアを育てる

――今日はアイデアを三次元にすることで、より具体的な案になって、絵で考えていた時より良い点や問題点がはっきりしました。作っていくうち、班のメンバーがそれぞれ工夫して、自分の考えたアイデアに他の人が足したり改良したりしてくれることが、なにより嬉しかった

です。

この授業の目的のひとつはそれで、他人の脳を借りて考えること。アイデアが生まれる瞬間だけ見れば、たったひとりの人から生まれるように見えるかもしれません。でも実際は調査にも、ブレストにも、プロトタイピングにも、たくさんの人がかかわっています。

クラスにも、なんでもできちゃう人っているでしょう。そういう人はひとりでやったほうがうまくできると思い込む傾向にある。一方、自分に自信をもてず、まだ、なにかを作り出すことに挑戦できていない人もいる。でも、まわりの人と協力すれば、個人の能力を超えて、すごいもの、面白いものを作る可能性が生まれるんです。

今回の4日間で、スケッチを交換し、話し合い、投票で評価し合い、共にモデルを作り、一緒に発表しました。それは、ただ仲良くしたり、一緒にお昼ごはんを食べたりする友達とは少し違う、プロジェクトベースの仲間の作り方です。そういう仲間の作り方もあるんだということ、それはみなさんの能力を飛躍的に向上させるかもしれないことを忘れないでください。

今日はプレゼンテーションまででしたが、アイデアを実現するには、素材や仕組みや作り方に関する、さらにたくさんの具体的な知識が必要です。それを生産し、流通させるためには、もっとたくさんの共感してくれる仲間、そしてお金を集めることも必要になります。まあ、そのあたりはこれから学ぶことではありますが、基本は同じ。プレゼンして仲間を増やして、その人たちと一緒にアイデアを育てていくのです。

アイデアで突破する場面を増やす

――デザインに正解はないというなかで、どうやって最終形を見つけていくのか気になりました。なんとなく方向性が決まっていても、そこから詰めていくのに苦労して、いちばんいいものにはならなかった気がしたので、そこを教えてほしいです。

とても難しい問題ですね。プロのクリエイターたちに聞いても「やめどき」は難問のひとつですから。結局「締め切り」が決めてくれると答えるデザイナーも少なくない（笑）。何ヵ月かけても新しい問題が見つかり、新しいアイデアが生まれてとめどがない。たとえ半年かけても完成が見えないのは同じで、「時間です」と言われた時が完成なんです。

そして恐ろしいことに、半年かけたアイデアが1時間のアイデアに負けることもあります。

――アイデアで勝負するというのは、難しいことなんだって感じました。まわりの状況などによって左右されるし、それが世に出るというのは、大変なんだなって……。

創造的な仕事とは、予想できない、不安定な未来を期待して仕事をすることです。だからこそ、まずは幅広く、ちょっと見には馬鹿げたものも含めてアイデアを出して、いいものが生まれる確率を上げる。そして、それを逃さないためにも、たくさんの目でそれを選ぶ。そこで選んだものがベストかどうかは誰にもわからないけど、「なんか気になる」程度の弱い信号も逃さないように共有して、気になった理由をみんなで考える。

さらにはプレゼンテーションやプロトタイプの質を上げるとか、アイデアがうっかり埋もれてしまわないように、伝えるためのスキルを磨く必要もある。そういう経験を積み重ねていくことで、面白いものを作る確率が徐々に上がっていきます。

いつか、あなたたちが、世界に影響を与えるようなものを作る未来が訪れるかもしれない。その確率は決して高くはありませんが、特に優秀な人がいつも勝つ世界ではないのです。

これから未来に向かって、みなさんが、いろんなアイデアで勝負する場面を増やしてほしいと思います。たとえ、デザイナーやクリエイターにならなかったとしても、アイデアを出す能力は、時として強力な武器になります。

僕は大学の先生になってから、よく学生たちに、人生もう八方ふさがり、みたいな状況の相談を受けるんです。人生には行き詰まる瞬間がたくさんあって、なにをやってもうまくいかないっていう場面に、たくさんぶつかります。恋愛となにかが両立しない話とか（笑）、いろんな相談があるけど、それをアイデアで突破するっていうやり方が、常にあるんだということを、ちょっと意識してみてください。まっとうに練習して、高い成績を残して突破するやり方もあるけど、面白いアイデアができると、軽々と突破できる瞬間があるのも事実です。将来のことについて親と衝突して悩んでいる学生に、「親と話す場所を変えてみようか」と話したこともありますが、いつものやり方をほんの少し変えてみるのも、案外効果があったりします。

さて、これまで4日間、みなさんは、ものづくりのためのアイデアについて学んできました。世の中のたくさんのもの、かばんや携帯電話や椅子も含め、みんな、どの製品もデザインされているし、どの製品にもたくさんの人がかかわって、ものが作られている。でも、最初に思いついて、こういうものを作ろうって決めた人がどこかにいます。ひとりかもしれないし集団かもしれませんが、ともかく誰かが、この形と仕組みを考えた。だから、ここにある。

――デザインは、過去のものを観察して、ものの存在を生み出して、未来を作っていくものなのかな、と思いました。

その通り。アイデアを思いついた瞬間は、しばしば電球の絵で描かれるでしょう。「ピカッ、思いついた！」みたいな。本当は、そこまでの過程には調査という長い助走があって、それらの知識の上に生じるものです。

アラン・ケイという有名なコンピュータエンジニアは、「未来を予想する最良の方法は発明することだ」と言いました。つまり、予想を的中させることはとても難しいのだけれど、自分が最初に作ってしまえば、確実にその未来はやってくると彼は言っているのです。

１９９０年代の終わり、スティーブ・ジョブズは、テレビのインタビューに答えて、「これからは誰もが動画を撮って、世界に向けて発信していくようになる」と答え、それを聞いたアナウンサーは「そんなことをしたがるのは一部のオタクだけでしょう」と笑いました。まだ携帯電話で写真を撮ることも普及していなかった時代です。でも彼は10年後には iPhone を作って、そういう未来を実現してしまいました。ものを作るということはそういうことなのです。
この腕時計は、僕が25年前に考えたものです。イッセイミヤケの腕時計を僕がデザインしたのですが、こんな時計、見たことないでしょう。

——24？　針が4つもある。

太陽を見ると大体方角がわかりますよね。朝は東にいて昼には南、夕方には西になるので、

人の腕にとまって時を告げる
小さな生命体をイメージして描いた

イッセイミヤケの腕時計「INSETTO」

今このへんにいるはずって。この時計には24時間で一周まわる針があって、それを太陽の方向に向けてこの時計を置くと、周囲に書いてある東西南北が実際の方角になるんです。

――自分がデザインしたもの、身に付けてみたいです。

楽しいよ。これが構想業であるデザインっていう仕事の、もっとも嬉しい部分です。まあ、中にはちょっと違った……っていうのもあるんですけど（笑）。頑張って。僕の年になるまで、まだ40年以上あるからね。いくらでも作って。

ところで、家に帰ってから、楕円の練習をしてみた人、どのくらいいる？

――……（手を挙げたのは数名）。

もっとしろよ（笑）。線を引く、楕円を描くみたいなことをコンスタントにやって慣れてくると、とても便利な道具になります。言葉で話すように、自然にぺらぺら絵が描けるようになると、世界がひとつ開ける。描かないと、すぐ喋れなくなるから気をつけて。

――山中先生が、これから作りたいと思うものはなんですか？

難しい質問ですね。それが見えていたら、そもそも新しいアイデアはいらないってことなので。「うまく説明できなくても大事にする」ということを心がけているから。えーと、つまりは、うまく説明できないです（笑）。

そういえば高校生の時、弟に「兄貴は将来なにをしたいんか」と聞かれたことがあります。「笑うかもしれんけど、サイボーグ作りたい……」

そう答えたのはよく記憶に残っています。あまりよく考えて答えたわけではなかったのですが、今の自分が、ロボットや義足や、生き物っぽい腕時計などを作ったりしているのを見ると、そこから一歩も離れていないことに愕然とします。

僕は昔から走るのが遅くて、スポーツが得意じゃなかったので、機械の強い体を手に入れたかったのかもしれません。小さい頃から小動物が大好きで、なにかを作るのも大好きだったから、生き物を作りたいと本気で思ったのかもしれません。あるいは、今と同じように、生き物と機械が入り混じった状態にゾクゾクしていたということも考えられます。いずれにしても、ふと口に出てしまう根源的なところは変わらないんだなと改めて思います。

今日の授業の中でも何度か言いましたが、なんか気になる、なぜか好きなアイデアは実はあなたにとって、とても大切なアイデアかもしれません。ここで学んだみなさんは、これからもたくさんの「なぜか惹かれる」アイデアに出会うでしょう。そこに「本当に好きなこと」のヒントがあります。見つけたと感じたら、迷わないでください。あなたたちの未来はきっとそのあたりにあります。

そろそろ授業もおしまいです。もしかすると、マウスチェアが未来に存在するかもしれません。振動する椅子が、涼しい帽子が、チクタクと緊張感を与えるタイマーがある未来が訪れるかもしれない。みなさんが書き散らしたスケッチの1枚1枚が、その可能性をもっている。そういうことをちょっと意識してくれると、この授業をやった甲斐があったかなと思います。

後記

本書に書かれた高校生向けの授業を行ったのは２０１７年のことである。この記録を改めて見直しながら、こんなにも濃密な、生徒たちの息遣いが聞こえるような授業ができたことが、今となっては感慨深い。新型コロナウイルスのパンデミック以降、リアルな体験型授業はほとんどできなくなった。２０１９年までは東京大学でも、ワークショップ形式の授業が様々な分野で取り入れられつつあったのだが、２０２１年の現在では、すっかりオンラインに置き換えられている。

幸いなことに、この授業の中で子どもたちに伝えた、スケッチを通じた世界の見方や、良いアイデアを得る確率を上げる方法などは、オンラインでもそのまま活かせることがわかってきた。スケッチの描き方などはむしろ、インターネットを通じて互いの手元をカメラで見せ合いながら伝えるやり方のほうが、ホワイトボードに描いてみせるよりも洗練されているかもしれない。大学の講義でも、オンラインにしてわかりやすくなったという意見も少なくなかった。この書籍には、この2年間にオンラインで蓄積した私のスケッチや図版を数多く転用している。過去の作品の成り立ちを説明する記述にも、遠隔授業の記録が参考になった。その意味では、緊急事態宣言下に蓄積された新たなノウハウが、リアルな体験型授業を紙の上に再現するために大いに役に立ったと言える。

もちろん、オンラインでは再現しにくい効果もいくつかあって、それが最近の私の悩みでもある。たとえばちょっと作ってみたものを皆で触れてみて、感じたことを言い合うなどという体験はオンラインでは難しいが、それはもとより書籍で伝えることが難しいことでもあった。

総じて、この授業がコロナ禍より以前に行われ、オンライン授業の経験を経て書籍化されたことは、デザインの現場のノウハウを、誰もが共有できる情報に変換することを促したと言えるであろう。まずはその幸運に感謝したい。

そして、4年という長きにわたってその変換作業に携わってくれた鈴木久仁子氏と、この機会を与えてくれ、その後の長い執筆期間を認めてくれた朝日出版社にも感謝したい。越海辰夫氏には、複雑な本文組みを何度も整えていただいた。授業に協力してくれた東京大学山中研究室の学生、資料の整理や校正に至るまで力を貸してくれた研究スタッフにも感謝する。

尊敬する寄藤文平氏、古屋郁美氏に、装丁とエディトリアル、一部図版までご協力いただいたことはこの上ない喜びであった。寄藤氏は、本書の表紙にある卵と三角のように見える図像（本書のタイトル、『だれでもデザイン』の頭文字をとったＤＤ）について次のように説明してくれた。

片方のDは曲線的に、片方のDは直線的に、
片方ははじまりのように、片方はすすんでゆくように、
片方は場をあらわすように、片方は技術をあらわすように、
片方はアイデアのように、片方はプロダクトのように、
といった解釈的心象を重ね合わせられるように、形の対比を考えていきました。

本文中にもしばしば2つの概念の接点を探す話が登場する。私のデザイン活動も、この授業もまさにそうだった。これほど深く共感を覚える表象を考案いただいたことに、心から感謝申し上げる。

2021年10月　山中俊治

参考文献

- ベティ・エドワーズ『決定版　脳の右側で描け』野中邦子訳、第4版、河出書房新社、2013年
- 檜垣万里子『気になるモノを描いて楽しむ——観察スケッチ』ホビージャパン、2019年
- スコット・ロバートソン『スコット・ロバートソンのHow to Draw——オブジェクトに構造を与え、実現可能なモデルとして描く方法』Bスプラウト訳、ボーンデジタル、2014年
- ピーター・ジェニー『ドローイング・テクニック』石田友里訳、フィルムアート社、2015年
- 日経デザイン『アップルのデザイン』日経BP、2012年
- ジェームス・W・ヤング『アイデアのつくり方』今井茂雄訳、CCCメディアハウス、1988年
- ドナルド・A・ノーマン『誰のためのデザイン?——認知科学者のデザイン原論』岡本明他訳、増補・改訂版、新曜社、2015年
- ヤコブ・ニールセン『ユーザビリティエンジニアリング原論——ユーザーのためのインタフェースデザイン』篠原稔和他訳、第2版、東京電機大学出版局、2002年
- エイドリアン・フォーティー『欲望のオブジェ』高島平吾訳、新装版、鹿島出版会、2010年
- ティム・ブラウン『デザイン思考が世界を変える——イノベーションを導く新しい考え方』千葉敏生訳、アップデート版、早川書房、2019年
- 近角聡信『日常の物理事典』東京堂出版、1994年
- 平野啓一郎『かたちだけの愛』中央公論新社、2010年
- 平野啓一郎『「カッコいい」とは何か』講談社現代新書、2019年
- 伊藤亜紗『記憶する体』春秋社、2019年
- 山中俊治『カーボン・アスリート——美しい義足に描く夢』白水社、2012年
- 山中俊治『デザインの骨格』日経BP、2011年
- 山中俊治『デザインの小骨話』日経BP、2017年

本書に掲載された写真のクレジット

- 若林勇人　p.131、p.136、p.164、p.166、p.167、p.168（左2点）、p.170（下2点）、p.171、p.201、p.208、p.211
- 加藤康　p.35（右下、左上）、p.181（上2点）、p.305、p.322
- 清水行雄　p.28（左中央）、p.213、p.217、p.219、p.221、p.233、p.236、p.240（左上）、p.247、p.248、p.249（中央）、p.281、p.287、p.291、p.314、p.315、p.351
- 西部裕介　p.35（左下）、p.220
- Gottingham　p.70

謝辞

本書を刊行するにあたって、以下のみなさまにお力添えをいただきました。篤く御礼申し上げます。——編集部

- 共立女子高等学校
  1年生　沖原優里さん、安原のどかさん　2年生 石井陽音さん
- 埼玉県立浦和第一女子高校
  1年生　青木仁美さん、岩﨑和乃さん、東出あんなさん、東出さらさん
  2年生　入江央さん、加藤道帆さん
- 埼玉県立川越高等学校
  1年生　大澤悠さん、根岸悠佑さん、宮元佑さん、枡永陽那太さん
- 芝中学校
  3年生　三井望さん、奥航世さん
- 芝高等学校
  1年生　市原健さん、大須思音さん、守屋琉さん
- 豊島岡女子学園高等学校
  1年生　金井智美さん、岸さとみさん、西尾玲奈さん、三宅瑠千晏さん、森麻奈歌さん、渡邊百花さん
- 東京都立西高等学校
  1年生　高山茉佑子さん

共立女子中学高等学校・久永靖史先生、埼玉県立浦和第一女子高校・大谷奈央先生、
埼玉県立川越高等学校・阿部宏先生、吉田晃先生、芝中学校・芝高等学校・寺西幸人先生、
豊島岡女子学園高等学校・鈴木健史先生、東京都立西高等学校・伊藤和美先生

- 東京大学生産技術研究所 山中俊治研究室
  村松充さん、ラファエラ・リバノさん、クリスチャン・フェルスナーさん、
  三國孝さん、荒牧悠さん、阪本真さん

東京大学生産技術研究所 価値創造デザイン推進基盤、DLXデザインラボのみなさま

※学年・肩書は当時のものです。

山中俊治

やまなか・しゅんじ　1957年、愛媛県生まれ。
デザインエンジニア／東京大学生産技術研究所・東京大学大学院情報学環教授。

1982年、東京大学工学部産業機械工学科卒業後、日産自動車デザインセンター勤務。

1987年よりフリーのデザイナーとして独立。1991〜94年まで東京大学助教授を務める。

1994年にリーディング・エッジ・デザインを設立。

2008〜12年、慶應義塾大学政策・メディア研究科教授。2013年4月より東京大学教授。

デザイナーとして腕時計から鉄道車両に至る幅広い工業製品をデザインする一方、
研究者としてロボットや義足の開発に携わる。

2001年にドイツiF Design Award、2004年に毎日デザイン賞受賞、
2006年グッドデザイン賞金賞受賞、2021年A' Design Awardにて最高賞Platinum受賞など。
2010年、「tagtype Garage Kit」がニューヨーク近代美術館パーマネントコレクションに選定。

主な著書に『フューチャー・スタイル』(アスキー、1998年)、『デザインの骨格』(日経BP社、2011年)、

『カーボン・アスリート——美しい義足に描く夢』(白水社、2012年)、

『デザインの小骨話』(日経BP社、2017年)などがある。

だれでもデザイン　未来をつくる教室

2021年11月30日　初版第一発行

著者　山中俊治

装丁　寄藤文平+古屋郁美(文平銀座)
DTP制作　越海辰夫
編集協力　大槻美和(朝日出版社第二編集部)、和田政憲(朝日出版社「CNN ENGLISH EXPRESS」編集部)
編集担当　鈴木久仁子(朝日出版社第二編集部)

発行者　原雅久

発行所　株式会社朝日出版社
〒101-0065　東京都千代田区西神田3-3-5
TEL　03-3263-3321 ／ FAX　03-5226-9599
http://www.asahipress.com

印刷・製本　図書印刷株式会社

ISBN978-4-255-01255-1 C0095